D0831297

GLEN MILLS

Glen Mills

Het verhaal van een omstreden experiment

John Maes

Van Gennep • Amsterdam

Nieuwezijds Voorburgwal 330, 1012 RW Amsterdam
Ontwerp omslag Erik Prinsen
Foto auteur Michel Utrecht
Verzorging binnenwerk Van Gennep Amsterdam
ISBN 978 90 5515 945 1
NUR 740

Voor Annerys

Inhoud

Voorwoord

Voor elke kritische opmerking van een klant heeft een goede verkoper een sluitend weerwoord. Wie de afgelopen tien jaar de aanpak van jongens op strafinternaat Glen Mills (het 'product') te hard vond, kreeg van de directie van de particuliere instelling een pasklaar antwoord: 'Het zijn geen lieverdjes.'

Andersom werd ook het afvallen van de jongens niet geaccepteerd. 'Het zijn geen "slechte jongens" of "gestoorde jongens", maar "goede jongens die slechte dingen hebben gedaan",' was dan het parate antwoord. En wie kritiek op de effectiviteit van de methode had, die moest zelf maar met een beter alternatief voor veelplegers op de proppen komen.

Zo zullen er ook tegenstanders en voorstanders zijn van dit boek. Een mogelijk verwijt is dat te weinig onderwerpen aan de kaak zijn gesteld – zoals de werkdruk voor het personeel – of dat er juist veel meer succesverhalen te vinden zouden zijn om op te tekenen. Hoe dan ook, tussen 'geen lieverdjes' en 'geen slechte jongens' ligt een wereld van verschil. Glen Mills heeft zijn sporen nagelaten bij studenten en hun familie, bij medewerkers en hun gezinnen, en bij de slachtoffers van gerecidiveerde Glen Mills-studenten.

Glen Mills is meer dan een spijkerharde methode met een symbolische opsmuk. Het is ook de werkvloer voor gemotiveerd personeel, en het is ook een instelling waar een wereld van macht, (politieke) belangen en geld achter schuilgaat. Het experiment van de methodiek Glen Mills in Nederland duurt al bijna tien jaar. Tijd voor een feestje. Of toch niet? De methodiek heeft haar bestaansrecht het afgelopen decennium niet bewezen, verre van zelfs.

Hoelang mag een experiment doorgaan voordat het als geslaagd kan worden beschouwd? En hoelang mogen daarvoor sociaal-delinquente jongeren gebruikt worden, bendejongeren die na een paar jaar weer op de maatschappij worden losgelaten? Alleen 'Den Haag' kan besluiten wanneer het geëxperimenteer met de voor Nederland zo unieke methode lang genoeg heeft geduurd.

Op de website van de Amerikaanse Glen Mills School staat anno 2008 een tekstje van amper honderdvijftig woorden over het enige land dat de systematiek tot dusver overnam, ons land, en de daarvoor verantwoordelijke jeugdzorginstelling 'Honderloo Group'. Gesproken wordt over een 'programma dat de basis zal vormen voor een kans voor duizenden tieners in Europa'.

Nee, *executive director* Garrison D. Ipock Jr is al een tijdje niet meer langs geweest bij de Zuiderzeestraatweg 620 in Wezep, het paradepaardje van de overkoepelende Hoenderloo Groep (want zo spel je dat juist). *Do the math*, zeggen ze in Amerika. Tussen het ooit door grondlegger Cees van der Kolk gepresenteerde succespercentage van 77,1 procent en het wetenschappelijk bewezen recidivepercentage van 78 procent gaat meer dan 100 procent drama schuil. Tel uit je winst.

Glen Mills Nederland is nooit het beoogde bruggenhoofd voor een Europese Glen Mills geworden, een heimelijke wens van oprichter Van der Kolk en Hans Nieukerke, oud-directeur van de Hoenderloo Groep. De vraag is nu: wat te doen met Glen Mills? Hoelang nog, en hoe? 'Er komt een chique oplossing, daar ben ik zeker van,' zegt een oud-medewerker. Maar ten koste van wat?

Na het passeren van de befaamde witte lijn op de campus van de Glen Mills School is een beeld van een stier het eerste wat bezoekers zien. Die stier is het symbool van de *bulls*, studenten met een hoge status. De zwarte stier heeft gele hoorns en witte hoeven, de drie strijdkleuren van Glen Mills. Begin 1999, bij een korte ceremoniële plechtigheid, is onder die stier een kistje begraven door studenten, begeleiders en directeuren van het eerste uur. In dat kistje hadden ze brieven gestopt met hun toekomstverwachting over hoe Glen Mills er over tien jaar uit zou zien.

Ik vraag me af in hoeverre die verwachtingen overeenkomen met *Glen Mills. Het verhaal van een omstreden experiment.*

1 Voor de BV Nederland

Om het verwachtingspatroon van het experiment Glen Mills School in Nederland groots te noemen, zou een grove onderschatting zijn. Nee, gróter dan groots was het. Met een on-Nederlands enthousiasme werd de Amerikaanse methodiek hier aan de man gebracht.

In 1997 brengt de Hoenderloo Groep, een particuliere instelling voor jeugdzorg, het boekje *Uitzicht zonder tralies* (ondertitel *Een jongensboek*) uit. Het boekje ronkt van de bravoure en loopt over van de naïviteit. Glen Mills wordt gepresenteerd als een geschenk aan gans de natie, en wordt opgedragen aan elke Nederlander. 'Voor de BV Nederland' staat er fier, onder aan de copyrightpagina.

'Kroegbazen kennen de truc,' zo begint de proloog. 'Bevorder de herrieschopper tot portier. Hij schopt geen herrie meer, maar voorkómt het en vindt dát stoer. Hij verdient zijn respect, van die paar drinkebroers, niet meer met wangedrag. Hij wordt medeplichtig aan goed gedrag, van de goede partij: de kastelein (lees: overheid) en diens klanten (lees: maatschappij).' Die 'truc van de kroegbaas' had succes in Amerika, dus zou die ook werken in Nederland, zo is de stellige overtuiging: 'Glen Mills is een successtory. De Hoenderloo Groep gaat zo'n verhaal ook in Nederland vertellen.'

De latere grondlegger van Glen Mills in Nederland, Cees van der Kolk, hoorde bij toeval van de Glen Mills School, een strafinternaat voor bendejongeren in de Verenigde Staten. Directeur Cosimo D. (Sam) Ferrainola spreekt in 1993 op het Internationale Congres voor de Jeugdhulpverlening in de Duitse universiteitsstad Lünenberg. Het Duits-Amerikaanse uitwisselingsproject German Mills stuurt dan Duitse probleemjongeren voor heropvoeding naar Glen Mills in Amerika.

Van der Kolk, aanvankelijk licht sceptisch, wordt enthousiast door Ferrainola's betoog. Hij praat een uur met hem na, en Ferrainola nodigt hem uit om zelf een kijkje te komen nemen. In 1994, in zijn zomervakantie en op eigen kosten, gaat Van der Kolk op bezoek bij Glen Mills, aan de Glen Mills Road, in de bossen van Glen Mills, Delaware County, Pennsylvania, waar het systeem sinds 1975 draait.

De orthopedagoog krijgt een rondleiding en spreekt opnieuw Ferrainola, een voormalig hoogleraar sociologie aan de universiteit van Pittsburgh, zoon van Siciliaanse immigranten, opgegroeid in een getto. Bij thuiskomst overtuigt Van der Kolk algemeen directeur Hans Nieukerke van de Hoenderloo Groep van het belang het programma over te nemen. Nieukerke ziet daar wel brood in.

Leefgroep C van Hoenderloo Groep-divisie 't Wezeveld wordt de proeftuin van een Nederlands alternatief voor jeugddetentie. In 1995 gaat in Twello bij Deventer een project van start onder de naam Samster (dat staat voor Samen Sterk, en ook voor Sterk in Samenwerking), de voorloper van Glen Mills. Een kleine behandelingsgroep, elf bendejongeren, worden de eerste proefpersonen van het systeem dat negatief bendegedrag door groepsdruk moet omzetten naar positief groepsgedrag. Een medestudent confronteren op slecht gedrag leidt tot een hogere status die meer privileges oplevert. De jongens kunnen opklimmen van Groepslid naar Gezel, Opper, Assistent, Sub en Master. Op de zogenoemde Plusdag worden de certificaten uitgereikt.

Het confronteren kent zeven stappen, oplopend van vriendelijk non-verbaal tot 'holding', waarbij de jongen tegen de muur of grond gedrukt wordt. 'Confronteren kon ik wel. Geconfronteerd worden, heb ik nog steeds moeite mee. Ik heb wel tachtig keer op de grond gelegen. De langste keer vier uur. Liggen ze met z'n elven op je. Dat is lang hoor. Als ik ruzie heb, geef ik nooit op,' zegt Chucky, een Opper, in *Uitzicht zonder tralies*.

Een vol dagprogramma met sport en opleiding, waar geen plek is voor verveling, staat centraal binnen Samster. Na twee jaar krijgen acht van de elf jongens die Samster verlaten een 'positieve indicatie' mee. Statistisch gezien haalt 61,5 procent daarmee de doelstelling. In

1996 krijgt Samster van de Hoenderloo Groep de Hoenderloo Award, voor het meest innovatieve project binnen de Groep. Erica Terpstra, VVD-staatssecretaris van VWS, komt hem uitreiken.

Tussen plannenmakerij en subsidiëring staat het nobele lobbywerk in. Nieukerke, netwerker pur sang, is daar een meester in. In de *Hoenderloo Groep Kwaliteitskrant* (2000) blikt Nicoline Schuitemaker, toen werkzaam bij de projectgroep 'Veilig' van de gemeente Rotterdam, terug op de conceptie van Glen Mills. Op de vraag: 'Nicoline, hoe is het allemaal begonnen?' antwoordt ze spontaan:

'Ton Peters, projectleider van de projectgroep Veilig liep op een goede dag in 1997 Hans Nieukerke tegen 't lijf. Het enthousiasme waarmee hij over Glen Mills sprak, werkte zo aanstekelijk dat de interesse snel was gewekt. Een afspraak om er meer over te horen, werd vlot gemaakt. Glen Mills is een veelbelovende innovatieve benadering van jongens die in de criminaliteit zijn beland. (...) De Hoenderloo Groep en Rotterdam sloegen de handen ineen.'

'Gestart werd met een bijeenkomst waarvoor vertegenwoordigers van Justitie, VWS, de drie andere grote steden met hun justitiepartners en Kamerleden werden uitgenodigd. Die bijeenkomst vond plaats op landgoed Nieuw Rhodenrijs te Rotterdam, in november 1997. Jay Halverson van de Amerikaanse Glen Mills Schools was hierbij ook aanwezig.'

'Na deze "eerste ronde" was het zaak zo snel mogelijk een ondernemersplan te schrijven om de volgende fase in te kunnen en het voorlopige "commitment" te verzilveren. Ton Peters steunde dit niet alleen in persoon, maar ook met een budget voor deze initiatieffase. Spoedig daarna werden ambtenaren en bewindslieden van verschillende beleidsterreinen bestookt om hun support te geven aan de opstart van een Glen Mills-pilot in Nederland.'

Zowel in de Kwaliteitskrant als in *Uitzicht zonder tralies* haalt Schuitemaker Marokkaanse 'drugsrunnertjes' in Rotterdamse achterstandsbuurten aan, waarvan ze hoopt dat Glen Mills die kan 'ontgiftigen'. De directie wil in het boekje *Uitzicht zonder tralies* mogelijke sceptici die niet willen geloven dat Glen Mills ook in Nederland kan slagen, alvast wijzen op de voorspelbaarheid van hun bezwaren. 'Nederland kent géén street gangs. Glen Mills mag dáár dus een successtory zijn – waarom zou die American Dream dus ook in ons kikkercultuurtje uitkomen?'

'Sport en prestige hebben in Nederland immers veel minder met elkaar te maken. Ooit gehoord van jeugdbendes die, net als in Florida, roofmoorden plegen op toeristen in Scheveningen? Zo zijn allerlei bezwaren en weerstanden tegen Glen Mills te bedenken. Ja, we zullen jonge criminelen een beetje 't beste van 't beste gaan geven! Gaan we ze nog belonen ook! Weggegooid geld – eens een boef, altijd een boef!'

Hoenderloo Groep-directeur Nieukerke zal dat laatste gezegde altijd blijven hekelen. 'De studenten (want zo worden ze officieel aangeduid) op Glen Mills zijn geen slechte jongens, maar goede jongens die slechte dingen gedaan hebben,' zal hij in bijna elk interview declameren, als een mantra.

In de epiloog van *Uitzicht zonder tralies* zegt Nieukerke: 'De BV Nederland kán een hoofdrol spelen, door met politieke en financiële steun haar nek uit te steken en te durven investeren in vernieuwing.' Voor er ook maar één wetenschappelijk verantwoord rapport over de methode is gepubliceerd, stelt hij tussen de regels door in de epiloog dat de Glen Mills-methodiek minstens even goed is als alle andere bestaande behandelmethoden. 'Dit jongensboek reikt de argumenten aan om de handen uit de mouwen te steken. Al was het maar vanwege (...) het gebrek aan betere alternatieven.'

Ten slotte wordt op de achterkant van het boekje ook de laatste kritische lezer die dan nog durft te twijfelen aan de toekomstige successen van de methode gerustgesteld. 'Dit boek gaat over (...) een succes in Amerika, beproefd door de Hoenderloo Groep – voldoende beproefd om Glen Mills op te richten.'

Echte straatbendes, zoals de beruchte Crips en de Bloods in Los Angeles, met hun eigen kleurcodes en tekens, waren (en zijn) er weliswaar niet in Nederland, maar delicten gepleegd door jeugdigen in groepsverband nemen toe. Van der Kolk en Nieukerke gaan de boer op met het Amerikaanse slagingscijfer van 70 procent. De politiek, de ministeries (van VWS, van Onderwijs en iets later van Justitie) en het bedrijfsleven gaan een voor een overstag – zonder enige gedegen wetenschappelijke toetsing vooraf waaruit de effectiviteit van het programma moet blijken.

In januari 1998 besluit staatssecretaris Erica Terpstra tegen het dringende advies van haar ambtenaren in de Glen Mills School te subsidiëren voor een periode van vier jaar. Er is plek voor vijftig jongens. In hetzelfde jaar vertrekken veertien stafleden en jongens voor zes en drie maanden naar Pennsylvania om het systeem in de vingers te krijgen. Als 'cultuurdragers' komen ze terug.

Wanneer de plannen concreter worden, ontstaat er lokaal verzet. Bewoners van Wezep en omgeving zijn bang voor zo veel boeven in de buurt. De Hoenderloo Groep organiseert een bijeenkomst waar bijna vijfhonderd mensen op afkomen. Het maatschappelijk protest – er is bijvoorbeeld vrees voor een waardedaling van de huizen – wordt gesmoord. Het college van B&W van de gemeente Oldebroek, waar Wezep onder valt, geeft in oktober 1998 toestemming tot ingebruikname van de voormalige Willem de Zwijgerkazerne, een van de vele militaire complexen die de Veluwe omzomen.

Op 10 december wordt de antikraakwacht uit de kazerne gebonjourd en start de tweede Glen Mills in de wereld, in Wezep, op het complex van het voormalig kazerneterrein, met vier studenten. De andere studenten zijn op dat moment in de Verenigde Staten om daar het klappen van de zweep te leren kennen.

Op 1 januari 1999, precies vijf jaar na de officiële start van de door politiek rechts gesteunde 'Lubberskampementen' (Jeugd Werk Inrichting) en ruim een jaar na de mislukking van Lubbers' proefballon, zet de Amerikaanse methodiek officieel voet aan de grond, onder protectie van VVD en CDA.

De proef met Samster begint in hetzelfde jaar (1995) als elders in het land de Lubberskampementen beginnen te draaien. Ironisch genoeg is het minister van Justitie Winnie Sorgdrager (D66) die de stekker uit de Lubberskampementen trekt, maar in de parlementaire archieven ook het eerst melding maakt van 'het experiment Glen Mills', op 23 februari 1998.

Op een CDA-bijeenkomst in 1993 had premier Ruud Lubbers het in een speech over het groeiende probleem van de jeugdcriminaliteit. Het moet maar eens over zijn met de zachte aanpak van dat rapaille. Aanpakken en aan het werk zetten, onder stevige bewaking, 'in organisaties, in inrichtingen, in kampementen, hoe je het ook wilt organiseren'.

Lubbers kreeg van links Nederland de volgende dag de wind van voren. Het onfrisse woord 'kampementen,' en dan oud-militairen als begeleiders? Maar de kampementen kwamen er. Jeugd Werk Inrichting (JWI) gingen ze heten. Het werd een flop. De JWI, voor criminelen tussen de 18 en 23 jaar, kende na drie jaar een recidivecijfer van ruim 50 procent. Uiteindelijk, na ongeveer 250 jongens, lag de recidive bij de Lubberskampementen op ongeveer 70 procent. Het systeem bleek bovendien juridisch niet waterdicht te zijn, en de kosten waren te hoog.

Ondanks het zeer recente JWI-debacle krijgt de Glen Mills-methodiek het voordeel van de twijfel. Ingrijpen op jongere leeftijd, bij jongens tussen de 14 en 18 jaar, zal effectiever zijn dan bij de jongvolwassen in Lubberskampementen, is de gedachte. De keiharde aanpak en het oprechte geloof om jongeren door discipline, het bieden van structuur en regelmaat weer op het goede pad te krijgen, staat ook nu centraal. Weer worden er oud-militairen en -beveiligingsmedewerkers aangetrokken als begeleiders.

Ook de duur komt overeen: een gemiddelde verblijfsperiode van vijftien maanden in de Jeugd Werk Inrichting in Veenhuizen, tegen een standaardperiode van achttien maanden in Wezep. Veenhuizen was in feite een gevangenis, met een buitenmuur en prikkeldraad. Glen Mills kent geen poort of tralies, maar een witte streep die niet overschreden mag worden. Waar de Jeugd Werk Inrichting in acht maanden uit de grond werd gestampt, neemt de Hoenderloo Groep jaren de tijd om Glen Mills goed in de steigers te zetten – in afwachting op het groene licht van het Binnenhof.

In Glen Mills, Pennsylvania zitten sinds jaar en dag een kleine duizend studenten. Jay Halverson, teamleider van Glen Mills in de Verenigde Staten en coördinator van het 'Dutch Project', spreekt in 1999 zijn verwachting uit dat de Nederlandse Glen Mills zich na drie à vier jaar zal hebben ontwikkeld tot een voorbeeld voor heel Europa, met een mogelijke uitgroei tot 250 studenten. 'Heel veel succes gewenst! *It can be done!*'

De *can do*-mentaliteit slaat over op Nieukerke, Van der Kolk en andere medewerkers van Glen Mills Nederland. 'Misschien ziet men (de politiek, red.) ooit ook nog eens het voordeel van één grote Glen Mills met vijfhonderd studenten. Nóg beter zou zijn: één grote Europese Glen Mills school,' zegt Van der Kolk in 2003, terwijl het broeit op de campus, misstanden nog niet tot de buitenwereld zijn doorgedrongen, kritische wetenschappelijke rapporten nog ver weg zijn, en iedereen nog heilig gelooft in de *American Dream.*

2 Amaru Vlet

Zoals Glen Mills het paradepaardje is van de VVD, zo was Amaru Vlet (1984) een boegbeeld van Glen Mills. 'De langst zittende campuspresident,' klopt hij zichzelf trots op de borst. Van december 2002 tot halverwege 2005 zat Vlet op de campus. 'Ik wilde niet naar Glen Mills, ik moest van de jeugdreclassering. Na zeventien maanden jeugdgevangenis vertoonde ik volgens hen nog te veel machogedrag. Ik was niet *nadenkend*.'

Amaru Vlet, een Surinamer met wortels in het indiaanse binnenland, wil wel praten over zijn 29 maanden in Wezep. 'Je gaat toch niets negatiefs schrijven over Glen Mills hè,' vraagt hij door de telefoon, eind februari 2007. Hij wil op tijd afspreken. 'Ik sta altijd vroeg op. Dat heb ik bij Glen Mills geleerd.'

Een zondag in maart 2008, in het restaurant van het Tulip Inn bij station Zoetermeer. Amaru Vlet, samenwonend en vader van één kind, is anderhalf uur te laat voor zijn afspraak. Hij verontschuldigt zich voor zijn late binnenkomst. 'Ik heb vannacht gewerkt, tot half vijf 's ochtends.' Vlet is druk, pauzes in het gesprek gebruikt hij voor zakelijke telefoontjes.

Omdat het Tulip Inn geen Red Bull schenkt, drinkt hij koffie en cola. Liever nog zou hij een joint opsteken. 'Ik heb veel stress, ik blow veel. Per dag voor ongeveer 30 euro. Ik woog 85 kilo toen ik uit Glen Mills kwam, nu nog 65.' Het klopt, hij is iets te mager voor zijn leeftijd en zijn lengte – zijn colbertje valt net te ruim over zijn schouders. Het fysieke aspect van de periode in Wezep beviel hem uitstekend. 'Elke dag deed ik aan fitness, zwemmen en judo. Man, ik ging joggen totdat ik erbij neerviel.'

Vlet steeg snel in de rangen. 'Binnen twee maanden was ik bull, dat is echt heel snel.' Binnen no time viel hem zelfs de allerhoogste status ten deel. De rangen tussen bull en campuspresident sloeg hij naar eigen zeggen over. 'Nieukerke zei tegen me: "Jij gaat het boegbeeld worden van Glen Mills." Iedereen hield van me. Ik was campuspresident voor ik het wist. Je moet leiderschap tonen, zodat studenten iets voor je willen doen. "Charisma moet je hebben," zeiden de coaches tegen me. Als ik die studenten nog tegenkom op straat, staan ze stil en groeten me. Iedereen die onder mij zat, was mijn little brother.'

Als president kreeg hij een inkomen van 350 euro per maand en had hij veel privileges. 'Ik was half student, half burger. Die witte streep bij de campuspoort, daar mocht ik gewoon overheen lopen,' zegt hij quasinonchalant. Met het statusniveau kwamen verantwoordelijkheden. 'Ik runde de school. Veiligheid, studie, eten, daar was ik verantwoordelijk voor. Maar ik wilde meer. Ik werd een strebertje, ik wilde alles doen. Als ik maar verantwoordelijkheid kreeg.'

Amaru Vlet kreeg wat hij wilde: hij werd een uithangbord van Glen Mills. 'Drie à vier dagen per week ging ik met Nieukerke op pad. Ik deed rondleidingen op de campus en presentaties in het land. Ik voelde me goed en trots bij die presentaties. Kreeg ik weer een cheque van 10.000 euro voor de school!' Vlet straalt als hij daaraan terugdenkt. Op de campus floreerde hij; Glen Mills, dat waren zijn hoogtijdagen.

Toch reikten Vlets ambities al snel tot buiten het campuscomplex. Vlet had grootse plannen. Op internet had hij een particuliere hogeschool gevonden, het Eurocollege. 'Die opleiding kostte 35.500 euro.' Daar wilde hij wel heen. 'Daar zitten dochters en zonen van burgemeesters en ministers. Weet je wel wat dat kost?' zei Nieukerke tegen me. Ik mocht solliciteren samen met ongeveer veertig andere jongens en meisjes. Uiteindelijk bleef ik over samen met nog iemand, terwijl ik alleen een vbo-diploma had. Ik was zó trots op mezelf. Ik heb bij Glen Mills de Vierdaagse gelopen, ben judokampioen geweest, maar dat ik door die commissie werd toegelaten, dat was m'n mooiste dag daar.'

En toen was het over.

'Als ik op verlof een belletje pleegde, kon ik een dag langer wegblijven. Dat vergat ik door problemen thuis. Dat was een paar dagen voordat ik Glen Mills zou verlaten. Ik ging er "negatief" weg. Mijn bulls-jack mocht ik wel houden.' In stomdronken toestand werd hij naar eigen zeggen door justitie bij Glen Mills afgeleverd, ontnuchterd kwam hij er weer uit. 'Ik voelde me echt verneukt. Ik werd de straat opgezet. Terwijl ik een groot afscheid hoorde te krijgen, na alles wat ik voor ze gedaan heb.'

Aan nazorg had Vlet geen behoefte. 'Daar voelde ik me te goed voor. Ik was ineens in een gat gevallen, maar voelde me nog steeds campuspresident.' Omdat zijn verblijfsvergunning was verlopen (Vlet heeft een Surinaams paspoort), kon hij niet legaal zijn brood verdienen. Voor Vlet een extra reden om geen nazorg te accepteren. 'Wat heb je aan nazorg als je niet kan werken.'

De dag dat hij 'thuis' werd afgezet, was daar niemand om hem op te vangen. Geen moeder, geen vader, en ook de oma bij wie hij inwoonde, was naar Suriname. Vlet dacht één dag lang na wat te doen. De volgende dag ging hij naar buiten, de straat op, om te inventariseren waar zijn vrienden en kennissen van vroeger de kost mee verdienden. 'Ik merkte dat iedereen in de handel zat.' Dus begon hij de derde dag zelf te handelen. Vóór Glen Mills was hij inbreker. 'Nu ben ik handelaar.' Of beter: Handelaar/Verkoper, zoals hij zelf heeft ingevuld bij 'beroep,' op zijn profiel op internet.

Oud-campuspresident Amaru Vlet zal in ieder geval de boeken in gaan als recidivist; in 2006 moest Vlet een halfjaar brommen voor mishandeling. 'Mijn schoonouders mogen mij niet zo. Toen mijn schoonvader me 's ochtends in mijn onderbroek tegenkwam in het appartement van mijn vriendin, begon hij op me af te rennen.' Een uit de hand gelopen ruzie was het gevolg, zegt hij zelf. 'Per ongeluk' sloeg hij ook zijn schoonmoeder en vriendin.

Wat van Glen Mills rest, zijn de mooie herinneringen. 'Het is in essentie een hele goede school. Je gaat er dwangmatig iemand verbeteren.' Over oprichter Cees van der Kolk en oud-Hoenderloo Groepdirecteur Nieukerke praat hij bijna met liefde. 'Van der Kolk is de man. Hij heeft Glen Mills gemaakt. En hij heeft mijn talent ontdekt:

dat mensen naar mij luisteren. Hij woonde om de hoek, hij kwam naar elke wedstrijd van ons kijken.'

'Nieukerke is een echte handelaar, een echte hosselaar. Zo'n man, daar hou ik van. Beetje bij beetje peuterde hij geld los bij het bedrijfsleven voor Glen Mills. Ik heb veel van hem geleerd.' Vlet memoreert een autorit van Den Haag naar Wezep, op weg terug van een presentatie voor de Provinciale Staten van Zuid-Holland. 'Ik kan je kruiwagen zijn,' zei hij. En toen ik me druk maakte om mijn verblijfsvergunning, lachte hij dat weg. 'Ken je Rita Verdonk? Rita is mijn vriendin, ik heb nog iets van haar tegoed.'

'Man, ik heb wat mensen van kwaliteit meegemaakt op Glen Mills.' In gedachten zit hij even niet in de lobby van het Tulip Inn maar in zijn vorige habitat. Dat de zaken op Glen Mills wel eens grondig fout liepen, weet hij ook. Vlet kent de casus van X., de vrouwelijke coach-docente die een grens overschreed door met een student aan te pappen. Vlet zag haar voor het eerst als lid van de sollicitatiecommissie. 'Ze kwam solliciteren als docente. Ze was veel te zacht, veel te lief. Ik heb er bij het *assessment* op aangedrongen haar aan te nemen, omdat ze toch maar lerares Engels zou worden. Dat was een fout.'

Vlet is een keer met haar uit geweest. 'Ze vond me leuk.' Seks hebben ze niet gehad, zegt Vlet. 'Verschillende studenten vertelden me over haar. "Heb je gehoord over X! Ze heeft het met een student gedaan, ze heeft een slechte naam gekregen!" X. werd later ontslagen.

'Jammer van die X.,' mijmert Vlet, en neemt een slok van zijn cola. 'Jammer ook van Glen Mills. Het was een prachtig idee. Nu zijn er zo veel dingen anders, waardoor het originele programma is veranderd. De jongens worden steeds jonger. Als je een echte straatjongen bent, zo'n rat, dan moet je daar naartoe. Je moet voor jezelf durven opkomen.'

Amaru besloot niet tegen het systeem in te gaan. Hij leerde het doorgronden en gebruiken. 'Coaches zijn instrumenten. Die gebruik je als model, om extra druk op de jongens te zetten.' Zonder charme en straatwijsheid was hij zo ver niet gekomen. 'Campuspresident ben ik geworden door me open op te stellen. Door niet te wachten totdat iemand een hand uitsteekt, maar dat als eerste te doen. Bull en zeker president worden doe je met je hart, met gevoel. Je moet het willen, net zoals op straat.'

Vlet heeft een positieve grondhouding. Hij wil absoluut niet met wrok terugkijken op zijn tweeënhalf jaar in Glen Mills, ondanks dat Nieukerke's macht niet zo ver strekte dat Rita zijn verblijfsvergunning kon fiksen. 'Tuurlijk heb ik nog mijn bulls-jack. Dat ga ik niet weggooien, toch.' Maar de weemoed klinkt door in zijn stem: 'Toen ik op Glen Mills zat, sprak ik zo beleefd. Als je mij nu hoort... ik praat weer de taal van de straat.' Vlets verhaal lijkt misschien tragisch, mededogen hoeft hij niet. 'Ik ga met een vriend een bar beginnen in Mariahoeve. Ik hoop dat Nieukerke naar de opening komt.'

3 School voor Winnaars

Om te begrijpen wat er op Glen Mills fout kan gaan, is een beschrijving van het systeem en alle begrippen vereist. Daarmee wordt dit voor u (hopelijk) nog geen saai hoofdstuk. De methodiek spreekt tot de verbeelding. Alleen al de Angelsaksische benaming maakt nieuwsgierig: *Glen Mills*. De essentie is simpel: het negatieve groepsgedrag van een bende in een gecontroleerde omgeving – door groepsdruk – ombuigen naar positief gedrag. De organisatie is zeer strak, hiërarchisch en kent militaristische trekjes, al hoort de Hoenderloo Groep dat niet graag. Locatie: de voormalige Willem de Zwijgerkazerne, een zogenoemde open residentiële setting in het Gelderse Wezep, ongeveer tien kilometer ten zuidwesten van Zwolle.

Glen Mills maakt door gedragsverandering van criminele jongeren weer goede burgers, die na een bijzonder strenge resocialisatie en mét een opleiding klaar zijn voor de maatschappij, uiteraard zonder opnieuw in de misdaad terecht te komen. Glen Mills is bedoeld voor sociaal-delinquente jongens van 14 tot 18 jaar met een IQ vanaf ongeveer 80; normaal begaafd. Het gaat om veelplegers die serieuze delicten op hun kerfstok hebben, variërend van inbraak, beroving, diefstal met geweld en mishandeling tot (poging tot) doodslag of moord.

Essentieel is dat ze hun misdaden in bendes (in groepsverband) hebben gepleegd. De jongens moeten immers gevoelig zijn voor *twenty four seven* groepsdruk; einzelgängers zijn dat niet. Ook mogen ze geen psychiatrische stoornissen, psychische aandoeningen of motorische mankementen hebben. Op jongens met bijvoorbeeld PDD-NOS (*pervasive developmental disorder – not otherwise specified*, een aan autisme verwante contactstoornis), *attention-deficit/hyperactivity disorder* (ADHD) of *attention deficit disorder* (ADD), schizofrenie, borderline of een seksuele stoornis heeft de groepsdynamiek in het béste geval minder effect, maar als mógelijk resultaat dat ze op Glen Mills het onderspit delven. Drugsverslaafde jongeren zijn evenmin welkom in Wezep. Over het (strafrechterlijk) verleden mag onderling nooit worden gepraat.

Voor een plaatsing op Glen Mills (GMS) zijn er verschillende zogenoemde verblijfstitels:

- een 'plaatsing in een inrichting voor jeugdigen' (PIJ) door de kinderrechter, een strafrechtelijke plaatsing;
- GMS als bijzondere voorwaarde, als voorwaardelijke maatregel voor jeugddetentie;
- ondertoezichtstelling (OTS), een civielrechtelijke maatregel waarbij de jongere op verzoek van een ouder of verzorger, de Raad voor de Kinderbescherming of de officier van justitie onder toezicht wordt gesteld.

Op de voorpagina van de *Hoenderloo Groep Kwaliteitskrant*, uitgave zomer 2000, worden de studenten (zo worden ze genoemd) op Glen Mills en de kern van de methodiek door Cees van der Kolk nader omschreven: 'De studenten bezitten een grote bagage aan individuele talenten en mogelijkheden om te leren en zich te ontwikkelen. Zij zijn geen "slechte jongens" of "gestoorde jongens", maar goede jongens die slechte dingen hebben gedaan. Om de een of andere reden zijn zij er niet toe in staat geweest om hun normaal menselijke behoeften op een sociaal acceptabele manier te bevredigen. Plaats de jongens vanuit een negatieve, remmende leefomgeving in een uitdagende omgeving met een positief normatieve cultuur waarbij negatief gedrag consequent wordt geconfronteerd en de jongens zullen hun ontwikkelingspotentieel aanspreken.'

Een verblijf in Wezep duurt minstens achttien maanden. Tijdens het intakegesprek, waarbij ook de ouder(s) of voogd aanwezig is (zijn), wordt een introductiemap verstrekt met een beperkte weergave van de dagelijkse gang van zaken. Bij binnenkomst moeten verwijzingen naar de straatcultuur de prullenbak in. De huiskapper geeft de jongens een neutraal kapsel. (De schaar erin, betekent dat in de praktijk.) Sieraden, merkkleding, kleding met vlaggetjes, symbolen of teksten erop worden ingeruild voor kleren uit de Glen Mills-winkel. De identiteit van de crimineeltjes wordt routineus afgebroken.

Bendeleider of meeloper; bij binnenkomst is iedereen gelijk. Of beter gezegd: bij binnenkomst is iedereen niemand. In de introductieperiode mogen studenten heel veel niet: zelfstandig rondlopen, telefoneren, roken, televisiekijken of zomaar een praatje beginnen met een andere student. Binnen mogen ze alleen op slippers lopen. Een staflid iets vragen? Dat kan, maar dan wel eerst in de houding staan: rug recht, armen gestrekt, handen vlak tegen het lichaam.

Een kernwoord van Glen Mills is 'respect'. Wie geen respect toont, zal linksom of rechtsom gedwongen worden zijn gedrag te veranderen. Dat doen de meesten ook. Soms duurt dat een tijdje. Wie niet 'breken' wil, maakt zijn periode op Glen Mills erg onaangenaam. Breken kan dagen, weken of maanden duren, maar uiteindelijk beseft elke student dat verzet meer energie kost dan meegaan in het systeem. Het systeem is heersend, verzetten is zinloos. *If you can't beat them, join them.*

Op de campus zijn er geen regels maar normen, luidt een andere sleutel uit de broncode. Regels, opgesteld door autoriteiten (zoals volwassenen), zouden toch maar gebroken worden. Studenten mogen (en worden gestimuleerd, na onderling beraad) zelf met nieuwe normen te komen. Al zijn er officieel geen regels, er zijn wel negen (door de school opgestelde) basisnormen:

1. Iedereen werkt hier aan zijn toekomst.
2. Iedereen verdient respect.
3. Niemand heeft het recht een ander pijn te doen.
4. Wij zijn trots op onze school.
5. Een Glen Mills School-student gedraagt en kleedt zich altijd als een heer.
6. Ons gedrag brengt onszelf, onze unit of onze school nooit een slechte naam.
7. Wij zijn sportief en kunnen omgaan met winnen en verliezen.
8. Iedereen accepteert confrontaties.
9. Onderwijs en klaslokaal zijn heilig.

Van de basisnormen zijn honderden normen afgeleid. Een zo'n norm is bijvoorbeeld: niet rennen over het campusterrein. Want iemand die rent, zou ineens kunnen besluiten om over de witte streep heen te rennen en weg te lopen. Omdat Glen Mills geen gesloten inrichting is, zijn er geen tralies of sloten op de deuren. Wel is er een witte streep getrokken op de plek waar een poort had kunnen staan.

Studenten morgen hier normaal gesproken niet overeen, behalve als ze op verlof zijn. Alle twintig minuten wordt er op aanwezigheid gecontroleerd. Geslaagde pogingen tot weglopen, komen slechts sporadisch voor. 'De jongens zijn zélf de tralies,' zei Hoenderloo Groep-directeur Hans Nieukerke eens. Tijdens de maaltijd zit bijvoorbeeld op elk van de twee trappen die naar de eetzaal leiden een student op wacht.

Een promotiesysteem stuurt de jongens de goede kant op. Waar in een bende een hogere status gekregen kan worden met stoere (illegale) praktijken, is bij Glen Mills een hoger vertrouwensniveau (status) met bijbehorende privileges (en verantwoordelijkheden) te krijgen door een uitdrukkelijke demonstratie van positief gedrag. Wie op de campus in Wezep binnenkomt, krijgt automatisch de status van *concern* (Engels voor 'zorg'). Een concern is een zorgenkindje en ligt aan de leiband. Zelfs de gang naar het toilet mag niet alleen gebeuren.

Aspirant is de volgende stap, gevolgd door kandidaat-*bull*. Voor de fase van concern naar kandidaat-bull staat bij goed gedrag een termijn van tien weken. Dan is het nog zes weken positief scoren tot de felbegeerde status van *bull*, die uitzicht biedt op vertrek. Voor de student bull wordt, moet eerst het bulls-logboek worden afgewerkt. Daarin worden de zeven niveaus van confrontatie uitgelegd, alle confrontaties bijgehouden en de een-op-eengesprekken met anderen (hoger en lager geplaatsten) genoteerd.

Een van de laatste taken is een sollicitatiebrief schrijven aan een *unitrep* met de motivatie om lid te worden van de studentenvereniging, de *bulls-club*, waar alle studenten vanaf de status bull lid van zijn. In de brief moeten de doelen tijdens het verblijf staan en de acties die ondernomen gaan worden om de student zelf en Glen Mills te verbeteren.

Bij de installatie (*Inauguration Day*) krijgen de nieuwbakken bulls een bulls-jack, in wit of zwart. Met een bulls-jack, een typisch Amerikaans honkbaljasje met op de borst het bulls-logo, de kop van een getergde stier, hoor je er op Glen Mills bij. De bulls-club is het centrale studentenorgaan, het hart van de school. Bulls onderschrijven de normatieve cultuur op een positieve (waar nodig corrigerende) manier. Een bull is een rolmodel.

De bulls zijn de normbewakers van Glen Mills, samen met de stafleden. Zelfs bij de lessen zitten voor in het klaslokaal twee bulls om de andere studenten te bewaken. Tot in details zijn studenten verantwoordelijk. Voor de les moet de student tafel, stoel en boeken *inchecken* bij de *floormanager* (een bull). Bij het uitchecken worden de materialen weer gecontroleerd. Krassen in het tafelblad leveren zo weer een confrontatie op – en zonder confrontaties is er geen stijgen (of dalen) in de rangen mogelijk.

Bovengemiddeld goed gedrag wordt beloond met de status van *representative* (rep), of zelfs *executive* (exec). Een hogere rang biedt meer privileges, zoals (meer) televisiekijken, (meer) zakgeld, roken, later opstaan en (meer) verlof. Elke nieuwe student mag wekelijks vijf minuten naar huis bellen. Vanaf de status van aspirant mag hij eens per maand bezoek ontvangen. Weekendverlof (eens per maand) is voorbehouden aan bulls en hoger. Wie negatief gedrag laat zien, wordt gedegradeerd, in het uiterste geval tot *eye-concern*, de allerlaagste status. Daar valt letterlijk en figuurlijk geen eer aan te behalen.

De studenten zijn verdeeld over twee *units*, die huizen in twee vleugels aan weerszijden van het basketbalveld. De unit Ferrainola is vernoemd naar Sam Ferrainola, grondlegger van Glen Mills in de Verenigde Staten. Aan de overzijde van de campus ligt de andere, Korczak, vernoemd naar Janusz Korczak, de Poolse kinderarts, pedagoog en kinderboekenschrijver. Elke unit, die plaats biedt aan zestig à zeventig studenten, wordt geleid door unitpresidenten, die zich laten bijstaan door reps. Samen vormen ze het unitbestuur.

Elke unit heeft ook een eigen GMS-staflid, de unitleider.

De allerhoogste rang is die van campuspresident, voor diegene met de meeste leiderschapskwaliteiten. De campuspresident 'leidt' de dagelijkse gang van zaken op de campus. De campuspresident verzamelt execs (adjudanten) om zich heen. De reps vormen het studentenparlement, dat wekelijks vergadert. De parlementsvergadering staat onder leiding van het campusbestuur (campuspresident en execs). Het campusbestuur beschikt over een eigen kamer en krijgt een bescheiden salaris. Leden van het campusbestuur nemen deel in het managementoverleg. Zo wordt de campuspresident bijvoorbeeld betrokken bij het sollicitatieproces van nieuwe werknemers.

Een terechtwijzing kan gegeven worden door een student met een (hogere) status of een (*senior-*)*coach*, de begeleiders. Terechtwijzingen (confrontaties, in de Glen Mills-terminologie) *moeten* worden opgevolgd. Er zijn zeven confrontatieniveaus om te bereiken dat de student inbindt. Alleen de laatste twee zijn voorbehouden aan (senior-)coaches. Een student gaat dan 'in de *levels*'.

In principe volgen die levels elkaar op zonder dat de uitvoerder er een overslaat. Niveau 1 is vriendelijk non-verbaal. Een student wordt vriendelijk toegeknikt, de blik gericht op de plek van handeling. Bij level 2, bezorgd non-verbaal, worden de wenkbrauwen gefronst. Bij vriendelijk verbaal, level 3, is er nog geen vuiltje aan de lucht.

Bezorgd verbaal, stap 4, is een wezenlijke stap richting escalatie. Bij verbaal met ondersteuning van de groep, stap 5, richt ieders attentie zich op de jongen in kwestie. Stap 6, de *touch of attention*, is alleen voorbehouden aan de (senior-)coaches: de jongen wordt vastgepakt en gedwongen zich te concentreren op de (zeer luide) terechtwijzing, eventueel door hem naar de spreker toe te draaien.

Als jongens dan nog geen respect tonen en beginnen te slaan, schoppen of spugen, volgt de ultieme stap: holding, level 7. De jongen wordt door een groepje coaches tegen de muur of op de grond net zo lang klemvast vastgehouden totdat hij aangeeft weer coöperatief gedrag te vertonen.

Confrontaties moeten altijd worden geaccepteerd, maar na een afkoelperiode van vijf minuten mag de student erop terugkomen. Van confrontaties op level 6 en 7 moet schriftelijk melding worden gemaakt. Alle aanwezigen dienen binnen 24 uur een confrontatieformulier in te vullen en in te leveren bij de senior-coach. Die levert de verslagen, na lezing, in bij de unitleider, die ze weer aan de programmamanager doorspeelt. Een confrontatie op level 6 wordt gezien als incident, op level 7 als calamiteit.

In de introductiemap voor nieuwe studenten, die ze uit hun hoofd moeten leren om de aspirantenstatus te kunnen verdienen, staan de stappen die een student kan ondernemen als hij met een klacht of probleem zit. Net zoals de statusniveaus en de confrontatieniveaus is ook de klachtenprocedure een hiërarchische kwestie. In de introductiemap staat het letterlijk zo:

'De student bespreekt de klacht met zijn Big Brother.
(Als het niet is opgelost de volgende stap:)
De student bespreekt de klacht in de G.G.I. Groep.
(Als het niet is opgelost de volgende stap:)
De student bespreekt de klacht met de Bulls-club.
(Als het niet is opgelost de volgende stap:)
De student bespreekt de klacht met de Unit-President.
(Als het niet is opgelost de volgende stap:)
De student bespreekt de klacht met zijn Trainer-coach.
(Als het niet is opgelost de volgende stap:)
De student bespreekt de klacht met zijn Senior-coach.
(Als het niet is opgelost de volgende stap:)
De student bespreekt de klacht met zijn Unitleider.
(Als het niet is opgelost de volgende stap:)
De student bespreekt de klacht met zijn Programmamanager.
(Als het niet is opgelost de volgende stap:)
De student dient schriftelijk een klacht in bij de klachtencommissie.
Deze commissie nodigt de student uit voor een gesprek.'

Een student moet een dus een héél lange adem hebben wil hij zijn recht halen, en kan dat niet doen bij een externe klachtencommissie.

Studenten worden begeleid door coaches, een *trainer-coach* (tc) en een trajectbeleider. Elke student krijgt een trainer-coach (mentor) en een trajectbegeleider toegewezen. De trajectbegeleider doet de intake, volgt het begeleidingstraject en is verantwoordelijk voor de nazorg. Boven de coaches staan senior-coaches.

Het hiërarchische model geldt niet alleen voor studenten, maar ook voor medewerkers. Beide hiërarchieën zijn aan elkaar geschaald. Studenten spreken Glen Mills-medewerkers in principe aan op hun 'eigen niveau'. Aspiranten en concerns hebben alleen contact met hun tc. Bulls overleggen met coaches, reps met senior-coaches. Execs zitten op het niveau van unitleiders.

De trainer-coach stimuleert de student in zijn plannen voor de lange termijn en evalueert hem. Elke drie maanden wordt er verslag over de student uitgebracht in de voortgangsrapportage. Die is bedoeld om de student en zijn ouder(s), verzorgers en/of voogd en de plaatsende instantie op de hoogte te houden van de vorderingen. Door de coaches wordt gekeken naar de status van de student binnen de unit, het aanpassingsvermogen binnen de unit, de inzet binnen de unit en de interactie met de medestudenten.

Tijdens de periode in Wezep kunnen de studenten, volgens het boekje, veel schaven aan hun persoonlijke vorming. In de *Hoenderloo Groep Kwaliteitskrant*, zomer 2000, schrijft Van der Kolk: 'De motivatie van de studenten wordt positief beïnvloed door

- promotie (ik kan wat bereiken en weet hoe),
- privileges (het levert mij wat op, ik heb wat te verliezen),
- onderwijs (ik boek succes),
- sport (ik presteer wat),
- beroepsvorming (ik kan wat),
- respect (ik ben iemand),
- trots (ik hoor bij het "Winning team"),
- medezeggenschap (mijn stem wordt gehoord),

- confrontaties ("ze" laten mij niet barsten),
- complimenten (ik word gewaardeerd), en
- succes (ik heb een baan of school wanneer ik vertrek).

Elk succes krijgt zijn rituele aandacht en wordt bevestigd.'

De jongens hebben volgens *founding father* Van der Kolk in de Hoenderloo-uitgave na de achttien maanden (of langer) Glen Mills de volgende zaken geleerd:

'• de acceptatie van eigen verantwoordelijkheid voor eigen succes of mislukking,
- de ervaring van goede school-, sport- en beroepsprestaties,
- de trots een gerespecteerd mens te zijn,
- de gewoonte hulp te zoeken of te bieden,
- het besef bekwaamheden te hebben om aan een baan te komen,
- de wetenschap vaardigheden te hebben om zelfstandig te kunnen wonen,
- de overtuiging opgewassen te zijn tegen negatieve invloeden die hen voorheen in de problemen brachten.'

Studenten letten op elkaar en confronteren (corrigeren) elkaar door middel van het buddysysteem: *little brother* en *big brother*. Een big brother, een student met de bulls-status, kan verschillende little brothers hebben. De big brother (en andere bulls) confronteren de lager geplaatste studenten met negatief gedrag. Vechten, weglopen, vernielen, stelen of intimideren is logischerwijs negatief gedrag. Maar er mag nog veel meer niet. Uit een willekeurig logboek van een student blijkt dat er tientallen dingen niet mogen omdat ze 'disrespectvol' zijn.

Een serie zeer uiteenlopende en (ogenschijnlijk futiele) voorbeelden van confrontaties: een vuist maken, op je nagels bijten, leunen, te lang aan je gezicht zitten, zomaar praten, op je hand leunen, een *beat* tikken, je handen in je zakken houden, in de wc springen, aan je geslachtsdeel zitten, *beatboxen*. Wie zijn negatieve gedrag niet erkent, loopt het risico van statusdaling. De terechtwijzingen in het logboek staat onder elkaar genoteerd, als ware het strafwerk: 'Ik heb hem geconfronteerd met beat tikken', 'Ik heb hem geconfronteerd met leunen' enzovoorts. Studenten kunnen met andermans misstappen punten scoren.

Op negatief gedrag kan behalve een statusdaling ook een taakstraf staan. Een promotie of degradatie hangt zoals gezegd samen met het gedrag in de groep. Dat gedrag wordt vastgelegd in een 'score'. De score wordt wekelijks bijgehouden volgens de zogenoemde sterkte- en zwakteanalyse van Lewin, en is positief, negatief of neutraal. Trainer-coach en big brother bepalen de score samen in de avondgroep. Studenten worden beoordeeld op zeven 'DKW-punten' (DKW staat voor Door Keihard Werken):

- confronteren;
- inzet bij onderwijs;
- inzet bij sport;
- inzet bij taken;
- participatie in de Geleide Groeps Interactie;
- participatie in de avondgroep;
- vrije tijd.

De worst is uiteindelijk groter dan de stok. Een illustratief voorbeeld wordt gegeven in *Respect voor jezelf*, de theoretische onderbouwing van Glen Mills uit 2006. Een student vertelt: 'Als je een negatieve weekscore hebt, moet je wel naar de shop, maar mag je alleen toekijken hoe de andere studenten tekenen. Dan raak je vanzelf geïrriteerd.' Toch duurt het ook met neutraal gedrag, dus gedrag dat noch zichtbaar negatief of zichtbaar positief is, lang voordat de bull-status is bereikt. Sterker nog: wie op het neutrale niveau blijft hangen, wordt negatief gescoord en daalt uiteindelijk in status.

Prosociaal gedrag wordt gezien als positief en bestaat onder meer uit het accepteren van confrontaties, inzet bij sport en groepsactiviteiten en het respectvol omgaan met spullen. Maar het meest positieve gedrag laat je zien door negatief gedrag van anderen te corrigeren. Zonder positief gedrag geen privileges, bijvoorbeeld verlof om naar huis te gaan.

Wanneer er kattenkwaad of erger is uitgehaald (bijvoorbeeld wanneer er sigaretten zijn gevonden bij iemand die ze niet behoort te hebben), zal moeten worden opgebiecht wie de sigaretten heeft verstrekt of hoe ze de campus zijn binnengesmokkeld. In een proces (ook wel groepsproces) wordt confronteren tot in het extreme doorgetrokken. Hoelang het ook duurt, de onderste steen moet boven komen. Verklikken staat daarbij centraal.

Alle jongens van een unit, of van de hele campus, moeten met hun achterwerk op de grond zitten, benen opgetrokken, hakken tegen de billen, rechterarm over de linkerarm gevouwen, totdat er iemand praat. Dat kan uren, dagen of in extreme gevallen weken duren. Als de waarheid niet boven tafel komt, als een student in Glen Mills-terminologie geen *ownership* (verantwoordelijkheid) neemt, gaat het proces de volgende dag verder. Een proces wordt alleen onderbroken door de maaltijden en toiletbezoek.

Lessen en sport vervallen tijdens een proces. Het 'proces' is een kernelement van de Glen Mills-methodiek zoals die in Nederland wordt toegepast, maar staat niet in de brochures voor de ouders van Glen Mills-pupillen. Alleen als de pijn te hevig wordt, mag een jongen verzitten. Bij hoge uitzondering, om medische redenen, mag de jongen zich (tijdelijk) verwijderen uit de groep. In zo'n geval wordt de vaste huisarts van Glen Mills ingeschakeld.

Geleide Groeps Interactie (GGI) is een dagelijks, zeer intensief onderdeel van het programma. Onder leiding van een coach en enkele unit-reps praten de studenten in groepjes een tot anderhalf uur over problemen binnen de unit, persoonlijke problemen zoals heimwee, maar ook over verborgen agenda's tussen studenten. Bij zo'n GGI kan het er bijzonder heftig aan toegaan.

Emoties komen naar buiten, studenten schreeuwen elkaar op korte afstand toe, er wordt bijna naar elkaar geblaft. Journalisten die de afgelopen jaren op Glen Mills verslag kwamen doen, gebruikten daar bij het uitwerken in hun reportages met enige regelmaat verbindingsstreepjes of (in dit voorbeeld uit NRC *Handelsblad*) kapitalen voor:

'JE! IR! RI! TEERT! ME! FUCK! ING! MA! TE! LOOS! JE! HEBT! GEEN! LEF! GETOOND! JE! MOET! JE! BROTHERS! HELPEN!'

Tijdens een bezoek van ouders aan een student mogen er geen negatieve zaken over Glen Mills worden gemeld. Een jongen met een hogere status of een coach let daarop. Tussen studenten onderling en tussen studenten en stafleden mag geen vertrouwelijke band ontstaan, om belangenverstrengeling tegen te gaan. Vriendschappen tussen studenten zijn taboe: negatief gedrag zou anders niet ten allen tijde geconfronteerd kunnen worden. Studenten raken elkaar niet aan, is een norm. Handgebaren tussen studenten die kunnen duiden op geheime communicatie: verboden.

Verveling leidt tot kattenkwaad of erger. Daarom zit het dagprogramma tjokvol, met onderwijs, sport, taken en 'shops' (workshops). 'Voor achterstandsjongeren is het van essentieel belang om een opleiding te volgen of een vak te leren. Immers, al meerdere keren is aangetoond dat het succes van integratie in de samenleving na vertrek uit een residentiële voorziening, valt of staat met het hebben van een zinvolle dagbesteding,' schrijft Van der Kolk.

Bij zelfvoorzienend zijn, horen ook klusjes. Voor het eten wordt gezorgd, maar de was doen en het bed opmaken behoren tot ieders eigen verantwoordelijkheid. Voor al die activiteiten (klussen, opleiding, groepsgesprekken, sport en spel) zijn veel calorieën nodig. Daarom krijgen de studenten in de mensa dagelijks vier smakelijke maaltijden voorgezet.

Er is veel mogelijkheid om te sporten, zoals judo, fitness, basketbal, zwemmen, joggen en (zaal)voetbal. Zo draait er een voetbalteam mee in de KNVB-poule. In tegenstelling tot judo worden karate en boksen – waarbij klappen worden uitgedeeld – niet geschikt geacht. Naast sporten zijn er bezigheidstherapieën als tekenen, zeefdrukken en drummen. Beroemd in Wezep en omstreken is de percussieband Nature Talents, die mag optreden bij feestelijke gelegenheden op de campus en in de regio.

De jongens krijgen op Glen Mills onderwijs in een speciaal voor hen op maat gemaakt educatief programma. Het motto van de instelling is 'U vraagt, wij draaien', in hun eigen tempo en op hun eigen niveau. Het overgrote deel van de jongens volgt vmbo-onderwijs (theorie- en praktijklessen), in drie blokken van twee uur per dag. 'Studenten die het Glen Mills-programma doorlopen, krijgen de zekerheid op een baan of geaccepteerd te zijn op een perspectief biedende opleiding,' belooft Van der Kolk.

In de vertrekunit, op het campusterrein zelf, leren de studenten enkele maanden voor vertrek een eenpersoonshuishouden runnen, vlak voordat ze de wijde wereld instappen. In afgeronde verplichte blokjes (modules) leren ze praktische zaken als koken, solliciteren, budgetteren en huishoudelijke klussen in en om het huis.

Voor de studenten die het vertrekprogramma succesvol hebben afgerond maar voor wie de stap tussen vertrekunit en de maatschappij nog te groot is, is er – in Zwolle – het Zwollehuis. In het appartement wonen de studenten zelfstandig. Er zijn huisregels, en vanuit Glen Mills is er begeleiding. In overleg met de student, ouders en/of voogd, trainer-coach en maatschappelijk medewerker wordt een begeleidingsovereenkomst opgesteld. Studenten verblijven maximaal een halfjaar in het Zwollehuis.

Op de jaarlijkse *Graduation Day*, een feestelijk gebeuren, worden de certificaten en diploma's uitgereikt. Studenten zingen er a capella het Glen Mills-lied, de blik op de Nederlandse vlag gericht. Studenten verlaten Glen Mills niet voordat er huisvesting en een baan of een aanvullende opleiding voor hen is gevonden.

Tot zover de theorie.

4 Als je wint, heb je vrienden

'Glen Mills is altijd een politieke speelbal geweest. Het is er doorgedrukt door de VVD. Daar hebben sommige mensen, waaronder ambtenaren, een hekel aan. Zoals gewoonlijk gaat het over geld, macht en instituties. Als je iets heel onorthodox neerzet, krijg je tegenkracht. Als het fout gaat, pist heel Nederland over je heen. Jammer dat het over de hoofden van de jongens heen gaat.'

Tien jaar geleden had niemand in het jeugdzorgwereldje nog gehoord van de latere ad-interimdirecteur van de Glen Mills School, Henk Ouwens, en waren zijn woorden lichtjaren verwijderd van de heersende opinie over dat fenomeen uit Amerika. Het aantal Glen Mills-fans was in de meerderheid. De School voor Winnaars leek een *winning team*, en winnaars hebben vrienden.

Politici van alle gezindten en alle 'lagen' (van ministers tot lokale bestuurders), medewerkers van (semi-)overheidsinstanties, betrokkenen uit de juridische, educatieve, commerciële en zorghoek en andere belangstellenden werden in het Gelderse Wezep door (hogestatus)studenten rondgeleid. Bijna zonder uitzondering verlieten ze gecharmeerd de campus. Het bleek moeilijk om niet door het concept bevangen te raken.

In het maatschappelijk debat over het aanpakken van jonge (Antilliaanse, Marokkaanse of Hollandse) veelplegers werd Glen Mills er te pas en te onpas met de haren bijgesleept. Glen Mills was de remedie. Vraagtekens zetten bij het wondermiddel was *not done*. Sceptici (burgers, wetenschappers, politici) waren zeurderig en zuur.

De deskundigheid bij politici over jeugdzorg en jeugdrecht was en is ver te zoeken. Enkele uitzonderingen (sommige fractiewoordvoerders) daargelaten, hebben Kamerleden en lokale politici daar weinig kaas van gegeten. Maar wanneer de stem van het volk het Binnenhof bereikt, is Glen Mills een ideale bliksemafleider. Politici hebben 'weinig notie' van pedagogiek, stelt de gelauwerde criminologe Josine

Junger-Tas. 'En de politiek luistert niet naar wetenschappers. Ze varen op de media. Iedereen die zegt dat-ie het probleem oplost, krijgt een gretig oor in de Kamer. Zo gaan die dingen.'

Glen Mills heeft politiek gezien een beladen verleden. Het is een erfenis van het Paarse kabinet-Kok I. De conceptie van de GMS der Lage Landen kon gebeuren door het verstandshuwelijk tussen VVD, D66 en PvdA. Het kindje kreeg een moeder: staatssecretaris van VWS Erica Terpstra; VVD-coryfee, subsidiegever van het eerste uur, erelid van de bulls-club, naamgever aan de Erica Terpstra-sporthal en vol met goede bedoelingen.

Bij de plaatsvervangend directeur Justitiële Jeugdinrichtingen, de dan nog partijloze Rita Verdonk, krijgt Hoenderloo Groep-directeur en prominent VVD'er Hans Nieukerke midden jaren negentig het deksel op de neus toen hij geld kwam schooien voor een boefjesschool. '"Wij doen het met tralies," waren letterlijk haar woorden. We werden de marmeren trappen af gelazerd,' wordt Nieukerke in juni 2008 geciteerd in *Vrij Nederland*. VWS (Terpstra) gaat wel overstag – Nieukerke had met alle staatssecretarissen van VWS wel een goede band.

In de Kamer, waar Glen Mills regelmatig ter sprake kwam, was redelijk duidelijk waar de sympathie voor de instelling lag. VVD, CDA en LPF waren enthousiast over de *hands on*-aanpak; kritisch op methodiek en misstanden waren vooral GroenLinks en later de SP; ChristenUnie, D66 en SGP bewandelden de middenweg. De PvdA ook, behalve als het om coalitiebelangen ging. Glen Mills werd, zeker óók omdat de VVD de motor achter en beschermheer van het experiment was, een politiek heet hangijzer.

Dat was allemaal bij de vierde macht bekend. Welke argumenten haalde het ministerie van VWS over de subsidiestreep? Een beleidsmedewerker van dat ministerie, bij de directie Jeugdbeleid, antwoordt op die vraag in het VWS *Bulletin* (maart 2000) als volgt. 'Het is een complex traject. Allereerst was er eind 1996 de opdracht voor een aantal voorzieningen, waaronder de Hoenderloo Groep, om vorm te geven aan een achtervangfunctie in het kader van de jeugdhulpverlening. De Glen Mills School past binnen deze ontwikkeling. Daarnaast speelden politieke motieven een rol, evenals het feit dat dit initiatief een groot draagvlak heeft. Uitgaande van de Amerikaanse cijfers lijkt de slagingskans heel hoog. En ten slotte bleek er weinig aanbod te zijn voor deze specifieke doelgroep. Allemaal argumenten die voor een experiment pleitten.'

Of (oud-)politici die een verleden met Glen Mills hebben op dit moment al of niet actief in de politiek (of in functie) zijn, Glen Mills is nog steeds een beladen onderwerp. Vanwege die gevoeligheid is een reconstructie van de politieke bemoeienis met Glen Mills meer neutraal weer te geven aan de hand van verslagen van Kamerstukken, weblogs en interviews in de media dan op basis van interviews die specifiek voor het doel van deze reconstructie terugblikken.

Hoe de hazen politiek gezien liepen, komt goed naar voren in de Kamerdebatten, -vragen en -moties van het afgelopen decennium over GM. In een overleg tussen de vaste commissie van Justitie en minister van Justitie Benk Korthals, op 28 september 1999, wordt de beëindiging van de Lubberskampementen besproken en bekeken of er uit de jeugdwerkinrichtingen nog waardevolle elementen gehaald kunnen worden.

CDA-Kamerlid Camiel Eurlings wijst erop dat zijn partij voorstander is van speciale inrichtingen waarin probleemjongeren worden begeleid naar een nieuwe start in de maatschappij. Eerst moet hij nog een appeltje schillen over het überhaupt ter ziele gaan van Lubbers' proefballon. Eurlings: 'Het CDA was dan ook niet gelukkig met het besluit van de ambtsvoorganger van de huidige minister om het JWI-experiment te beëindigen. In plaats van de werking van de JWI's te perfectioneren op basis van opgedane ervaringen, werd het experiment zonder meer beëindigd,' klaagt hij, en voegt eraan toe: 'Blijkbaar hebben hierbij ook politieke motieven een rol gespeeld.'

De jonge honden Eurlings en Frans Weekers (VVD) laten hun goedkeuring over Glen Mills doorschijnen. 'In de JWI was de disciplinering inderdaad niet goed doorontwikkeld. Deze conclusie mag er echter niet toe leiden dat uitdagingen uit de weg worden gegaan om te kijken naar andere mogelijkheden om de disciplineringsfase positief in te passen in het totale traject. Tegen die achtergrond is het een goede zaak dat de minister positief heeft gereageerd op het Glen Mills-project dat voorziet in een strakke disciplinering die gaandeweg plaatsmaakt voor resocialisatie,' zegt Eurlings namens zijn partij. Volgens Weekers 'constateert de VVD met tevredenheid dat de minister het Glen Mills-experiment dat thans in Nederland loopt, met belangstelling volgt.'

Beiden hopen dat Glen Mills zo spoedig mogelijk in het justitiële traject komt (Justitie is dan nog huiverig, alleen VWS koopt plaatsen in). Korthals stelt hen gerust. 'Te zijner tijd zal een en ander door de universiteit van Leiden worden geëvalueerd. Justitie is zeer geïnteresseerd in de uitkomsten daarvan' (zie hoofdstuk 7). Korthals zegt zich ook te realiseren dat 'heel bewust met experimenten moet worden omgegaan en dat experimenten niet moet worden aangegaan als voorlopig zoethoudertje, zonder concrete follow-up (...) Het is immers niet uitgesloten dat de uitkomsten uiteindelijk blijken tegen te vallen.'

Gelukkig is er nog de finale geruststelling: 'De minister heeft het voornemen het project persoonlijk te bezoeken.' Korthals zou de eerste noch de laatste politicus zijn die de zesdaagse voetreis naar het pelgrimsoord in Wezep zou ondernemen. Al of niet vanuit hun functie als bewindsman(vrouw) kwamen ze een kijkje nemen. Cees van der Knaap (CDA), wijlen Ab Harrewijn (GroenLinks), Piet Hein Donner (CDA), Gerrit Zalm (VVD), Erica Terpstra (VVD), Ayaan Hirsi Ali (VVD), Hans Dijkstal (VVD), Margot Vliegenthart (PvdA), Maria van der Hoeven (CDA), Jelleke Veenendaal (VVD), Roger van Boxtel (D66), Ine Aasted-Madsen (CDA), Rikus Jager (CDA), Aleid Wolfsen (PvdA), Coşkun Çörüz (CDA), João Varela (LPF), Joost Eerdmans (LPF), Samira Bouchibti (PvdA), Krista van Velzen (SP), Joël Voordewind (ChristenUnie); het is een summiere opsomming. Wie was er eigenlijk niet? Er waren de afgelopen jaren zo veel rondleidingen op Glen Mills dat het geven van een rondleiding voor de studenten bijna onderdeel van hun behandelmethode ging uitmaken.

In maart 2000, wanneer er nog absoluut geen betrouwbare recidivecijfers voorhanden zijn, dringen de parlementariërs Eurlings en Jacques Niederer (VVD) er, 'overwegende dat het Glen Mills ook in Nederland al zeer positieve eindresultaten heeft behaald', in een motie bij Justitie-minister Korthals op aan het 'Glenn Mills College' als justitiële jeugdinrichting (JJI) te erkennen, zodat de methode op grotere schaal binnen de justitiële jeugdzorg kan worden toegepast. PvdA, VVD en SP stemmen voor, de overige fracties stemmen tegen.

De motie wordt aangenomen, maar Korthals' ambtenaren zeggen hem eerst een evaluatie af te wachten. Korthals kan ook niet anders dan de boot afhouden, omdat op dat moment slechts één jongen het hele programma heeft doorlopen. Korthals maakt in het debat een interessante vergelijking. 'Wellicht ten overvloede hecht ik eraan te verduidelijken – ter voorkoming van elk misverstand dienaangaande – dat het Glen Mills College geen voorziening is die erkend kan worden als inrichting, maar een methodiek.' Die definiëring zal later verwateren. In de collectieve beleving van velen is Glen Mills een fysieke instelling. Toch is Glen Mills in feite geen entiteit, maar een op papier vastgestelde methode, gematerialiseerd in een gebouw, een logo en een bulls-jack.

VVD-Kamerlid Fadime Örgü stelt in maart 2002 vragen aan staatssecretaris van VWS Ella Kalsbeek over het stokken van de aanvoer van jongeren naar Glen Mills. Kalsbeek (PvdA) antwoordt dat de ervaringen nog zeer beperkt en de resultaten over lange termijn nog niet bekend zijn, maar desondanks stelt ze Örgü niet teleur. Kalsbeek heeft namelijk al het nodige gelobbyd voor Glen Mills.

Ze schrijft: 'Ik heb reeds een aantal maatregelen getroffen om bekendheid te geven aan de beschikbaarheid van plaatsen op de Glen Mills School. Zo is medio januari 2002 een brief uitgegaan naar de kinderrechters, de voorzitters van de sectie jeugdstrafrecht op de rechtbanken, de hoofdofficieren van justitie, de raden voor de kinderbescherming, de afdelingen jeugdreclassering van de (gezins) voogdij-instellingen en de bureaus Jeugdzorg met informatie over de plaatsen bij de Glen Mills School.'

'Eind februari heb ik in een brief aan de voorzitter van het college van procureurs-generaal nadrukkelijk aandacht gevraagd voor deze voorziening. Daarnaast is in verschillende afstemmingsvergaderingen waarin politie, OM, Raad voor de Kinderbescherming, Vedivo (opgeheven koepelorganisatie voor gezinsvoogdij en jeugdreclassering, red.), kinderrechters vertegenwoordigd zijn apart geattendeerd op het beschikbaar komen van de plaatsen bij Glen Mills.' De doorverwijzers weten wat hen te doen staat.

Het kabinet-Balkenende I (CDA, LPF, VVD, 2002-2003) noemt Glen Mills expliciet in het regeerakkoord, in het hoofdstuk Criminaliteitsbestrijding. 'Bestraffing moet gericht zijn op resocialisatie en heropvoeding (Glenn Millscholen), mede in het licht van onderwijs en arbeidsmarkt.' Het tweede kabinet-Balkenende (2003-2006) was nog steeds trots op Glen Mills, en noemt de school – samen met de justitiële jeugdinrichting Den Engh, voor zwakbegaafde jongeren – opnieuw als voorbeeld in het regeerakkoord, in de aanhef van het hoofdstuk Veiligheid en Justitiële keten.

Als er nou één plek (met op aanvraag of op uitnodiging gegeven rondleidingen van een uur inclusief koffie en koek) in Nederland was waar regering en regeringsgezinden het door het kabinet geliefde herstel van normen en waarden ten uitvoer gebracht konden zien, dan was het Glen Mills in Wezep wel, waar tucht en discipline 24/7 ten uitvoer werden gebracht: 'Een effectievere aanpak van criminaliteit is nodig. Dat vergt meer aandacht voor overdracht van waarden en normen, preventie, aanpak van asociaal gedrag en vandalisme, resocialisatie (zoals Glenn Mills-scholen en Den Engh), slachtofferzorg, het tegengaan van verloedering van de publieke ruimte en handhaving van beleid en regels.'

(Pijnlijk illustratief voor de onbekendheid met het Amerikaanse fenomeen Glen Mills in Nederland door de jaren heen is dat lang niet alle uit professioneel oogpunt betrokkenen van de juiste spelling op de hoogte waren. Van griffiers en gemeenteraadslieden tot politici, jeugdzorgmedewerkers en journalisten van (landelijke) media; de spelling is tot op heden een struikelblok. Glenn Mills is de meest frequent voorkomende misspelling, wellicht generatiegerelateerd: Glen Mills lijkt op Glenn Miller, de jazzmuzikant. Andere gebruikte varianten zijn: Glenn Mil, Glen Mils, Glen Mil, Glenn Mill, Glenn Mils en Glen Milles).

Clémence Ross-van Dorp (CDA), staatssecretaris van VWS in de kabinetten Balkenende I, II en III, noemt de school 'een uitstekend alternatief' voor een jeugdgevangenis, tenminste voor 'jongeren die gevoelig zijn voor groepsdruk. Ze zijn verplicht te studeren, en worden klaargestoomd voor een baan in de maatschappij'. De nota *Jeugd terecht*, een plan van aanpak voor de jeugdcriminaliteit (2003-2006), noemt Glen Mills en Den Engh als speerpunten. De experimenten passen volgens Justitie-minister Donner in een 'effectief strafrechtelijk instrumentarium'.

Bij het debat over de regeringsverklaring van Balkenende II, we spreken juni 2003, wil Mat Herben namens de LPF (die een kabinet eerder nog wel in de coalitie meedeed) dat de buidel voor Glen Mills dieper opengaat. 'In 2007 komt er 100 miljoen voor jeugdzorg en preventie, maar onduidelijk is of Glen Mills hiervan profiteert. Bij de aanpak van onveiligheid ontbreekt vooral de daadkracht. Steunt dit kabinet de lijn Leers, de Maastrichtse burgemeester die van aanpakken weet, of de lijn Cohen, de hardleerse burgemeester die vooral een zachte heelmeester wil zijn? Etters die spotten met de Dodenherdenking (allochtone jongeren vernielden kransen op de Dam, red.) horen op een Glen Mills-school of in een jeugdgevangenis.'

Uit een persbericht van de LPF, 9 juli 2003:

Werkbezoek aan Glen Mills school
Eerdmans en Varela onder de indruk
Op dinsdag 8 juli legde een delegatie van de LPF Tweede Kamerfractie een werkbezoek aan de Glen Mills-school in het Overijsselse Wezep af. De Kamerleden Joost Eerdmans en Joao Varela gingen, vergezeld van een viertal fractiemedewerkers, zelf een kijkje nemen bij de bijzondere onderwijsinstelling.

Uit recent onderzoek van de Stichting Wetenschappelijk Onderzoek Jeugdhulpverlening van de universiteit Leiden bleek dat de Glen Mills-School zeer succesvol is. In totaal verblijven momenteel 126 jongeren op de Glen Mills-School. Meer dan zeventig procent van de schoolverlaters recidiveert niet.

De ontmoeting tussen de Haagse politici en deskundigen uit de wereld van de praktijk was zeer geslaagd. Na een warm onthaal door de directieleden Van der Kolk en Nieukerke konden de LPF'ers met eigen ogen zien hoe het programma en de omgeving van de jongeren er uit ziet. Alle genodigden waren onder de indruk van de tastbare resultaten die de onderwijsmethode oplevert.

'Hier wordt keihard gewerkt aan een succesvolle terugkeer in de maatschappij,' concludeert Joost Eerdmans. 'De cijfers spreken voor zich. De jongeren weten dat ze baat bij deze school hebben. De gedrevenheid van de jongens spreekt mij zeer aan. Dit zou voor achttien plussers overigens ook goed zijn.' 'De hele sfeer op deze school is erg indrukwekkend,' vult Joao Varela aan. 'De jongens maken een bijzonder gedisciplineerde indruk. Ik hoop dat als zij straks in de maatschappij terugkeren deze discipline ook kunnen vasthouden en zodoende weer goed kunnen functioneren.'

Afgezien van dit succesvolle concept, dat door de Lijst Pim Fortuyn van harte wordt toegejuicht, had de fractie nog een reden om nader kennis te maken met het bestuur en de leerlingen van de school. Eind juni eiste de LPF middels een motie dat er geld vrijgemaakt zal worden om een uitbreiding van de capaciteit van de Glen Mills school met 55 opvangplaatsen te realiseren.

Glen Mills wordt specifiek genoemd op de website www.zestienmiljoenmensen.nl, de site over normen en waarden van minister-president Balkenende die hij op 12 februari 2004 in werking stelt. Anno 2008 is Glen Mills in het lijstje van maatschappelijke initiatieven niet meer terug te vinden.

Tijdens een overleg tussen de vaste Kamercommissie van Justitie over de begroting van 2004 (in oktober 2003) blijkt de wil bij andere partijen om meer geld in Glen Mills en Den Engh te pompen. Laetitia Griffith (VVD) is ongeduldig: 'Onduidelijk blijft ook waarom er niet meer geld wordt vrijgemaakt voor de inkoop van extra plaatsen bij heropvoedingsinstellingen, zoals Glen Mills en Den Engh. De VVD-fractie wil dat de minister nu al investeert in extra capaciteit. Wij willen niet wachten tot het te laat is. Ik zou willen dat er bij Glen Mills en Den Engh meer geïntensiveerd wordt. Wij zullen daartoe een motie indienen. Per saldo komen er, als het aan de VVD ligt, extra plaatsen ter beschikking.'

De LPF zou de LPF niet zijn als de partij de VVD niet op dit punt zou proberen rechts in te halen. 'Tegenover de 1500 "harde-kernjongeren" hebben wij nu 36 plaatsen voor veelplegers, die naar de internaten van Den Engh en Glen Mills gaan. Wij vinden dat een druppel op de gloeiende plaat en schieten de minister daarom vanavond te hulp door een amendement in te dienen waarin wordt voorgesteld om 4,5 mln euro vrij te maken op de begroting,' aldus Joost Eerdmans.

Ook de rechtsbuiten van de PvdA, Jeroen Dijsselbloem, probeert voor uitbreiding van Glen Mills en Den Engh te pleiten bij Rita Verdonk, minister voor Integratie, Jeugdbescherming, Preventie en Reclassering, maar die geeft net als Korthals eerder geen sjoege: ze zegt op de evaluatie van de methode te willen wachten. Volgens Ayaan Hirsi Ali (VVD) leidt de methodiek tot een 'meetbaar succes', zegt ze tijdens een overleg tussen de vaste Kamercommissie van Justitie over de begroting van 2004.

Uit het weblog van minister van Financiën Gerrit Zalm (die een bijrol in de door Theo van Gogh geproduceerde film *Cool!* had), donderdag 1 maart 2004:

Vanmorgen op weg naar Wezep: Glen Mills. Dit is een school die veelplegers weer op het rechte spoor brengt. Er heerst een straf regime waarin vooral de studenten elkaar in het gareel houden. Heb nog nooit zo vaak beleefd 'goedemorgen' en 'goedemiddag' gehoord als tijdens dit werkbezoek. En alles zag er spic en span uit. In vergelijking met een jeugdgevangenis lijkt dit voor veel jongeren een beter alternatief. Het is nog goedkoper ook, omdat de jongelui zelf zorgen voor schoonmaak, koken en wassen. Er zijn ook onderwijsvoorzieningen. Het probleem is nog wel dat de rechterlijke macht aarzelingen heeft om dit als alternatief voor gevangenisstraf te zien. Aan de ene kant omdat dit alleen maar zinvol is als men hier minimaal anderhalf jaar verblijft (dat wordt dan als een lange vrijheidsberoving gezien). Aan de andere kant omdat de vrijheidsberoving bij goed gedrag ook minder zwaar is dan een gevangenis. Paradox. Eén van de jongeren die ons rondleidde kende ik al van de filmopnames van 'COOL'. Hij had er net zoveel plezier in als ik.

Een publicatie in *Sp!ts* over de scriptie van Evelien Diederen (zie hoofdstuk 9) is voor Kamerlid Marijke Vos van GroenLinks reden in maart 2004 aan de bel te trekken. Vos is geschrokken van de povere rechtsbescherming van de studenten. Vos vraagt zich af of het niet beter is Glen Mills als justitiële jeugdinrichting te erkennen.

Vos' eerste Kamervraag ging opmerkelijk genoeg over de moeilijkheden die Diederen ondervond om haar scriptie überhaupt door VWS of Justitie gelezen te krijgen. VWS schuift de beantwoording door naar Justitie. Maar in verband met mogelijke computervirussen wil de persvoorlichting van dat ministerie alleen commentaar geven als de studente die per schriftelijke post naar de publieksvoorlichting zendt ('standaardprocedure'), en dat dan ook alleen de studente zelf, en niet de journalist, daarop een antwoord kan krijgen.

Er komt geen onderzoek naar de rechtmatigheid van de behandeling van jongeren, laat Donner aan Vos weten. De minister baseert zijn beslissing op een uitspraak van de Inspectie jeugdzorg (IJZ). Die vond, met verwijzing naar het onderzoeksrapport van de Consultance

Groep Nederland over vermeende misstanden, nader onderzoek niet opportuun. Vos wilde ook weten of de rechtsbescherming van de jongeren binnen Glen Mills voldoende is gewaarborgd. Donner vindt van wel. Als de jongeren menen dat ze onrechtmatig worden behandeld, hebben ze volgens hem genoeg mogelijkheden om hiertegen in het verweer te komen. Hij verwijst naar alle formele wettelijke rechten, zoals daar zijn:

'• de klachtencommissie van de instelling (art. 48 Wjh),
• als eventuele vervolgstap de provinciale klachtencommissie (art. 50 Wjh),
• bij niet-functioneren de kantonrechter inschakelen,
• en ten slotte aankloppen bij de Inspectie jeugdzorg.'

Na de publicaties in *Sp!ts* over misstanden die Nieukerke nopen een onderzoeksbureau (van de latere Glen Mills-directeur) in te schakelen en het verhaal over de Kamervragen van GroenLinks, krijgt de journalist een brief van trendwatcher en VVD'er Adjiedj Bakas, betrokken bij de film *Cool!* (zie hoofdstuk 11). 'Wij hebben zakelijk regelmatig te maken met deze school en herkennen ons niet in het negatieve beeld dat u in dit en in eerdere artikelen in *Sp!ts* over deze school schetst. Dat is jammer, de school doet m.i. maatschappelijk goed werk en verdient o.i. meer integere publiciteit,' schrijft Bakas.

Bijgevoegd is een kopie van een artikel uit *NPNieuws*, een uitgave van perscentrum Nieuwspoort, getiteld 'Journalistieke betrouwbaarheid staat onder druk'. 'Op een recente bijeenkomst in Nieuwspoort (het ontmoetingscentrum voor parlementaire pers, politici, voorlichters en lobbyisten in Den Haag, red.) kwam het thema "journalistiek en integriteit" aan de orde,' schrijft de communicatiedeskundige. 'Graag doe ik u hierbij een knipsel daarover toekomen. Wellicht kunt u hier wat mee in uw toekomstige berichtgeving.'

Tegen de achtergrond van *Cool!* speelt niet alleen de driehoeksverhouding Johnny-Katja-Fouad, maar ook die van Hans-Rita-Adjiedj, een ondernemingsgezind liberaal trio. Ondanks dat Verdonk Nieukerke geen opstartsubsidie voor Glen Mills wil geven, raken ze bevriend. In 2002 haalt Nieukerke zijn dan partijloze vriendin bij de VVD en wordt Bakas lid van de Permanente Scoutingcommissie van de VVD. Een jaar later wordt Rita Verdonk minister voor Vreemdelingenzaken en Integratie.

In april 2006 wordt Nieukerke lid van de Klankbordgroep, een informeel netwerk van Verdonks vertrouwelingen. Ook Bakas wordt daar adviseur van. Verdonks verkiezingscampagne voor de Tweede Kamer van 2006 wordt door Nieukerke geleid. Verdonk opent het nieuwe kantoor van Dexter, Bakas' bedrijf, en neemt het eerste exemplaar van een van Bakas' boeken in ontvangst.

Nieukerke en Bakas schrijven in 2006 mee aan *Gewoon Rita*, haar biografie. Die wordt uiteindelijk nooit gepubliceerd, naar verluidt wegens onenigheid over de inhoud binnen het liberale trio. 'Het is gewoon nog niet af. Rita wilde het eigenlijk nog met sinterklaas in de winkel hebben, maar we maken liever iets echt goeds,' aldus de trendwatcher.

Na Nieukerke's pensionering als directeur van de Hoenderloo Groep, juli 2007, zit hij niet stil. Hij gaat fondsen werven voor Trots op Nederland (TON), Verdonks partij. Bakas neemt ook in het campagneteam plaats. Al voordat het conflict tussen Verdonk en campagneleider Ed Sinke in juni 2008 de headlines haalde, stapt Nieukerke uit de organisatie achter TON. Nieukerke en Bakas zijn overigens VVD'er gebleven, en zetelen tot op heden (2008) in de Permanente Scoutingcommissie.

Uit een brief van B&W Eindhoven aan de Eindhovense gemeenteraad, 20 september 2005:

Als we voor jeugdigen tot 23 jaar moeten kiezen tussen gevangenisstraf of heropvoedingprogramma dan kiezen we voor het laatste. Steeds vaker zien we in de vakliteratuur verslag van specifieke heropvoedingsinstellingen, zoals Den Engh en Glenn Mils. Er wordt hier veel succes geboekt, wat ons in een recent werkbezoek aan de Glenn Millsschool werd bevestigd. Gebleken is dat in Glenn Mills voor jon-

gens van 14-18 jaar die aan de strenge plaatsingscriteria voldoen ook voor Eindhovense jongeren plaatsen beschikbaar zijn.

Glenn Mills claimt een non-recidivecijfer van 70%, hetgeen zeer hoog is. In de Verenigde Staten wordt ook een indrukwekkende non-recidive gehaald, longitudinaal gemeten. Uitgezocht dient te worden wat de toegankelijkheid is van bestaande voorzieningen en of er mogelijkheden zijn van vestiging in onze regio c.q. Brabant. Naar mogelijkheden van bekostiging zal nader onderzoek worden gedaan.

Uit het blog van R.B, persoonlijk medewerker van VVD-Kamerlid Jelleke Veenendaal, zaterdag 18 februari 2006:

Gisteren ben ik met Jelleke op werkbezoek geweest op de Glen Mills School in Wezep. Hoe ze die 'ratten' (zo noemde de directeur ze) heropvoeden, is indrukwekkend. Heb met een aantal van die jongens gesproken en gezien en gehoord wat er met ze wordt gedaan. Nou, die eerste weken als je net binnenkomt, moeten een ware hel zijn.

Eerst de regels uit je hoofd leren en dan langzamerhand van helemaal niets (je mag nog niet op een stoel zitten) punten scoren, waardoor je steeds meer privileges krijgt. Elke dag van 6 tot 23 uur aan jezelf en je toekomst werken, zo moet je het zien. Het systeem is bijzonder Amerikaans, maar werkt erg goed. De resultaten liegen er niet om namelijk. Tweederde van de jongens die van de Glen Mills School afkomen, vervalt niet in zijn oude leventje en kan iets opbouwen in de maatschappij. Een plaats op de GMS kost slechts de helft van die in een gevangenis. Wat mij betreft dus tijd om meer ruimte te creëren voor meer jongens op de GMS. Al met al een indrukwekkend staaltje werk wat de mensen van de Hoenderloo Groep (want daar valt de Glen Mills School onder) doen.'

2008 wordt het jaar van de waarheid. Het WODC-rapport (zie hoofdstuk 7) slaat in januari in als een bom. SP-Kamerlid Krista van Velzen noemt de resultaten schrikbarend en vraagt zich af of het niet beter is 'te kappen' met deze hele systematiek. 'Dit is niet een doelgroep om mee te experimenteren.' Volgens Naïma Azough (GroenLinks) werkt de spartaanse, repressieve manier van Glen Mills niet. 'We moeten dus waken voor het opzetten van de *prep camps*, die gebaseerd zijn op het vermeende succes van Glen Mills.'

Ook VVD-woordvoerder Fred Teeven verbaast zich over de cijfers. 'We kregen in de beginjaren altijd heel lage recidivecijfers.' Overigens was en is de VVD voorstander van Glen Mills, benadrukt hij. '*First offenders* moet je heropvoeden. Maar naarmate ze blijven recidiveren, kun je ze beter opsluiten, dan werkt heropvoeding niet. Jongeren van 16, 17 kun je beter als volwassene berechten.' Staatssecretaris van Justitie Nebahat Albayrak laat verdere samenwerking met Glen Mills afhangen van de nieuwe werkwijze die voor eind 2008 gepresenteerd moet worden.

Uit een persbericht van de VVD afdeling Oud West Amsterdam, 27 februari 2008:

De VVD in Amsterdam is van mening dat de Glen Mills School een bijzondere instelling is die een goed alternatief is voor jeugddetentie. Tegenstanders van Glen Mills moeten beseffen dat zij jongens kennelijk liever naar de jeugdgevangenis sturen.

Uit een persbericht van de PvdA, afdeling Oldebroek-Wezep, 14 maart 2008:

PvdA bezoekt Glen Mills School

Onlangs bracht de fractie van de PvdA een werkbezoek aan de Glen Mills School in Wezep. De fractie vond het tijd eens nader kennis te maken met onze buren in de voormalige Willem de Zwijger-kazerne. De actualiteit gaf echter nog een extra dimensie aan dit bezoek. Onlangs kwam de school namelijk in de publiciteit vanwege vermeende tegenvallende resultaten. Dit voegde natuurlijk een extra punt toe aan de agenda van dit werkbezoek. De ontvangst gebeurde door de operationeel manager, de heer Brouwer en drie studenten van de Glen Mills School.

De drie studenten legden ons duidelijk uit hoe de cultuur en de normen en waarden binnen de muren van de Glen Mills School eruitzien en hoe dat in de dagelijkse praktijk uitwerkt. Ze toonden zich ongelukkig met het feit dat er, op afstand, negatieve meningen zijn over de Glen Mills School, terwijl ze daar niet altijd argumenten bij mogen vernemen.

De drie studenten namen ons mee voor een rondleiding door hun gebouwen. Ze toonden ons onder andere de smetteloze en keurige slaapvertrekken en de overzichtelijke gemeenschapsruimte. De jongeren onderhouden deze vertrekken zelf en verdelen ook alle werkzaamheden en taken onderling.

Opvallend is het merkbare respect dat de pupillen weer hebben ondervonden. Dat uitte zich in voelbaar respect voor het instituut, voor de ander én voor zichzelf. Als de Glen Millsjongeren in staat zijn dit vast te houden, mag dat gezien worden als hoop voor de toekomst en een belangrijke persoonlijke succeservaring.

Al met al duurde het PvdA-bezoek drie uur. Een goede en zeer nuttige kennismaking met onze buren, de leiding en de studenten van de Glen Mills School.

De Inspectie jeugdzorg publiceert op 17 maart een standpunt over holding. Daarin staat dat holding een inbreuk is op het grondrecht lichamelijke integriteit, waar alleen in een gesloten instelling inbreuk op kan worden gemaakt. Minister Rouvoet (Jeugd en Gezin) meldt diezelfde dag te gaan onderzoeken 'of en zo ja, onder welke condities, de Glen Mills School van de Hoenderloo Groep in Wezep een gesloten jeugdzorgvoorziening kan worden'.

Tijdens het spoeddebat in april 2008 over mishandeling van kinderen in jeugdinstellingen (naar aanleiding van een verhaal in *Nieuwe Revu*) refereert Samira Bouchibti (PvdA) aan een (eveneens recente) *Netwerk*-uitzending over Glen Mills, waarin oud-student Patrick Wiendels aankondigde een rechtszaak te beginnen vanwege mishandelingen jegens hem. 'Wordt er serieus omgegaan met de klachten van deze jongeren?' vraagt ze. 'Veel van hen zwijgen langdurig. De jongeren zijn niet alleen bang voor de behandelaars, maar ook voor elkaar.'

Ook Bas van der Vlies (SGP) haalt Glen Mills aan. 'Je hebt (in instellingen, red.) van doen met rakkers en jongeren die het slecht getroffen hebben in de samenleving en dus tijdelijk in een bepaalde therapeutische setting worden geplaatst, op voordracht van, op bevel van de overheid. Daarom zijn wij er allemaal verantwoordelijk voor. Mijn fractie neemt de signalen over misbruik dan ook ernstig. Ik voel mij daar medeverantwoordelijk voor. Zo nu en dan bereiken ons berichten over incidenten, bijvoorbeeld over het incident dat nu voor de rechter is gebracht.'

Coskun Çörüz en Van Velzen discussiëren in het spoeddebat over holding en 'proces', waarbij studenten soms dagenlang op de grond moeten zitten. Ze praten langs elkaar heen, blijkt uit de verslagen, totdat Van Velzen in de Kamer letterlijk op de grond gaat zitten om de houding uit het proces (een collectieve straf) voor te doen. Kamervoorzitter Verbeet: 'Dit is weer een nieuw fenomeen in deze zaal!'

Van Velzen vraagt of Çörüz dit acceptabel vindt, maar die laat zich niet uit het veld slaan. In eerste instantie antwoordt hij nee, maar even later zegt hij: 'Of het nu zeven of acht of zes dagen moeten zijn? Dit zijn professionals (de medewerkers, red.), ze worden getoetst door de Inspectie jeugdzorg. Het is natuurlijk goed als de Kamer kritisch is, maar er moeten wel mogelijkheden zijn om die raddraaiers aan te pakken.' (Çörüz gaat er in zijn antwoord aan voorbij dat de Inspectie jeugdzorg in haar rapport twijfelt aan de professionaliteit van de medewerkers.)

Van Velzen gaat daarop met minister André Rouvoet (Jeugd en Gezin) de discussie aan of híj het acceptabel vindt dat bij de collectieve straf (proces), jongeren – zo stelt zij – doorligplekken krijgen, maar Rouvoet hapt niet. 'U praat langs elkaar heen,' zegt de Kamervoorzitter. Van Velzen: 'Als een jongere groepsgewijs gestraft wordt – omdat iemand is weggelopen of een krasje op de muur of stoel heeft gezet – en dagenlang in een geforceerd strakke houding moet zitten met als gevolg doorligplekken, vindt de minister dat dan acceptabel?' Rouvoet zegt niet te willen reageren op het verhaal in *Nieuwe Revu*, maar in die reportage werd Glen Mills helemaal niet besproken. Van Velzen duidt simpelweg op een element uit de methodiek: 'proces'.

Van Velzen: 'Maar...'

De voorzitter: 'Nee, ik sta geen interruptie meer toe.'

Van Velzen: 'Maar de minister begrijpt mij gewoon niet.'

De voorzitter: 'Jawel, hij begrijpt u wel. Of hij alles van u begrijpt, weet ik niet, maar dit wel.'

Van Velzen: 'Volgens mij niet.'

Rouvoet wordt gered door de bel. De Kamervoorzitter sluit het debat af.

Op 9 juni 2008 overlegt de vaste commissie voor Justitie met minister Hirsch Ballin van Justitie en staatssecretaris Albayrak van Justitie over de financiële verantwoording van 2007. Het CDA zoekt na het WODC-rapport naar andere maatstaven voor de beoordeling van Glen Mills dan alleen de recidivecijfers. Cisca Joldersma: 'Pasgeleden zijn wij daar op bezoek geweest. Je vraagt je af of je moet stoppen met zo'n voorziening als Glen Mills als alleen wordt gewerkt met het criterium van het verminderen van recidive. Zijn er niet meer indicatoren waar je rekening mee moet houden? Ik hoor graag van de staatssecretaris aan welke kwaliteitsindicatoren zij denkt.'

Vanaf 1994 (Paars I: PvdA, D66, VVD) tot 2007 (Balkenende III: CDA, VVD) zit de VVD als hoeder van Glen Mills in het kabinet. Wanneer na de rapporten van het WODC en de Inspectie jeugdzorg (IJZ) in 2008 op het Binnenhof het voortbestaan van het strafinternaat gespreksonderwerp is, springt het CDA voor Glen Mills in de bres. Als grootste (coalitie)partij weet het CDA dat het Glen Mills kan maken of breken. Het CDA staat in het Glen Mills-debat tegenover de SP, de grootste oppositiepartij.

De SP had zich lang weinig bemoeid met Glen Mills. De leden Jan de Wit en Krista van Velzen hielden zich wel al langer bezig met misstanden in (en zwartboeken over) de detentiewereld. Het was dan ook niet verwonderlijk dat Van Velzen in april 2008 een meldpunt op internet opende voor misstanden op de GMS dat zou resulteren in een zwartboek, dat ze samen maakt met Susanne Broekhuijs, oud-coach bij Glen Mills en actief lokaal SP-lid.

Op het meldpunt komen in korte tijd van (oud-)werknemers, (oud-) studenten en hun gezinsleden ongeveer honderd meldingen binnen over de bijna tien jaar oude methodiek. Van Velzen bundelt ze, publiceert ze op maandag 16 juni en biedt ze tijdens het Algemeen Overleg over Glen Mills op woensdag 18 juni aan minister Rouvoet van Jeugd en Gezin aan.

Maar eerst, op dinsdag 17 juni, precies drie maanden nadat Rouvoet schreef te gaan onderzoeken of Glen Mills een gesloten instelling moet gaan worden, neemt hij die daadwerkelijke beslissing. Ondanks dat holding volgens de Inspectie jeugdzorg (IJZ) niet mag in een open instelling (maar wel in een gesloten instelling), wil de Inspectie dat holding in de toekomst niet meer wordt gebruikt als onderdeel van de Glen Mills-methodiek, als laatste stap in het confrontatiemodel, bijvoorbeeld als een student weigert zijn handen uit zijn zakken te halen. De SP pleit ervoor maar eens te stoppen met dat geëxperimenteer, en het experiment te beëindigen.

Van Velzen: 'De politiek die ooit geholpen heeft om Glen Mills het levenslicht te laten zien, zal ook de stekker eruit moeten trekken.' Dat gaat een meerderheid van de Kamer te ver. PvdA en CDA spreken hun eigen ferme taal. 'Wat mij betreft staat de minister drie maanden onder toezicht,' aldus het PvdA-lid Samira Bouchibti (voorheen Abbas). Ook Çörüz (CDA) geeft Glen Mills drie maanden 'voorwaardelijk'. Aan het eind van het debat besluit Rouvoet met instemming van de Tweede Kamer Glen Mills drie maanden de tijd te geven om een aantal veranderingen door te voeren om een gesloten instelling te kunnen worden.

Opmerkelijk genoeg loopt in 2007, ruim voor de politieke besluitvorming, op Glen Mills een proef met gesloten jeugdzorg (zie hoofdstuk 9). In ieder geval beslist de minister pas officieel in juni dat de veranderingen binnen Glen Mills, zoals het instellen van een onafhankelijke klachtencommissie, binnen een jaar moeten worden uitgevoerd. Ook moet de instelling stoppen met het methodische element *holding*, waarbij jongens worden vastgepakt totdat ze stil zijn.

Het wordt tijdens het Glen Mills-debat niet helemaal duidelijk of coaches in de overgangsperiode naar een gesloten instelling een strafbaar feit plegen als ze holding toepassen. Ineke Dezentjé Hamming (VVD) hamert op een duidelijke uitspraak van de minister. 'Het mag niet,' aldus Rouvoet, die niet in de huid van de rechter zegt te willen kruipen, 'maar mensen kunnen aangifte doen, en dan is het aan het Openbaar Ministerie.'

Op basis van informatie van de Hoenderloo Groep gaat Rouvoet ervan uit dat zaken uit het zwartboek van de SP tot het verleden behoren, zo krijgt Van Velzen van hem te horen. Rouvoet baseert zich op informatie die hij van de Hoenderloo Groep heeft gekregen. De minister kan beweringen in het zwartboek dus niet staven aan informatie van ambtenaren of van de Inspectie jeugdzorg of aan anderszins objectief verkregen data.

De minister moet het doen met de informatie die hij van de particuliere jeugdzorginstelling gekregen heeft. 'Ik ben niet beter dan de Hoenderloo Groep in staat om te zeggen wat wel en niet waar is.' Herhaaldelijk richt Rouvoet zijn blik bij het voorlezen van de antwoorden op de Kamervragen naar Hoenderloo Groep-directeur Geerdink, die schuin voor hem op de publieke tribune van de Groen van Prinsterenzaal zit, als ter verificatie of wat hij opleest ook echt klopt.

De blikken symboliseren een passage uit het IJZ-rapport waarin wordt gesteld dat er geen zicht is op wat zich achter de muren van Glen Mills afspeelt. Rouvoet leest als het ware het rapport van de Hoenderloo Groep voor, waarvan die zélf de cijfers had mogen invullen. Dat geldt ook voor een deel van de antwoorden die Rouvoets ambtenaren moesten geven op de eerder ingediende 61 Kamervragen (151 deelvragen) van CDA, SP, PvdA, VVD, ChristenUnie en SGP over Glen Mills. Het leeuwendeel komt van de SP en PvdA (beiden zeventien Kamervragen). Daar komt interessante informatie uit naar voren (zie ook hoofdstuk 7, 9, 12 en 17).

Bijvoorbeeld dat er ook ná de ontslaggolf door ad-interimmanager Henk Ouwens bij de reorganisatie van 2006 (zie hoofdstuk 6) verschillende ontslagen zijn gevallen. 'Het afgelopen jaar is een aantal medewerkers geen contractverlenging aangeboden omdat zij niet voldeden aan de meest basale eisen. Een medewerker is ontslagen op basis van verschil in inzicht en beleid. Daarnaast is een aantal medewerkers van het eerste uur vertrokken daar zij zich niet konden vinden in de voorgenomen verbeteringen en veranderingen danwel dat zij hun eigen ambities niet ingevuld zagen. Deze medewerkers bleven voorstander van de Amerikaanse aanpak.' Wat is er nog over van hun *American Dream*?

Een gesloten instelling dus. Als er iets is wat indruist tegen de filosofie van Glen Mills, is het dat wel. *Uitzicht zonder tralies. Een jongensboek* uit 1997 had niet voor niets die titel. In die *blueprint* (letterlijk, het heeft een blauwe omslag) staat: 'Iedereen die kinderen opvoedt, weet dat ze van belonen meer leren dan van straffen. Daarom kent Glen Mills slot noch grendel.' En ook: 'Tralies staan volgens de normen van Glen Mills veiligheid in de weg.' Voor één citaat van Sam Ferrainola is heel pagina 5 gereserveerd. 'Als jij mij kunt uitleggen, wat jongens leren van tralies en grendels, dan wil ik daarover nadenken. Zolang je mij niet kunt overtuigen, behandel ik mijn jongens met respect.'

Geerdink deelt in de pauze van het debat een 'witboek' uit, een ludieke actie om te laten zien dat Glen Mills wel degelijk steunbetuigingen uit het veld krijgt en goed op weg is. Het heeft wel iets weg van *Uitzicht zonder tralies*. Het formaat is hetzelfde (het handzame A5, de 'helft' van een A4'tje) en het is ook even naïef van toon – aandoenlijk bijna – alsof het gaat om Glen Mills tegen 'de boze buitenwereld'. Op de eerste van de twintig pagina's staat in grote rode blokletters 'THE FACTS'. Na de *Graduation Rap* 2008 en een sollicitatiebrief van een kandidaat-bull om de bull-status te krijgen, volgen acht feiten, waaronder:

'• 100% van de jongeren heeft na vertrek een baan of een voltijdsopleiding;
• Inspectie constateert: machtsbalans Glen Mills hersteld;
• Glen Mills: elke dag geïntegreerd programma met sport, onder-

wijs, shops, vrijetijdsbesteding, ontwikkelen van jezelf, werken aan je toekomst;
- Ruim 95% van de jongeren haalt tijdens het verblijf een diploma of certificaten;
- Nagenoeg 100 procent van de jongeren maakt vrijwillig gebruik van nazorg: (voor het eerst) positieve binding met een maatschappelijk instituut.'

Korte casussen van tien oud-studenten moeten bewijzen dat het oud-studenten ook best goed kan gaan. Allen volgen ze een opleiding of hebben ze een baan, vijf zijn er gerecidiveerd. Omwille van de privacy wordt geen van de studenten bij naam genoemd. Een van hen is oud-student Robin Peijen, die volgens het witboek wegens een vechtpartij in de stad éénmaal is gerecidiveerd, wat een theoretisch juiste constatering is (zie hoofdstuk 5).

Dan volgt een hoopvolle brief van een ouder, een goednieuwsverhaal uit de krant (van Rob Hirdes van *de Stentor*, een van de eerste journalisten die over misstanden op Glen Mills schreef), en enkele steunbetuigingen van onder meer ouders. Op de laatste twee pagina's volgt een conclusie, die bestaat uit 'Het Heden' en 'Fundamenten voor de Toekomst'. Om het witboek niet tekort te doen volgen ze hier integraal.

Het Heden:

'• Er staat een behandelinstituut gericht op ontwikkeling
- Dat veel ervaring heeft opgedaan met een unieke methode uit Amerika en deze heeft aangepast op de Nederlandse context
- Dat het lef heeft gehad een alternatief te ontwikkelen voor tralies en deze ambitie vasthoudt
- En daarin openstaat voor continue ontwikkelingen en verbeteringen
- Dat weet hoe deze jongeren in de 'startblokken' gezet kunnen worden
- Vanuit respect, rekening houdend met de ingewikkelde achtergronden en kenmerken van de jongere.'

Fundamenten voor de Toekomst:

- ‘Trajectbenadering opzetten, zorgen voor een zachte landing in de maatschappij.
- Longitudinaal (lange termijn, red.) onderzoek verder uitzetten. De effecten in termen van behandeldoelen aantonen.
- Voorleggen NJI Databank. Komen tot erkende interventie.
- Specialiseren. Kennis op het gebied van Groepsdynamische Gedragstherapie verbreden, verdiepen en uitdragen.
- Blijvend geloof in de toekomst voor deze jongeren.’

Terug naar de *Graduation Rap* van 2008, waar het witboek mee begint. Dit is het refrein:

Er wordt gepraat van buiten, maar hierbinnen hebben ze niet gekeken
Kritiek die we horen, echt dat kan me echt niet schelen
Er wordt gepraat van buiten, 'k-weet niet of ze alles weten
Misschien te veel gepraat en de kansen zijn bekeken.

NOC*NSF-voorzitter Erica Terpstra had in verband met de Olympische en Paralympische Spelen helaas geen tijd beschikbaar voor een telefonische reactie, zo laat haar woordvoerster weten.

5 Robin Peijen

Hij woont in een achterbuurt, en dat beseft hij maar al te goed. 'Kijk nou waar ik na Glen Mills weer terechtgekomen ben: stelen en helen. Drugsdealers, prostituees, er wordt ingebroken, er wordt geschoten. Vorige week is de buurtgek nog in zijn hoofd gestoken. Ach, ik ben het gewend. Deze buurt is klote, maar het is ook fijn wonen omdat iedereen me kent en iedereen me respecteert.' In een Tilburgse 'prachtwijk' moet Robin Peijen (1988) het zien te rooien. Dat lukte een groot deel van zijn leven niet helemaal. Niet legaal tenminste.

Robin: 'Toen ik 1 jaar was, is mijn vader weggegaan en was ik de man in huis. Ik woon samen met mijn zus en moeder. Ik heb één Nederlandse vriend, de rest is allochtoon. Eigenlijk heb ik nooit zo veel Nederlanders om me heen gehad.' Na een eerdere verhuizing, naar een betere buurt, kwam het gezin door burenruzie 'met beide buren' weer terug in de prachtwijk.

'Op mijn elfde begon ik met stelen. Bij mensen de schuur openmaken en fietsen weghalen. Kleine dingetjes nog. Op mijn elfde ben ik voor het eerst aangehouden, had ik een brommer gestolen.' Eenmaal 12 jaar oud kreeg hij een leerstraf bij Bureau Jeugdzorg. 'Andere jongens hadden me verraden. Ik bleef volhouden dat ik niets had gedaan, maar ze hebben me toch veroordeeld.'

'Ik leerde een zigeunerfamilie hier verderop kennen. Daar ging ik 24/7 mee om. Ik werd beïnvloed door negativiteit. Op mijn dertiende begon ik met inbreken. Huizen, scholen, bedrijven. Overal waar we te horen kregen dat er geld of dure apparatuur lag. We werden echt letterlijk dieven. En wie het ons niet gunde of wie ons wilde afpersen, die sloegen we.' De eerste auto werd op 13-jarige leeftijd gestolen. 'Samen met nog een vriendje van 13, eentje van 14, eentje van 10 en eentje van 9. Eerst een stukje joyriden. Daarna hebben we hem het Wilhelminakanaal ingeduwd. Daar kreeg ik een werkstraf voor.'

'Als je 24 uur per dag niets anders ziet, wat moet je dan? Ik werd steeds van school afgetrapt door ruzies en vechtpartijen met leerlingen en leraren. Ik heb op vier middelbare scholen gezeten in twee jaar. Toen ging ik naar een zmok-school (voor zeer moeilijk opvoedbare kinderen, red.).' Ook daar viel hij niet te handhaven. Evenmin op de drie internaten die daarna volgden. 'Ik wou niets accepteren. Ik dacht altijd dat ik het beter wist.'

De rechter verwees hem ten langen leste naar een project voor 'moeilijke gevallen' in het zuiden van Frankrijk: vijf maanden paarden verzorgen op een boerderij. Peijen was allergisch voor paarden en hooi, zo bleek na een week. 'Mijn Nederlandse begeleider, die daar in de buurt woonde, bracht me naar een hotel-restaurant vlakbij. 'Afwassen, muren schilderen, zwembad schoonmaken, die klusjes. Na drie weken werd ik helemaal gek.'

'Ik had een gesprek met die Nederlandse man. We zaten aan een tafel. "Jij gaat mij mee naar Nederland terugnemen," zei ik tegen hem. Dat kon echt niet, zei hij. Toen heb ik hem vastgepakt en een klap gegeven, en belde hij de gendarmerie. Uiteindelijk zei hij dat ik toch weg mocht. Ik kreeg een enkeltje Parijs met de trein, daar kwam mijn moeder me ophalen.'

Peijen bezweert dat de avond en nacht voorafgaand aan de terugreis zo verliep: 'Die man dumpte me met een tentje in een bos, aan de rand van een dorp. Ik zag dat er al eerder jongens geslapen hadden, want er was een open plek en er was eerder vuur gestookt. Dat klopte, zei die man. 's Ochtends heb ik me in een riviertje gewassen. Ik heb reeën gezien en wolven gehoord. Het was best een relaxte omgeving. Maar die wolven, nee, dat waren geen grapjes.' De treinreis die volgde was 'de mooiste' van zijn leven. 'Die natúúr. En rijden over een brug van honderden meters hoog, wow.' Terug in Nederland liep hij de deur weer plat bij Bureau Jeugdzorg. Tussen de gesprekken door ging hij stelen. 'Er moest wel geld gemaakt worden, je weet toch.'

De lange, donkerblonde Hollandse veelpleger kreeg op zijn zestiende voor de rechter de keuze tussen twee jaar jeugdgevangenis of

18 tot 24 maanden Glen Mills. Hij koos voor Glen Mills. Daar was het meteen bal. 'Op de eerste dag werd ik eye-concern. Ik was gaan schelden tegen een senior-coach. 'Hou je bek dicht!' schreeuwde ik. Toen kreeg ik level 6, en omdat ik niet mee wilde werken meteen level 7. 'Vind je dit normaal?!' werd er in m'n oor geschreeuwd. 'Vinden júllie dit normaal?!' schreeuwde ik terug.' Toch had het drillen ogenschijnlijk snel effect. Omdat hij zes dagen na plaatsing zijn zeventiende verjaardag vierde, mocht zijn moeder vervroegd op bezoek komen. 'Ze dacht dat ik een robot was geworden.'

Robin Peijen is geen domme jongen; op Glen Mills haalde hij zijn vmbo-diploma theoretische leerweg. Al op Glen Mills constateerde hij een verschil tussen de perceptie van de instelling en het leven op de instelling. De rondleidingen – hij gaf er zelf een aan PvdA-Kamerlid Samira Bouchibti –hij ziet ze als een farce.

'Natuurlijk zeggen we allemaal "Goedemiddag meneer" en "Goedemorgen mevrouw". Op Glen Mills moet dat. Je kunt daarover moeilijk gaan zeggen "Wat is dat nou weer?" Met commentaar leveren kom je niet omhoog in status. Denk je soms dat ik na Glen Mills op straat tegen iedereen goedemiddag ga zeggen? Op straat groet ik niemand zo, al is het de directeur van ABN-Amro.'

Robin Peijen maakt zich ineens boos. 'En dat die klapdeuren bij een rondleiding dichtgingen als we aan het schrobben waren! Maar die kromme kasten in kamers C en D laten ze niet zien! Dat die krom zijn omdat er hoofden tegenaan gekomen zijn, meneer, dat vertellen ze er niet bij!'

Als de ongeveer 1 meter 90 lange Robin Peijen vindt dat hij onterecht behandeld wordt, gaat hij daar tegenin. 'Sommige jongens gaan erop losslaan bij level 6. Ik ben in level 7 ook geslagen, maar dat was omdat ik zelf kopstoten gaf en coaches bij de nek pakte omdat ik ze een knietje wilde geven.'

Zeven- of achtmaal, hij weet het niet precies meer, is hij eye-concern geweest. 'Een keer vond ik na het douchen een shampoofles waarin gepist was. Ik rapporteerde dat aan mijn bull, toen werd ik in proces genomen. De hele campus ging toen in proces. Uren werd er op me geprocest.'

Peijen doet voor hoe dat ging. Hij springt op van de leren bank, stijf in de houding, benen tegen elkaar, armen kaarsrecht tegen het lichaam, kijkt recht vooruit en draait kwartslagjes naar links en rechts, als stonden de bulls en coaches weer voor hem om hem feedback te geven. 'Uiteindelijk heb ik *ownership* genomen, omdat ik zag dat iedereen zo'n pijn had van het op de grond zitten, en ik wist dat de dader zich toch niet ging melden. Ik heb verteld dat ik blaasproblemen heb. Twee weken was ik eye-concern en heb ik de douche moeten schrobben.'

Maar daarmee was de kwestie voor Peijen niet afgedaan. Hij kon niet verkroppen dat hij in zijn ogen zo onterecht gestraft was. Tijdens de Geleide Groeps Interactie, wanneer studenten hun gevoelens mogen uiten, kwam het eruit. Hij schreeuwt het vol overgave uit, zoals het toen ook moet zijn gegaan: 'Ik! Heb! Niet! In! De! Fles! Ge! Pist! Ik! Ben! Toch! Geen! Klein! Kind!' En huppakee, daar had Peijen als dank weer een level 7 en een onzachte aanvaring met de muur te pakken.

Al is Peijen voor geen kleintje vervaard, het langdurig zitten in proces noemt hij 'eersteklas mishandeling'. 'Weet je hoe mijn onderrug heeft gebrand? Alle zes jongens in mijn kamer lagen 's nachts op hun buik van de pijn. Nog steeds heb ik last van stekende pijnen in mijn rug als ik aan het werk ben of als ik lang zit, zoals nu tijdens een lang gesprek. Bovendien kun je niet iedereen hetzelfde behandelen, want iedereen denkt anders.'

Toch is die keer dat hij letterlijk tegenover zijn vriend kwam te staan hem het meest bijgebleven. 'Ik was rep en moest een jongen "binnenhalen" bij de receptie. We hoorden al van een afstandje dat hij moeilijk aan het doen was. Toen ik dichterbij kwam, zag ik die jongen vechten – het was mijn *mattie* Hakan uit Tilburg. Ik heb aangegeven dat ik hem daarom niet wilde begeleiden.'

Niet veel later zag Robin op de campus van een afstandje dat Hakan zijn boeken in de lucht gooide en richting de witte streep rende. 'Ik stond net voor de streep. Een paar studenten gingen achter hem aan, maar hij pakte een steen onder aan de vlaggenmast en bedreigde ze. Toen rende hij op mij af. Ik moest hem tegenhouden. "Ik zie je wel in Tilburg," zei Hakan. Op verlof hebben we het weer goedgemaakt.'

Goede kanten aan Glen Mills zijn er zeker, stelt Robin. 'Goed onderwijs, het eten is perfect, veel sport.' Maar de methodiek is 'bullshit'. 'Je kunt wel een programma hebben waarin je strak wordt gehouden. Maar ga je later in een kringetje zitten om je gevoelens te uiten, ga je dagenlang de douche schrobben, ga je naar je bord zitten kijken als je zit te eten? Het is toch zeker seks, drugs, stelen en helen waar je weer in terechtkomt, man.'

Glen Mills, toen hij er geplaatst werd, september 2005, was niet meer het Glen Mills toen hij er in na 22 maanden, in juli 2007, wegging, met zijn status rep, en als vice-president van de unit Korczak. 'In het begin was bull echt iets om trots op te zijn. Na anderhalf jaar zaten de bulls onderuitgezakt op hun stoelen. Er was totaal geen trots meer.'

Na GMS heeft hij nog drie keer een nacht in een politiecel doorgebracht. De eerste keer werd hij naar eigen zeggen valselijk beschuldigd voor handel in cocaïne. De keer daarop kreeg hij ruzie in de stad bij het stappen, Robin werd uitgedaagd 'door iemand die te veel pilletjes op had'. De politie arresteerde hem toen hij op de jongen aan het in schoppen was. De derde keer was ook een soortement van heterdaadje. 'Afgelopen weekend bij het stappen riepen we voor de gein "hoerenzonen", toevallig net toen agenten voorbij kwamen lopen.'

Voor dat laatste akkefietje zou hij een werkstraf krijgen. Een ingehuurde advocaat heeft daar een stokje voor gestoken. 'Een werkstraf, dat kan ik niet. Ik kan niet werken zonder betaald te krijgen.' Daarvoor komt in de plaats een agressieregulatietraining, van 26 uur. Niet dat hij daar veel fiducie in heeft. 'Ze zijn al vanaf m'n twaalfde bezig mijn agressie te reguleren. Maar ik heb ADD. Dat lijkt een beetje op ADHD. ADHD betekent Alle Dagen Heel Druk, en ADD Alle Dagen Druk,' grapt hij. 'Met die pillen ben ik al op mijn veertiende gestopt, ik kreeg er hoofdpijn van. Die pillen hielden mij ook niet rustig. Ik ben een man, ik kan mezelf rustig houden als ik dat wil. Als ik iemand wil slaan, dan doe ik dat, en anders niet.'

Toch gaat het min of meer de goede kant op. Sinds zijn twaalfde blowde hij elke dag, 'lekker chillen in de speeltuin'. Tot negen dagen geleden. 'Het is slecht voor je hersenen en het kost veel *doekoe*.' Hij denkt erover na een opleiding SPW te gaan doen. 'Misschien kan ik andere jongens helpen.' Tot die tijd, en zolang zijn rug het toelaat, werkt hij fulltime als steigerbouwer bij het bedrijf waar zijn vader manager is. Zijn vader regelde de baan, maar toch ziet hij hem nooit. Of hij hem niet mist? 'Neuh,' zegt hij, strak voor zich uit kijkend.

Rappen, daar kan hij zijn ei in kwijt. Bij het afscheid vraagt hij of er nog tijd is voor het voordragen van een van zijn teksten. Hij gaat achter een computer zitten, start Word op, opent de songtekst 'Plannen maken toekomst' en laat een vette beat meelopen.

Ik denk veel na over het leven heb veel dingen gezien.
Zoveel shit en problemen en ben pas 19.
Ik heb een jong lichaam maar toch voel ik me oud.
Daarom zijn de meeste mensen om me heen niet vertrouwd.
Ik voel me koud als ik denk aan de problemen die ik heb.
Dus steek ik me energie liever in rap.
Probeer me hoofd koel te houden zet me toekomst voorop.
Want er zijn belangrijkere dingen als de shop.
Vanaf kleins af aan al op de straten staan.
En elke dag weer een andere vijand moeten verslaan.
Je moet plannen maken om iets op te bouwen.
En je kan niet iedereen in je leven vertrouwen.
Dus denk goed na bij de keuzes die je maakt.
Want je bent in deze maatschappij heel snel afgehaakt.
Ook al zie je van alles het komt niet vanzelf.
Dat is de realiteit en dat ziet niet eens de helft.

Geloof het of niet.
Kijk is om je heen, het is egt wat je ziet.
Dus denk goed na en laat jezelf niet leiden,
door negatieve shit want dat moet je vermijden.

Ik zie elke dag mensen strugglen op deze aarde.
Elkaar afmaken maar wat heeft dit voor meerwaarde.
Iedereen kijkt terug en dat vind ik verrot.
Je moet naar de toekomst kijken anders ga je kapot.
Open je eigen deuren doe de sleutel in het slot.
Volg die lange weg en stop pas als ie stopt.
Je hebt een leven gekregen en daar moet je trots op zijn.
Haal het beste eruit en doe jezelf geen pijn.
Ik weet het leven is niet altijd zonneschijn.
Vecht je door die zware tijden ook al is het niet fijn.
Ook in me wijk is het niet altijd hoe het moet.
Maar we blijven doorzetten want dat zit hier in het bloed.
Een makkelijk leven dat bestaat niet meer.
Dus sta op en sla jezelf niet telkens neer.
Sterk in je schoenen staan dat is van groot belang.
Want veel van die boys die ik zie die zijn bang.
Dus voor iedereen die het wil gaan maken.
Stop met bullshit en focus je op echte zaken.

6 Waar gehakt wordt

Glen Mills is een laatste kans voor criminele bendejongeren. In zo een bijzonder zwaar experimenteel regime moeten rechtsbescherming, toegang tot een klachtenprocedure en bescherming tegen machtsmisbruik tot in de puntjes geregeld zijn. Maar al te vaak heeft de geschiedenis bewezen dat machtsmisbruik op de loer ligt wanneer externe controle binnen gevangenissen ontbreekt. Daarom kent Duitsland (dat ook genoeg veelplegers heeft) bijvoorbeeld geen Glen Mills, maar wel het programma German Mills – dat jongens naar Glen Mills in Amerika stuurt.

In een revolutionair psychologisch experiment van de Stanford Universiteit in Californië uit 1971 werden studenten willekeurig opgesplitst in gevangenen en bewakers. Het schokkende resultaat, dat verschillende keren verfilmd werd (*Das Experiment*, *The Wave*), leidde tot machtsmisbruik van de 'gevangenen' door de 'bewakers'. Gaat het te ver om de Nederlandse Glen Mills te associëren met het uit de hand gelopen experiment van de Stanford University? Wanneer coaches in Wezep over de schreef (dreigen te) gaan, worden ze immers (meestal) door collega's tot de orde geroepen.

Toch is het wel degelijk relevant om de overeenkomsten en verschillen te bekijken. Glen Mills-oprichter Ferrainola zal het experiment uit 1971 vast niet hebben gebruikt bij de uitwerking van zijn in 1975 opgezette experimentele methode. Maar er zijn te veel overeenkomsten met de Nederlandse Glen Mills om het zomaar opzij te schuiven. Om te beginnen hadden de student-bewakers voor hun 'functie' evenveel praktijkervaring als coaches op Glen Mills moeten hebben, namelijk nul – theoretische kennis hadden de student-bewakers wellicht wél.

Of je GMS-coaches nu coaches, begeleiders, hulpverleners of cipiers noemt, een pedagogische opleiding of werkervaring, opgedaan in de sector, is niet vereist. De enige harde eis is een mbo-diploma (en bijbehorend werk- en denkniveau). De maatstaf is een 'robuuste' persoonlijkheid. Als een sollicitant een pedagogische achtergrond heeft, kan dat mooi meegenomen zijn, maar echte hulpverlenerstypes wordt meteen de deur gewezen – die zouden op hun eerste werkdag door de bendejongeren meteen worden ingepakt. 'Hoger opgeleid zijn was in de beginfase bijna een contra-indicatie,' zegt oud-directeur Thieu van Hintum.

De studenten uit het Amerikaanse experiment mochten geen psychologische problemen, fysieke stoornissen of een geschiedenis van drugsverslaving hebben. Ook op Glen Mills zijn dat contra-indicaties. De praktijk (zie verderop in dit hoofdstuk) wat het psychische en fysieke aspect aangaat is echter anders, ook wat betreft drugsgebruik. Een behoorlijk aantal studenten dat op Glen Mills terechtkomt, rookte voorheen dagelijks wiet, doet dat op verlof, en blijft dat ook na Glen Mills doen. Uit gesprekken met oud-studenten en oud-coaches en interne verslagen blijkt dat meermaals drugs (wiet en cocaïne) Glen Mills zijn binnengesmokkeld – het is de vraag of dat voor de kick of door een drugsverslaving was.

Bij aankomst in de Californische 'gevangenis' (de kelders van de universiteit in de stad Palo Alto) werden studenten kaalgeschoren, en ook in Wezep gaat de schaar erin. In beide gevallen is het minimaliseren van de identiteit van het individu het doel. In het Stanford-experiment moeten als straf wc's worden schoongemaakt. In Wezep is een standaardstraf douches schrobben, urenlang. Niet totdat het te schrobben object schoon is, maar totdat de student zich schikt in de methodiek.

In de notulen van een teamvergadering (coaches en management) uit 2003 is die straf zwart op wit gedocumenteerd. 'Beperk de heren niet tot het schrijven van kantjes. Als ze daarmee klaar zijn iets anders gaan doen; schrobben of schoonmaken. Wees creatief. Zo krijgt elke groep de kans *ownership* te nemen zo niet: feedback,' wordt Van der Kolk geciteerd.

In Palo Alto werd de verdeel-en-heerstactiek toegepast door gevangenen met goed gedrag een eigen cel te geven met privileges. Ze kregen een bed, mochten zich wassen en hun tanden poetsen (de rest niet) en ze kregen beter eten. De onderlinge solidariteit werd zo gebroken. Ook op Glen Mills krijgen studenten met goed gedrag meer privileges. Vriendschappen zijn niet toegestaan: ze kunnen tot 'subgroepjes' en negatief gedrag leiden. Student-cipiers in het experiment gingen zo ver dat een toiletbezoek van een gevangene als een gunst werd beschouwd. Decennia later gebeurt dat ook in Wezep. Studenten met een hogere status gebruiken toiletbezoek als pressiemiddel, of gewoon om te sarren.

Het streng gemonitorde experiment van professor Philip G. Zimbardo had twee weken moeten duren. Het moest al na zes dagen door Zimbardo wegens machtsmisbruik door de student-cipiers voortijdig worden beëindigd. (Nog verontrustender is dat Zimbardo na een paar dagen zélf in de rol van gevangenisdirecteur verviel. Een wetenschapper die niet bij het experiment betrokken was, moest hem daarop wijzen.)

Onder politieke bescherming kachelt het experiment Glen Mills School Nederland rustig door. Van dichtbij gemonitord werd het nooit, en wanneer het al – incidenteel en al of niet gedegen – werd onderzocht, werd er niet acuut ingegrepen. Een laatste wezenlijk verschil is dat het bij het experiment in Californië om échte studenten ging. De studenten in Wezep zijn natuurlijk geen echte studenten. Het zijn veelplegers. Probleemgevallen. Tuig.

De 74-jarige Philip Zimbardo (1933) is nog steeds actief als wetenschapper. Uit zijn experiment van 1971 trekt hij anno 2008 de volgende conclusie: 'De vraag is hoe we onze instituties kunnen veranderen zodat ze menselijke waarden verbeteren in plaats van vernietigen.' Strengere gevangenisregimes in Amerika wijt hij aan politisering van gevangenissen; aan 'wedijverende' politici: aan '*who is toughest on crime*'.

Weliswaar is Glen Mills in zijn originele opzet wettelijk gezien geen gevangenis maar een open instelling (en sinds recent een gesloten jeugdzorginstelling), maar dat leverde in de praktijk niet méér zicht op wat er zich binnen de muren van Glen Mills afspeelt. Dat er geen toegangspoort met stalen punten, metaaldetectoren of bewakingscamera's is of was, zegt niets over de openheid van de directie.

Het imago van 'wij-hebben-niets-te-verbergen-kom-maar-eens-kijken' kreeg in de loop der jaren barsten doordat uitgerekend via coaches misstanden aan de grote klok werden gehangen, en niet via studenten of hun ouders. Van studenten kan niet worden verwacht dat zij precies weten waar de grenzen liggen van de behandelmethode, van wat wel of niet toelaatbaar is. Vóór Glen Mills waren ze immers geen modelburgers en overschreden ze zelf grenzen. Bovendien zijn ze op Glen Mills zo intens verweven met een zeer artificiële habitat, dat reflectie erg moeilijk is. Ten slotte zitten ze qua opleiding meestal op vmbo-niveau: de meeste studenten zijn niet altijd even analytisch onderlegd.

De jongens komen vaak uit probleemgezinnen, al dan niet uit achterstandswijken. De assertiviteit en de mondigheid van hun ouders wordt niet altijd omgezet in een brief naar bijvoorbeeld pers, politiek, politie of inspectie (in willekeurige volgorde). De weinige ouders die de stap wel maken – om kritiek te leveren óf het voor Glen Mills op te nemen – zijn merendeels autochtoon. Slikken of stikken, daar komt het voor studenten en hun ouders op neer. Een jeugdgevangenis als alternatief voor Glen Mills zou immers geen florissanter toekomstperspectief bieden omdat Glen Mills, althans in theorie, zicht geeft op scholing, heropvoeding en werk.

Natuurlijk hangt een instelling, bedrijf of stichting (zoals de Hoenderloo Groep, waar Glen Mills onder valt) niet graag de vuile was buiten. Maar experimenten moeten nu eenmaal onder een vergrootglas worden gelegd. Als transparantie slechts semitransparantie blijkt te zijn, als alleen wat uitlekt bevestigd wordt en er steevast verder 'niets aan de hand is,' als oneffenheden niet worden weggepoetst maar doorrotten, als misstanden op zichzelf niet tot onderzoeken leiden maar publicaties in de pers daarover wel, dan vallen al snel de bekende termen 'doofpot', 'klokkenluider' en 'topje van de ijsberg'.

Wie draagt de eindverantwoordelijkheid voor Glen Mills? Hoe is de rechtsbescherming van de minderjarige jongeren geregeld? Die vragen bleken niet afdoende beantwoord toen de eerste misstanden uitlekten. Alle mogelijk verantwoordelijke instanties verwezen naar elkaar, met als voorlopige conclusie dat de Hoenderloo Groep zélf verantwoordelijk was.

Tegenover geïnterneerde jongeren van wie sommigen veel fysiek verzet kunnen bieden en waarvan sommigen het manipuleren op de straat als tweede natuur hebben aangeleerd, moeten uiterst professionele begeleiders staan. Zo niet, dan liggen repressie en repercussies van begeleiders op de loer. De eerste lichting coaches op Glen Mills bestond voor een substantieel deel uit oud-mariniers en -commando's: militairen zonder pedagogische inslag.

Zij, maar ook andere coaches na hen, gingen qua handhaving tegenover jongeren regelmatig over het randje van wat – zeker in Nederland – wordt gezien als ontoelaatbaar, al zal de definitie van ontoelaatbaar voor iedereen verschillend zijn, zeker gezien de aard van de jongens. Ze deden dat niet voortdurend, maar het gebeurde. De redenen zijn uiteenlopend: verveling, onwetendheid, het compenseren van angst en onmacht bij confrontaties, een te hoge werkdruk, antipathie tegen studenten, het ontbreken van reflectie.

Het waren in veel gevallen collega's die misstanden naar buiten brachten, tegen het door velen als zwijgcultuur omschreven werkklimaat in. Glen Mills was tot voor kort een open jeugdzorginstelling, maar met een gesloten cultuur. Ook binnen de Hoenderloo Groep zit Glen Mills op een eilandje. De blik is naar binnen gericht. Machtsmisbruik lag vanaf het begin op de loer. Uiteindelijk bleek het niet mogelijk te zijn macht en machtsmisbruik op Glen Mills te scheiden (zie ook hoofdstuk 15).

De in Amerika getrainde coaches waren daar gewezen op het belang van het continu blijven signaleren van machtsmisbruik, maar zij vertrokken één voor één. Vanaf 2001 volgde een uitbreiding van het aantal leerlingen. Een daaropvolgende uitbreiding betrof het aantal coaches, waarvan een groot deel een militaristische achtergrond had. De machocultuur werd er niet minder om, en er werd losser met de methodiek omgesprongen.

Een senior-coach die al vanaf 1995 bij Glen Mills (bij Samster, de voorloper van GMS) betrokken was, vertrok om die reden in 2001. 'Veel mensen waren er gek op een spelletje te spelen met de jongeren. Je moet wel zó integer zijn om daar te werken. En je hebt mensen van buiten nodig die die integriteit bewaken. Er is nooit eindverantwoordelijkheid geweest. Het systeem is zó gevoelig voor macht.' Een collega senior-coach, eveneens met een Samster- en een VS-achtergrond, signaleerde hetzelfde. 'Vanaf 2001 ging het snel achteruit. Mensen gingen rigoureuzer om met de methodiek dan toegestaan.'

Eind augustus 2003 verschijnen de eerste berichten over mishandelingen door begeleiders in de kranten *de Stentor* en *Sp!ts* doordat coaches dat naar buiten brachten. Hoenderloo Groep-directeur Nieukerke beaamt dat jongeren zeer hardhandig zijn aangepakt of vernederd. Maar: 'Er wordt niet geslagen en niet geramd.' Hij stelt dat mishandelingen gepleegd zijn door een deel van de oude garde begeleiders, de oud-militairen en oud-agenten.

Een oud-marinier die 's nachts een jongen uit bed haalde om hem uren te laten roepen dat hij een asbak was en 'nooit iets zou bereiken', is ontslagen, zegt Nieukerke. Een andere jongen moest weken achtereen van 's ochtends zes tot 's nachts drie uur de douche schrobben. Nieukerke: 'Je moet dat in zijn context plaatsen.' Jongens die probeerden te ontsnappen, werden zo hard door een kamer gesmeten dat hun kleren scheurden.

Nieukerke noemt de genoemde gevallen 'absoluut te hardhandig'. Er waren in de vijf jaar sinds de oprichting van Glen Mills 'een handjevol' begeleiders ontslagen wegens hardhandig gedrag tegenover de jongeren, zegt hij: 'U moet niet denken dat we door met onze prachtige blauwe ogen te kijken de jongeren in de rij kunnen zetten.' Nieukerke spreekt liever van het 'breken van oppositie'. Dat breken kan op verschillende manieren. Oud-coaches vertellen over een groepje bulls dat 's nachts een soortement schuttersputje moest graven, om er daarna in te gaan liggen. 'Nu weten jullie hoe het voelt dood te zijn' of woorden van gelijke strekking werden hun toegevoegd.

Andere oud-coaches begrijpen nog steeds niet hoe een getraumatiseerde, licht verstandelijk gehandicapte Koerdische student uit Irak op Glen Mills kon worden geplaatst. De jongen had een oorlogsverleden. Regeringssoldaten hadden zijn vader doodgeschoten, zijn drie broers vermoord en zelf droeg hij als 'bewijs' van zijn geschiedenis een litteken, overgehouden aan een bajonetsteek.

Het harde programma kreeg geen vat op hem, daar had hij iets te veel voor meegemaakt. 'Niets wat je deed of zei had invloed op hem,' zegt een oud-coach. Niet intelligent genoeg, niet groepsgevoelig, getraumatiseerd: stuk voor stuk contra-indicaties voor plaatsing op Glen Mills. Een coach liet de jongen als grap met een papieren vliegtuigje over de campus rennen, zo een Iraaks legervliegtuig simulerend, 'hij moest "Saddam, Saddam" roepen,' vertelt een oud-coach.

Het goedschiks of kwaadschiks onder de duim houden van de studenten – harde jongens – kost veel energie, en dat breekt op. Het verloop onder het personeel is hoog. Van de 75 coaches werken er in 2003 volgens de voorzitter van de Ondernemingsraad nog twintig die er sinds de oprichting van Glen Mills in 1999 al bij waren. Ook het ziektepercentage is hoog te noemen. 'Dat ligt rond de elf procent,' aldus de OR-voorzitter. 'Sommige mensen hebben hier vier jaar gewerkt, en worden moe.'

Pas in 2003 wordt bekend dat een student in 1999 twee weken de douche moest schrobben (maar nog niet dat schrobben een standaardpraktijk is). De 'douche-schrobber' was een bendeleider met plannen voor een opstand die tijdens een groepsproces naar buiten kwamen, zegt een oud-coach die niet met zijn echte naam in de krant wil. Nadat er volgens hem in Glen Mills slagwapens en 'plannen om een coach in brand te steken' waren gevonden, werd die opstand meteen de kop ingedrukt.

In de krant spreekt een coach over zware misdadigers: 'Jongens die pinnende mensen met een bijl op hun hoofd hebben geslagen.' Hij betitelt minder strenge instellingen als 'Mickey Mouse-internaten'. 'Sommige collega's werden weggeblazen. Ik was hard, maar met respect.' De oud-werknemer, gezien zijn achtergrond als commando toch geen softie, zegt dat zijn contract niet werd verlengd omdat hij niet hard genoeg was. Wrok koestert hij niet. 'Directeur Nieukerke heeft hart voor de zaak, voor het mooiste werk dat ik ooit gedaan heb.'

De coach moest de jongen tijdens het schrobben bewaken: 'Hij moest gewoon dertien dagen rondjes draaien met een borstel in zijn rechterhand. Je ziet hem denken, je ziet hem malen. Op de veertiende dag zei hij weer aan zijn toekomst te willen werken.' Nieukerke zegt deze aanpak niet bij voorbaat af te keuren: 'Als dit de enige methode is die tot resultaten leidt, is dat aanvaardbaar. Het gaat immers om extreem ingewikkelde kinderen, die buitengewoon oppositioneel zijn.'

Als Nieukerke daarin gelijk heeft, dan komen alle studenten op Glen Mills in aanmerking voor een contra-indicatie. Een oppositioneel-opstandige gedragsstoornis (in het Engels *Oppositional Defiant Disorder*, afgekort ODD) is een psychische aandoening volgens de DSM-IV, een Amerikaans handboek voor diagnose en statistiek van psychische aandoeningen. DSM-IV dient in de meeste landen als standaard in de psychiatrische diagnostiek en wordt in Nederland ook als de maatstaf gezien.

In DSM-IV is ODD ingedeeld bij de ontwikkelingsstoornissen. Kinderen hebben driftbuien, willen niet luisteren naar volwassenen, kunnen moeilijk omgaan met leeftijdsgenoten, leggen vaak met opzet de schuld bij anderen en zijn vaak haatdragend, kwaad en snel geïrriteerd. De aandoening is een voorloper van de antisociale persoonlijkheidsstoornis.

Bij het ministerie van VWS wist men niets over de misstanden. 'Het enige wat ons hierover bekend is, hebben we in de krant gelezen,' laat de woordvoerder weten. Bij de enige instantie die Glen Mills controleert, de Inspectie Jeugdhulpverlening en Jeugdbescherming (IJHV/JB), was in 2001 één klacht binnengekomen, zegt de VWS-voorlichter. Zijn collega bij IJHV/JB ontkende dat echter met klem: 'Er zijn bij ons géén klachten binnengekomen.' Na publicaties in de pers heeft Glen Mills de Inspectie – op haar verzoek – geïnformeerd, zegt de voorlichter. 'Die informatie is voor de Inspectie geen reden om te interveniëren op de Glen Mills School.' Justitie koopt 25 extra plaatsen in.

Zowel het ministerie van Justitie als dat van VWS – die respectievelijk honderd en vijftig plaatsen op Glen Mills hebben ingekocht – wijzen de eindverantwoordelijkheid voor de studenten van het strafinternaat van de hand. Een Justitie-woordvoerder benadrukt dat haar ministerie bij Glen Mills uitsluitend plaatsen inkoopt: 'Glen Mills is verantwoordelijk voor het reilen en zeilen op Glen Mills.'

Ook een VWS-woordvoerder maakt dat klip en klaar: 'VWS en Justitie subsidiëren Glen Mills. Maar het is een particuliere instelling, die valt onder de Hoenderloo Groep. Het bestuur hiervan is dus verantwoordelijk.' Volgens de verbouwereerde VWS-zegsman seinde Hoenderloo Groep-directeur Nieukerke hem een week eerder, na de publicaties in de pers, nog in 'dat er niets aan de hand is'.

Dat een jongen in 2002 aangifte bij de politie heeft gedaan wegens mishandeling door een coach op het internaat wisten de ministeries niet. De aangifte die een vader van een Glen Mills-pupil in 2002 deed, is geseponeerd omdat de jongen zélf geen aangifte wilde doen, meldt de politie Noord- en Oost-Gelderland. De Zutphense arrondissementsrechtbank bevestigt dat bericht. 'De politie hoeft zich geen zorgen te maken over Glen Mills,' zegt een politiewoordvoerder. Volgens hem is het ministerie van Justitie eindverantwoordelijk.

Strafbare handelingen (zoals mishandelingen) zouden wel bij de politie moeten worden gerapporteerd, maar de politiewoordvoerder ziet het liefst dat incidentele gevallen binnenskamers worden besproken en opgelost. 'Het helpt niet om onmiddellijk naar de politie te rennen. Het lukt de politie niet om à la minute jongeren ergens anders te plaatsen. Ik denk niet dat de politie de meest aangewezen instelling is om die instantie op de kop te zetten. De Glen Mills

School redt zich wel.' De misstanden en het machtsmisbruik zijn voor Nieukerke reden om een onderzoek te laten uitvoeren door een onderzoeksbureau, de Consultance Groep Nederland.

De werknemers stellen ook problemen op een ander niveau aan de kaak. Bijvoorbeeld over het soort jongens dat op Glen Mills wordt geplaatst. Dat zijn steeds minder *hardcore* criminele veelplegers uit de vier grote steden (Amsterdam, Rotterdam, Den Haag en Utrecht), en steeds vaker jongens met een beschikking van OTS (ondertoezichtstelling). Jongens die dus niet na een veroordeling zijn doorverwezen.

Jongeren verblijven in Glen Mills op een strafrechtelijke titel (Plaatsing in een Inrichting voor Jeugdigen, een zogenoemde PIJ-maatregel), of een voorwaardelijke jeugddetentie gecombineerd met Glen Mills, of een civielrechtelijke titel (OTS of voogdij). Er stromen op Glen Mills meer en meer OTS'ers in. De verhouding OTS-jongeren ten opzichte van de PIJ'ers op Glen Mills verandert daardoor. Een OTS-maatregel is er immers een ter bescherming van het kind, terwijl PIJ'ers een misdrijf hebben gepleegd waar een voorlopige hechtenis voor mogelijk is, en die daarom worden opgesloten ter bescherming van de samenleving. Het machtsevenwicht tussen de studenten verschuift.

Directeur Thieu van Hintum, Van der Kolks opvolger, schetst in het DSP-rapport (zie hoofdstuk 7) desgevraagd een grove verdeling van studenten in twee groepen, te weten 'de echte GMS'ers' en de 'andere groep'. 'De echte GMS'er is stoer, hard, heeft een lange delictgeschiedenis, is gemiddeld intelligent, is een leider en heeft verschillende malen gesloten gezeten. De andere groep bestaat uit jongens die goed van het programma kunnen profiteren, maar zij zijn geen echte leiderstypes, ze zijn erg stoer en erg gewelddadig geweest maar ze zijn niet hard van binnen.'

De laatste groep wordt later bull, valt vaker in status en loopt vaker weg. Studenten uit die groep kunnen zich moeilijker handhaven in het confrontatiemodel, en reageren niet of niet goed op feedback. De School voor Winnaars, waar een harde kern van veelplegers mentaal wordt afgebroken om daarna weer te worden opgebouwd, verandert langzaam in een School voor Verliezers.

Studenten kunnen niet alleen in PIJ of OTS onderverdeeld worden. Er valt een belangrijk onderscheid in de Glen Mills-populatie te maken, of beter gezegd: te betreuren. Er worden namelijk jongens op Glen Mills geplaatst met een zogenoemde contra-indicatie: jongens met een zodanige stoornis dat ze niet in Wezep thuishoren, zoals PDD-NOS (een aan autisme verwante contactstoornis), ADHD of een seksuele stoornis. Dat beweren althans oud-medewerkers. Het DSP-rapport bewijst met statistische gegevens hun gelijk.

Rond het eerste lustrum, op 1 februari 2004, waren er van de 120 jongens 69 via Justitie geplaatst. Van de 22 zogenoemde PIJ'ers (begin april 2004) hadden er 16 'een gebrekkige ontwikkeling van de geestesvermogens'. Dat staat haaks op de eis die wordt gesteld aan plaatsing, namelijk een minimaal IQ van circa 80 (100 = gemiddeld, 85-99 = onder gemiddeld, 70-84 = moeilijk lerend, onder de 70 = verstandelijke beperking).

Een gebrekkige ontwikkeling van de geestesvermogens komt neer op een licht zwakzinnig intelligentieniveau, ofwel een IQ onder de 70. Jongens met een geestelijke beperking vatten het concept van groepsdynamiek niet. Hun valt niet goed duidelijk te maken hoe ze zich in de rangen kunnen opwerken.

Ondanks dat het DSP-onderzoek is uitgevoerd in opdracht van het ministerie van Justitie (Donner), zal staatssecretaris Albayrak bij de toelichting op het WODC-rapport in 2008 schrijven dat er op Glen Mills geen zwakbegaafde jongens geplaatst worden. 'Lager dan een IQ van circa 80 hebben we niet gehad,' zegt de ad-interimmanager van Glen Mills, Henk Ouwens, in 2008, 'dat is het uitgangspunt.'

Bij de groep van 22 PIJ'ers onderzocht de Inspectie jeugdzorg (IJZ) (op verzoek van DSP) ook welke stoornissen ze hadden. Achttien studenten hadden een antisociale gedragsstoornis (*conduct disorder*); acht een narcistische persoonlijkheidsstoornis; (niet volgens DSM-IV) zeven studenten een lacunaire gewetensfunctie ('gewetenloosheid');

acht een geringe frustratie en impulscontrole; en bij vier jongens was sprake van egocentrisme. Sommige jongens hadden meerdere stoornissen. Slechts bij één jeugdige werd geen stoornis geconstateerd.

Hadden ze niets op hun kerfstok dan? Zeker wel: vier studenten waren veroordeeld voor een misdrijf tegen het leven, zeven voor diefstal met geweld, twaalf voor diefstal en diefstal in vereniging, zeven voor afpersing, vier voor openlijke geweldpleging, een voor vernieling, een voor brandstichting, een voor aanranding, en twee voor zware mishandeling. De meesten waren dus veroordeeld voor meerdere delicten. Zeker geen lieverdjes dus, maar dankzij hun stoornis ook zeker niet geschikt voor Glen Mills. De plaatsingscommissie van de Hoenderloo Groep is ervoor verantwoordelijk dat op Glen Mills geen studenten met een zogenoemde contra-indicatie worden geplaatst.

In december 2007 oordeelt de Inspectie jeugdzorg (IJZ) dat het Glen Mills als organisatie aan de capaciteit ontbreekt om hiermee om te gaan. 'Het is de vraag of coaches en trajectbegeleiders voldoende toegerust zijn om signalen die kunnen duiden op psychiatrische stoornissen (tijdig) te herkennen. Binnen Glen Mills kunnen die onvoldoende en niet tijdig worden herkend.' (De ondeskundigheid wordt geïllustreerd doordat volgens een oud-medewerker in één geval op eigen houtje, dus zonder medische begeleiding, coaches medicatie afbouwden van een jongen met ADHD, met als doel de methodiek haar werk te laten doen.)

Ook de gedragswetenschapper gaat niet vrijuit. Ze (het is een vrouw) 'handelt reactief op basis van signalen van medewerkers over stagnerende ontwikkeling van een jongere'. Ook volgens oud-medewerkers komt de gedragswetenschapper zelden op de werkvloer om constateringen te doen. Met andere woorden, ze komt pas in actie als een medewerker haar erop wijst dat er iets met een jongen aan de hand is of zou kunnen zijn. Maar gezien hun achtergrond kan van de meeste medewerkers niet worden verwacht dat ze symptomen herkennen. Eén gedragswetenschappelijk geschoolde programmamanager voor ruim honderd jongeren noemt de IJZ 'zeer beperkt aanwezig specifieke gedragswetenschappelijke deskundigheid'.

Maar aan de intake van jongeren bij de Hoenderloo Groep gaat nog een proces vooraf: een veroordeling en plaatsing door de rechter. Ook daar gaat het wel eens mis, bewijst een casus (te vinden op de website rechtspraak.nl). De meervoudige kamer van de rechtbank Rotterdam veroordeelt een jongen tot Glen Mills. Hij is schuldig bevonden aan de herhaaldelijke groepsverkrachting met geweld van een 14-jarig meisje in een kelderbox, een groepsberoving en twee keer inbraak en diefstal in een school, ook in groepsverband. Kortom: geen lieverdje. Hem wordt Glen Mills opgelegd.

De geraadpleegde psycholoog echter concludeerde 'dat bij verdachte sprake is van een gebrekkige ontwikkeling in de vorm van tekortschietende egofuncties en daarmee samenhangend een gedragsstoornis en de mogelijke ontwikkeling van antisociale persoonlijkheidsproblematiek. Dit heeft tijdens het plegen van de feiten een rol gespeeld. De deskundige acht verdachte derhalve enigszins verminderd toerekeningsvatbaar.' Prompt adviseert hij 'be/gesloten setting binnen het kader van een onvoorwaardelijke PIJ-maatregel, op de Glen Mills School'.

De geraadpleegde kinder- en jeugdpsychiater stelt: 'Bij verdachte is sprake van een gebrekkige ontwikkeling van de geestesvermogens in de zin van een gedragsstoornis, met een laag begaafd verstandelijk niveau, waarbij er een zekere tendens is in de ontwikkeling richting antisociale persoonlijkheidsproblematiek. Deze gebrekkige ontwikkeling is van dien aard, dat verdachte voor de hem bewezen verklaarde feiten als enigszins verminderd toerekeningsvatbaar beschouwd dient te worden. De kans op recidive moet als hoog worden ingeschat, omdat verdachte een zwak innerlijk gestructureerde jongen is bij wie de impulscontrole onvoldoende is. Zijn handelen maakt hij niet tot onderwerp van reflectie, er is sprake van lacunaire gewetensfuncties en van een gestoorde agressieregulatie.'

Mede door de groepsgevoeligheid van de jongen adviseert ook

deze deskundige een onvoorwaardelijke PIJ-maatregel op de Glen Mills School, ondanks dat deze veelpleger een waslijst aan contra-indicaties heeft. Het 'probleem' voor Glen Mills is: veel PIJ'ers hebben contra-indicaties, en kunnen daarom niet in aanmerking komen voor plaatsing op de GMS. Statische gegevens over contra-indicatie gaan pas leven als de mensen achter de casussen zichtbaar worden.

Toch moet omwille van de privacy van de oud-studenten de opsomming van details summier blijven, om herkenbaarheid te vermijden. Een van de meest schrijnende gevallen is misschien die van een (praktiserende) biseksuele student die tientallen keren betrokken was bij seksuele incidenten. 'Eén jongen, van een jaar of 15 of 16, liet zich keer op keer weer in zijn kont pakken, hoe streng de controle ook was.'

'Voor zijn tijd op Glen Mills zou hij als prostituee hebben gewerkt. Al die zaken kwamen tijdens een proces naar boven. Je moet op Glen Mills van jezelf af kunnen bijten, anders ga je eraan onderdoor,' zegt een oud-campuspresident. De waarborgen tegen seksueel misbruik op Glen Mills zijn niet waterdicht, ondanks dat het drukke dagprogramma daar in principe geen kans toe biedt.

Verontruste oud-coaches die toevallig wel een pedagogische achtergrond hadden, hebben deze en verschillende andere gevallen van gender- (seksuele) en andere stoornissen vastgelegd. Verschillende persoonlijkheidsstoornissen zoals de borderline- en antisociale persoonlijkheidsstoornis zijn evenals PDD-NOS meerdere malen gediagnosticeerd en gedocumenteerd.

Confronteren, groepsdruk en groepsdynamiek; of een student nu campuspresident of eye-concern is, bij alles komt een zekere druk kijken. Sommige 'lichte' jongens konden de groepsdruk niet meer aan of werden zelf het middel om zich staande te houden in de groepsdynamische structuur door zich te laten 'gebruiken'. In die groepsprocessen waren ze zowel slachtoffer als dader. Uiteindelijk werden ze overgeplaatst om nog meer beschadiging te vermijden.

Oud-medewerkers leggen de verantwoordelijkheid voor plaatsing van deze jongeren niet alleen bij de afdeling intake van de Hoenderloo

Groep en het wervingsbeleid van Glen Mills, maar ook bij voogden en Bureau Jeugdzorg, die (in het geval van een contra-indicatie) van de stoornissen op de hoogte hadden moeten zijn, of hadden moeten weten dat Glen Mills niet de juiste instelling voor de jongeren was.

Medewerkers die studenten mishandelen, studenten die door studenten worden misbruikt – daarbij bleef het niet. Ook studenten zochten hun coaches uit, op velerlei gebied. Ze kregen klappen, schoppen, kopstoten en incidenteel een strijkijzer naar hun hoofd, en niet alleen bij gevallen van holding. Een student die op weg naar de rechtbank (tegen de regels in) in de bus achter de bestuurder werd geplaatst, probeerde die coach op de snelweg met zijn eigen autogordel te wurgen. Twee collega's moesten de bestuurder ontzetten.

Een andere coach dealde voor een student in drugs. In ruil voor cocaïne, waaraan hij naar verluidt verslaafd raakte, smokkelde hij wiet die hij kreeg van de broer van de student de campus op. De man werd ontslagen. Studenten smokkelden ook regelmatig zelf drugs (wiet) naar binnen. Omdat er bij de ingang na het verlof niet wordt gefouilleerd – bij status komt ook een vertrouwensniveau kijken – is daar gemakkelijk gelegenheid toe.

Zeker twee oud-studenten zijn vermoord, beiden doodgestoken bij een ruzie. Naast Pascal Triep (zie hoofdstuk 16) is dat Maurice Tijsen, in november 2007. Ook deze moord kreeg veel media-aandacht in de krant en op tv. Volgens Tijsens moeder is er geen link met Glen Mills. 'Het leren confronteren en leren om met anderen om te gaan bij Glen Mills heeft Maurice heel veel geleerd.' Zeker drie oud-studenten hebben gedood. Een van hen zou zijn oma hebben vermoord, omdat ze iets verkeerds tegen hem zei, zeggen oud-coaches. In hoeverre is recidive door oud-studenten, waaronder moord, een kwestie van 'ondanks' of 'dankzij'? 'De vraag is: zat dat er al in, of hebben wij daaraan meegewerkt?' vraagt een – pedagogisch geschoolde – oud-coach zich af.

Studenten hebben met minstens drie vrouwelijke medewerkers seksuele contacten gehad: een stagiaire, een coach-docente en een gastvrouw (een kantinemedewerkster). Geen incidenten: het betrof meerdere vrouwen, en voor twee van hen meerdere jongens 'per medewerkster'. De meeste contacten tussen de studenten en de (jonge) vrouwen hadden voor zover bekend tijdens verlof plaats. Behalve de kantinemedewerkster, een vrouw van middelbare leeftijd; die hielp studenten in een verloren hoekje op de campus aan hun gerief.

Het staat wellicht niet expliciet in de contracten van GMS-medewerkers dat ze geen seksuele contacten met studenten mogen aanknopen, maar uit de regel dat er geen vertrouwensband tussen studenten en medewerkers mag ontstaan, moge dat impliciet duidelijk zijn. Er is een schriftelijk protocol Discriminatie en Seksuele Intimidatie, dat stamt uit 2000 en geldt voor de gehele Hoenderloo Groep. 'Medewerkers zijn inhoudelijk niet goed op de hoogte van het protocol,' concludeert de Inspectie jeugdzorg (IJZ) in 2007.

Vooral studenten met een hogere vertrouwensstatus (bulls, reps, en execs) waren bij het wangedrag betrokken. Het spelletje meespelen levert uiteindelijk toch het meeste op, is de consensus bij oud-medewerkers en -studenten. Hoe hoger de status, des te meer contacten met de buitenwereld, en hoe verleidelijker het is in 'negativiteit' te vervallen.

Vanaf het begin was er over verschillende onderwerpen onenigheid tussen (senior-)coaches onderling en tussen (senior-)coaches en management: over de onverantwoord hoge werkdruk, incompetentie van collega's, en het ontbreken van een klachtencommissie bijvoorbeeld. Ook binnen het management stonden de neuzen niet bepaald dezelfde kant op. In een interne memo van directie en management GMS aan het personeel van 16 maart 2006 wordt een verschuiving binnen het managementteam aangekondigd.

'In de afgelopen jaren is de samenwerking binnen het MMO (managementoverleg, red.) niet optimaal geweest, verschillende visies en persoonlijkheden hebben ons niet voldoende tot een besluitvaardig en slagvaardig team gemaakt.' Eind 2005 is een 'cultuurveranderingsproces' begonnen 'wat zijn uitwerking heeft op alle niveaus binnen de organisatie', 'inmiddels is er veel uitgewerkt op het gebied van cultuur, structuur en het leiderschapsmodel, en de eerste successen zijn zichtbaar'.

Toch loopt dat 'cultuurveranderingsproces' niet vlekkeloos. 'Tijdens de uitwerking was telkens de onderlinge samenwerking binnen het managementteam een issue. Vorige week heeft dit geleid tot een botsing. Het resultaat van deze botsing is geweest dat de meerderheid van het managementteam heeft geconstateerd dat het niet mogelijk is in dezelfde samenstelling verder samen te werken omdat de energie die nodig is voor het managen van de GMS te veel gaat naar de "boel bij elkaar houden" van het managementteam.'

Bij meerderheid van stemmen heft het team zichzelf op en besluit het in een nieuwe samenstelling verder te gaan. De unitleiders van Ferrainola en Korczak worden per direct uit hun functie ontheven, en hun plaats wordt ingenomen door de latere logistiek directeur, Willem Brouwer. Het ontslagen hoofd van de unit Korczak werd een jaar daarvoor nog opgevoerd in het Zaterdags Bijvoegsel van *NRC Handelsblad*. 'Het is een extreme structuur, voor extreme jongens,' werd hij in april 2005 geciteerd. 'Bij groepsdruk zit altijd een beetje angst en macht, dat zijn de riskante elementen van het systeem.'

Henk Ouwens, die in 2003 directeur is van het onderzoeksbureau Consultance Groep Nederland dat Glen Mills moet doorlichten, fungeert in maart 2006 als externe procesbegeleider bij Glen Mills. In de interne memo staat dat er 'zo snel mogelijk (2 tot 5 maanden) wordt geworven voor een nieuwe Directeur'. Die directeur met hoofdletter wordt, in juni 2006, Henk Ouwens. De nieuwe sterke man wil dat alle neuzen dezelfde kant op komen te staan. Dat gaat niet zonder slag of stoot. Medewerkers worden op non-actief gesteld, mensen blijven ziek thuis, er vallen tientallen ontslagen.

Oud-werknemers noemen dat proces in *De Telegraaf* 'een geruisloze schoonmaak, een putsch'. Bepaalde werknemers hadden zich te veel met Glen Mills vereenzelvigd, blikt Ouwens in 2008 terug. 'Die voelden hun identiteit ontnomen. Een groep mensen wilde hulpverlener spelen, een andere groep wilde vasthouden aan de machtsstructuur. Die kickten erop om de baas te spelen over zwaar criminele jongeren.'

'Zijn' koers verklaart hij als volgt: 'Op een gegeven moment kies je ervoor om 80 kilometer per uur te gaan rijden. Dat had ook 70 of 90 kunnen zijn, maar je kiest voor 80. Sommigen willen 20 gaan rijden, anderen 100. Beide groepen vallen af. Even kil gezegd: mensen ontslaan is niet moeilijk.' Van de coaches wordt 30 tot 40 procent vervangen.

Enkele medewerkers vinden dat de verdeeldheid tussen werknemers niet langer kan blijven voortbestaan, vinden dat ze intern niet de mogelijkheid hebben dat te bespreken en stappen in de zomer naar *De Telegraaf*, die er op 23 juli een paginagroot artikel aan wijdt: 'Anarchie op boefjeskamp Glen Mills'. Niet voor het eerst ziet de directie zich genoodzaakt puin te gaan ruimen, nádat zaken naar buiten kwamen, en dóórdat medewerkers daarvoor zorgden.

Dagblad *Trouw* neemt de terminologie van *De Telegraaf* over in de berichtgeving en kopt 'Onderzoek naar anarchie Glen Mills'. De Inspectie jeugdzorg (IJZ) zal dat uitvoeren. Achttien maanden later heeft de Inspectie dat kritische rapport klaar. 'In het recente verleden hebben zich incidenten voorgedaan met medewerkers die niet goed met hun hiërarchische machtspositie om konden gaan. De directie van de Hoenderloo Groep en het huidige management van de Glen Mills School hebben toen ingegrepen. De machtsbalans is hersteld.'

'Het bewaken van de balans is echter kritisch. Het is daarom van cruciaal belang dat er voor het omgaan met machtsposities een adequaat alarmerings- en bewakingssysteem is, zodat directie en management tijdig en adequaat kunnen ingrijpen en reageren op signalen van mogelijk misbruik. Juist op dit laatste punt schiet de Glen Mills School tekort', met volgens de Inspectie als resultaat: 'Omdat de methodiek van Glen Mills gebaseerd is op het verkrijgen van macht en status, brengt deze als zodanig ook een veiligheidsrisico mee. Het systeem kan zich tegen zichzelf keren.'

Glen Mills gooit er na de berichtgeving in *De Telegraaf* een eigen onderzoek tegenaan. De opdracht wordt gegund aan de huisonderzoekers, Adviesbureau Van Montfoort. Die hebben ongeveer twee maanden later al hun bevindingen klaar (zie hoofdstuk 9).

Volgens oud-directeur Van Hintum kon zijn opvolger Ouwens zich in zijn directeursfunctie niet altijd bewust zijn van de machtscultuur op de werkvloer onder hem. Hij noemt het, gebaseerd op zijn eigen ervaring, 'een manco' als een Glen Mills-directeur niet dicht op de uitvoering zit. 'Maar als dat wel gebeurt, heb je kans in die machtscultuur en het "eigen wereldje" gezogen te worden.'

Anno 2006 is vooral bij unit Korczak het normatieve klimaat zoek. De inkt van het IJZ-rapport is amper droog of er druppelen in februari 2007 nieuwe verhalen over misstanden naar buiten. De bronnen kloppen voor het eerst aan bij de regionale krant *de Stentor*. Een treuzelende student kreeg onder de douche een emmer koud water over zich heen, een andere student werd met natte kleren naar buiten gestuurd, een derde werd tegen een stalen deur aan gesmeten (een uit de hand gelopen gevalletje van holding). Een andere jongen werd tijdens het douchen geblinddoekt, raakte gedesoriënteerd, en werd verrast toen de douche werd aangezet.

Nieukerke bevestigt de berichten. Hij kondigt schoorvoetend sancties aan, van officiële waarschuwingen tot ontslag – als de medewerkers geen excuus voor hun gedrag hebben. Er zijn volgens de directeur gemiddeld drie 'incidenten' per week. 'Dat is inherent aan het systeem. Het zijn harde interventies waarbij soms een worsteling plaatsvindt, maar van mishandeling is absoluut geen sprake.' Van de feiten werd door de school geen aangifte gedaan, en de studenten zelf maakten geen gebruik van de klachtenregeling, aldus Nieukerke.

Uit vertrouwelijke stukken komt een ander verhaal naar voren over het incident midden januari, in de doucheruimte van het sportgebouw, de Erica Terpstra-hal. Een trainer-coach beschrijft hoe senior-coach A. een aantal studenten dat onder de douche staat, aanspoort zich te haasten. De senior-coach gooit tot tweemaal toe een emmer koud water over student B. heen. 'Pardon coach A., dit is onrespectvol wat u doet,' zegt de student. De senior-coach vult nog een derde emmer koud water en dreigt daar andere studenten mee.

De trainer-coach van de student stuurt een afschrift van het verslag naar unitleider Willem Brouwer. Een tweede coach bevestigt de gang van zaken, en de student zelf klimt ook in de pen. Van het douche-incident had de directie dus op de hoogte moeten zijn. (Overigens had de senior-coach in kwestie, die op non-actief gesteld werd, beter kunnen weten. In juli 2006 moest hij zelf een pupil (zie hoofdstuk 13) na een uit de hand gelopen holding meedelen dat twee coaches die bij dat incident betrokken waren, niet meer terug zouden komen.) De klachtenbrieven verdwijnen in een la.

Een buitenstaander kan denken: een emmer koud water? Bij díe jongens? Tsja, ach. Maar in de Glen Mills-methodiek is het indringen in iemands persoonlijke ruimte en elk fysiek contact (behalve bij het sporten) taboe. In een systeem met honderden normen (met als tweede basisnorm 'Iedereen verdient respect') staat gooien met emmers (koud) water gelijk aan vloeken in de kerk. Ook bij het douche-incident waren het coaches zélf die dat naar buiten brachten, niet studenten of hun ouders.

De boodschapper van het slechte nieuws, de regionale krant *de Stentor*, krijgt in een persbericht een veeg uit de pan om de berichtgeving over de incidentenreeks. 'Onbegrijpelijk, immers met de jongeren welke bij de Hoenderloo Groep behandeld worden doen zich dagelijks incidenten voor. En natuurlijk geldt dat ook voor onze moeilijkste doelgroep, de studenten van de Glen Mills School.'

Niet voor het eerst volgt als reactie op misstanden een orwelliaans taalgebruik van Nieukerke. Want als er zich dagelijks dergelijke incidenten zouden voordoen, zouden er ook dagelijks klachten worden ingediend. Dat wordt binnen de methodiek aangemoedigd. Toch gebeurt dat niet, omdat het volgens oud-medewerkers standaard wordt ontmoedigd. Nieukerke: 'Van bewust mishandelen is geen sprake. Onze jongeren hebben een veilig leefklimaat, maar bij gedragsinterventies kan het voorkomen dat een medewerker of student zich bezeert.' Maar tussen 'bewust mishandelen' en een 100 procent correct gedrag ligt nog steeds een scala van mogelijkheden aan incorrecte confrontaties op de levels 1 tot en met 7.

Wellicht gesteund door de berichten in de pers over misstanden, vinden (oud-)studenten en (letselschade-)advocaten elkaar, en spannen zij zaken aan tegen Glen Mills. Patrick Wiendels beweert in *Netwerk* tegen metalen kasten aangesmeten te zijn, en daardoor zo veel psychische schade te hebben opgelopen dat hij zich niet meer op een studie kan concentreren. De Stadskanaler stelt er slechter uitgekomen te zijn dan dat hij er inging. 'Ik ben geestelijk naar de kloten.'

Een 12-jarige jongen van Marokkaanse afkomst probeert eind oktober 2007 met zijn raadsman bij de rechtbank te Utrecht de verlenging van zijn OTS in Glen Mills met een jaar door Bureau jeugdzorg tegen te gaan, met een beroep op folteringen en marteling, zoals vastgelegd in het Folteringverdrag en het Verdrag van de Rechten van het Kind. Zijn advocaat, mr. Bart Drykoningen, wijst op het urenlange op de grond zitten met opgetrokken benen en een arm daaromheen geslagen (proces) en de gevolgen daarvan.

Zijn cliënt klaagt over pijn in zijn benen en rug. Dat komt in de visie van de advocaat neer op marteling dan wel kindermishandeling. En heerst volgens hem ook een onderdrukkende sfeer. 'Als de minderjarige iets doet wat de leiding onwelgevallig is, moet hij "schrobben" en als hij weigert, wordt hij met dreiging van lichamelijk geweld daartoe gedwongen.'

Volgens Bureau Jeugdzorg was er 'binnen de Hoenderloo Groep geen alternatieve behandelingsplek' voor hem en is een plek in een justitiële jeugdinrichting (JJI) evenmin een optie, want een plaatsing in twee eerdere JJI's had 'geen gedragsverandering opgeleverd'. Gezien zijn voorgeschiedenis was deze student (twee JJI's van binnen en van buiten gezien) misschien geen koorknaap, zeker niet gezien zijn jonge leeftijd. Maar zijn leeftijd is een contra-indicatie voor plaatsing op Glen Mills. De jongen had een blanco strafblad.

De eis van de advocaat wordt afgewezen. Een opvoedkundige lichamelijke bestraffing is volgens de rechter geen mishandeling. Volgens de trajectbegeleider ter zitting past de jongen gelet op zijn ontwikkeling in de groep, waarvan 20 tot 25 procent 14 jaar oud is. Bij een proces mag een student als hij klaagt op een stoel zitten, en 'wordt erop toegezien dat studenten er geen lichamelijke problemen aan overhouden'. Volgens de rechter zijn er geen serieuze pijnklachten.

Als in maart 2008 het rapport van de Inspectie jeugdzorg uitkomt dat stelt dat holding niet is toegestaan, verklaart Hoenderloo Groep-directeur Herman Geerdink voor de camera van *TV Gelderland Nieuws* dat holding in de eerste drie maanden van dat jaar 'precies één keer' is voorgekomen. Glen Mills-directeur Ouwens heeft een andere schatting. Hij heeft het tegen *Sp!ts* over '1 à 1,5 holdings per student per jaar, dus 120 tot 150 holdings op jaarbasis. Je denkt toch zeker niet dat we hiermee stoppen omdat de Inspectie dat vindt?'

Als voorbereiding op een Kamerdebat op 18 juni 2008 over Glen Mills is het op verzoek van parlementariërs op de burelen van Glen Mills geturfd: coaches pasten holding, de level 7-maatregel, in 2007 183 keer toe en van januari tot juni 2008 57 keer, meldt minister Rouvoet. Hebben Kamervragen voor Geerdink een andere soortelijk gewicht dan die van een journalist van Omroep Gelderland, of was hij verkeerd geïnformeerd door zijn staf? In een gesprek in augustus 2008 wijt Geerdink de verschillen aan een misinterpretatie: bij de voornoemde cijfers 183 en 57 gaat het volgens Geerdink om de levels 7 én 6. Hij blijft bij zijn eerdere uitspraak dat er in de eerste drie maanden van 2008 slechts één level 7 was.

Het is niet helemaal duidelijk of coaches in de overgangsperiode naar een gesloten instelling een strafbaar feit plegen als ze holding toepassen. De VVD hamert in het debat op een duidelijke uitspraak van de minister. 'Het mag niet,' aldus Rouvoet, 'maar mensen kunnen aangifte doen, en dan is het aan het Openbaar Ministerie.'

Uit het zwartboek van de SP blijkt dat studenten bij holding bijna standaard tegen metalen kasten worden gesmeten. Minister Rouvoet, die zich baseert op informatie van de Hoenderloo Groep, gaat ervan uit dat die zaken tot het verleden behoren. Op de bijeffecten van een proces (chronische rugpijnen, doorligwonden, het dagenlang moeten missen van lessen) die Kamerlid Van Velzen in het Kamerdebat over Glen Mills aanstipt, wil Rouvoet niet ingaan.

Glen Mills meldt ook, wederom met de minister als hun woordvoerder, dat wat betreft 'proces' het huidige beleid is dat dit 'kort en krachtig' gehouden wordt. 'Beleid is dat de lengte van een proces varieert van kort, een halfuur, tot lang, 3 uur. Incidenteel gebeurt het nog dat een proces uitloopt en twee dagen duurt.' Maar wat is incidenteel? Niet lang na het debat op 18 juni is er (eind juni) een groepsproces op de campus, dat twee dagen duurt. Er zijn door een student met hoge status drugs binnengesmokkeld, en bij de bulls, de normdragers, is een grote subgroep met negatief gedrag. Begin juli is er opnieuw een groepsproces van twee dagen.

Naar aanleiding van klachten van studenten over het lange zitten tijdens het proces heeft Glen Mills als verbetervoorstel een 'onafhankelijk ergonomisch onderzoek naar de zithouding' laten verrichten, schrijft de minister. 'Implementatie bestaat uit een speciaal ontwikkeld foamkussen. De leverancier heeft deze nu in productie.' Bij de groepsprocessen eind juni en begin juli 2008 zaten de studenten op de ergonomisch geteste schuimrubberen kubussen. In augustus 2008 stelt Geerdink dat de jongens recht hebben op gemiddeld acht uur slaap per dag en die ook zullen krijgen, en dat processen van 06.00 tot 02.00 uitgesloten zullen zijn.

De klachtenafhandeling anno 2008 is tiptop in orde, blijkt op 18 juni uit antwoorden op Kamervragen van minister Rouvoet bij het Algemeen Overleg over Glen Mills. Er is een interne klachtenprocedure, en de onafhankelijke externe klachtencommissie 'wordt onder de aandacht gebracht van studenten en personeel'. Maar voordat de externe klachtencommissie in het zicht komt, wacht eerst die andere hobbel, de interne procedure, 'een belangrijk onderdeel van het ontwikkelingsproces van de studenten (...) Als de jongere een klacht indient, behandelt de leidinggevende van het team de klacht. Mocht de klacht een leidinggevende betreffen, dan gaat de klacht naar de eersthogere leidinggevende.' De laatste zin van het uitvoerige antwoord ontkracht plotsklaps de hele voorgaande uitleg van deze, methodische onderlegde, klachtenprocedure: 'Op dit moment hebben de studenten rechtstreeks toegang tot de klachtencommissie.'

In de antwoorden van de minister (dus op basis van informatie van Glen Mills) staat dat er per jaar gemiddeld één diagnose en overplaatsing is van een jongen met een contra-indicatie van psychische of psychiatrische problematiek. Uit hetzelfde debat blijkt dat er op peildatum 1 april 2008 op Glen Mills maar 20 PIJ'ers zitten, ongeveer 15 procent van het totale aantal jongens. De eerder in dit hoofdstuk genoemde verhouding tussen het aantal PIJ'ers en het aantal OTS'ers blijkt een kwestie van communicerende vaten. 'Tussen het ministerie van Justitie en de Glen Mills School bestaat de afspraak dat 60 plaatsen worden ingekocht voor strafrechtelijke jongeren met een PIJ-maatregel, maar dat bij onderbezetting de resterende plaatsen kunnen worden bezet door jongeren met een machtiging uithuisplaatsing.'

Uit het debat blijkt ook dat in vier maanden tijd dertien jongens de benen hebben genomen. 'Twee daarvan zijn nog steeds niet teruggekeerd,' antwoordt de minister op SP-vragen hoeveel jongens er zijn weggelopen, hoelang het duurde voor ze weer terecht waren en of er nog studenten vermist waren. De politie Noord- en Oost-Gelderland kan het totaal aantal vermiste en niet teruggekeerde studenten niet achterhalen. 'Dat is een ondoenlijke zaak. Het is niet meer in de systemen terug te vinden.'

De aanpak van jongeren zal zachter zijn, belooft Tineke Hoogeveen, persvoorlichter van de Hoenderloo Groep in januari 2008. 'Sinds een jaar hebben we coaches met verschillende competenties, zoals een sportopleiding of een opleiding sociaal-pedagogische hulpverlening, en hebben we ook meer vrouwen aangenomen. We hebben momenten ingebouwd voor een stuk emotie. Het blijven jonge jongens van onder de 18.'

7 Een mooi verhaal

Een 'slagingspercentage' van 70, het is bijna te mooi om waar te zijn. Van de bij Glen Mills afgezwaaide studenten vindt 70 procent weer een plekje in de maatschappij, gaat als brave burger door het leven, verdient netjes de kost, en schikt zich in het huisje-boompje-beestjescenario (of zoals Amerikanen zeggen: een huis met een *white picket fence*). Dat is een cijfer waarmee traditionele, gesloten justitiële jeugdinrichtingen het nakijken gegeven kan worden. Althans, als het klopt.

Het percentage wordt één op één overgenomen van Glen Mills in de Verenigde Staten, en in de aanloop naar – en beginjaren van – Glen Mills Nederland door voorstanders gebruikt om zieltjes te winnen. De directie van de dependance in Wezep gaat er vrolijk mee de boer op, beleidsmakers aanvaarden het dankbaar, criticasters worden ermee om de oren geslagen.

Met als zonnig toekomstbeeld dat mooie, afgeronde, eerlijke getal, '70', schrijft Erica Terpstra, staatssecretaris van VWS, in 1998 een cheque uit voor vier jaar experimenteren. Die periode van vier jaar is toevallig ook de termijn die wetenschappers nodig hebben om te evalueren of een strafrechtelijke aanpak echt werkt. Bij het eerste lustrum, halverwege het bestaan dus, wordt nog steeds zonder onderbouwing met het slagingspercentage van 70 geschermd.

Rapporten en onderzoeken die het afgelopen decennium over Glen Mills zijn verschenen, kunnen grofweg in drie categorieën worden onderverdeeld: 1. onderzoeken door Glen Mills zelf – die per definitie niet onafhankelijk zijn – 2. onderzoeken gedaan door bureaus ingehuurd door de instelling – die daarom evenmin boven twijfel verheven zijn – en ten slotte 3. onderzoeken door derden in opdracht van derden (ministeries) die, zo mag uit de uitkomsten verondersteld worden, geen schijn van belangenverstrengeling kennen.

De twee belangrijkste uit de laatste categorie, die van het Wetenschappelijk Onderzoek- en Documentatiecentrum (WODC) van het ministerie van Justitie en die van de Inspectie jeugdzorg (IJZ) van het ministerie van VWS, komen uit in 2008. Het zijn de eerste serieuze rapporten die zich specifiek richten op het resultaat en de inhoud van de methode Glen Mills. Beide onderzoeksgebieden hebben een lange voorgeschiedenis waarin ze elkaar soms raken, maar ze zijn zo relevant dat ze een apart hoofdstuk verdienen.

In dit hoofdstuk worden de onderzoeken beschreven die het effect (of het gebrek daaraan) van de methodiek onderzoeken, zoals een van de belangrijkste graadmeters – zo niet de belangrijkste graadmeter – voor succes: het recidivecijfer.

De rapporten en onderzoeken over de pedagogische aspecten, die pas later in het bestaan van de instelling onderwerp van discussie worden, komen aan bod in hoofdstuk 9. Er is in beide hoofdstukken zo veel mogelijk gebruikt van originele documenten, verslagen en journaals van de Hoenderloo Groep. Daar wordt rijkelijk uit geciteerd. Vaak zijn ze te veelzeggend om samen te vatten of in te schrappen. Dit hoofdstuk begint met het jaar 2008, en werkt dan, vanaf de start in 1999, weer naar 2008 toe.

2008

Het duurt tot januari 2008 voordat het WODC met de eerste objectieve cijfers over de recidive komt. Ze zijn vernietigend.

Van de 205 ex-pupillen die in de periode 1999-2004 uit de inrichting stroomden, pleegde 46,4 procent binnen één jaar na vertrek uit de inrichting een of meer misdrijven waarvoor hij werd vervolgd. Vier jaar na de invrijheidsstelling ligt dit percentage zelfs op 78 procent, zo concludeerde het eigen onderzoeksinstituut van het departement in een rapport in opdracht van de Directie Justitieel Jeugdbeleid.

Bij justitiële jeugdinrichtingen ligt het recidivecijfer op 58,3 procent. De onderzoekers van het WODC haasten zich om de cijfers in perspectief te plaatsen, blijkt uit de tweede kernbevinding: 'De algemene recidive onder GMS-jongeren ligt hoger dan onder ex-pupillen van justitiële jeugdbehandelinrichtingen, maar niet hoger of lager dan mag worden verwacht op grond van hun achtergrondkenmerken. In vergelijking met de justitiële jeugdbehandelinrichtingen stromen er zwaardere jongens uit en daarom is de recidive na de GMS hoger.'

Het voorspellen van de recidivekans wordt gebaseerd op een aantal zogenoemde criminogene factoren:

- sekse: bij jongens is er een hogere kans op recidive dan bij meisjes;
- leeftijd bij uitstroom: hoe jonger, hoe hoger de kans op recidive;
- leeftijd bij eerste veroordeling: hoe jonger, hoe groter het recidive-risico;
- etniciteit: bij allochtonen is de kans op recidive hoger;
- aantal veroordelingen: meer veroordelingen betekent een stijging van het recidive-risico;
- type delict: het risico van recidive blijkt het grootst na een vermogensdelict (bijvoorbeeld inbraak) zonder geweld.

Met de derde en laatste kernbevinding lijken de onderzoekers zich in bochten te willen wringen om de angel maar uit hun eigen rapport te kunnen halen. 'Op grond van de resultaten van dit onderzoek is er dus geen reden om aan te nemen dat de GMS minder of meer succesvol is dan de aanpak in justitiële jeugdbehandelinrichtingen.' Zonder iets aan het belang van het rapport te willen afdoen, lijkt die laatste opmerking toch enigszins op een flauwe variatie op het traditionele goede voornemen om in het nieuwe jaar niet meer te gaan roken. Maar ook niet minder.

Die pregnante 'meer of minder succesvol'-bewering, waar onder meer de directeuren van Glen Mills en de Hoenderloo Groep en sommige politici zich graag op beroepen, wordt verderop in de factsheet herhaald. 'De vergelijking tussen GMS en JJI levert slechts een aanwijzing op van de effecten van de aanpak van GMS. Het vormt geen hard bewijs. (...) Formeel kan de effectiviteit van een (strafrechtelijke) interventie alleen worden vastgesteld als de onderzoeks- en controlegroep in alle relevante opzichten vergelijkbaar zijn.'

Maar dan, na een definitie van de GMS-studenten, volgt weer een essentiële nuancering op die bewering: 'Een directe vergelijking van de recidivepercentages is alleen daarom al niet op zijn plaats. Toch geven de cijfers wel een indicatie, de uitstroomresultaten van de GMS krijgen via de vergelijking een zeker reliëf. Mocht de recidive in de GMS-groep veel lager of juist hoger blijken te zijn dan bij jongeren uit justitiële jeugdbehandelinrichtingen, dan is dit op zijn minst een *mogelijke* (cursief overgenomen van factsheet) aanwijzing dat de GMS-aanpak van invloed zou kunnen zijn op het recidiveniveau.' Ten positieve of ten negatieve, dus, en in dit geval: ten negatieve.

Recidive wordt in het onderzoek uitgesplitst in algemene recidive, ernstige recidive (misdrijven waar een gevangenisstraf tussen de vier jaar en acht jaar voor staat) en zeer ernstige recidive (waar het Wetboek van Strafrecht straffen van acht jaar of meer voor oplegt). De algemene recidive na vier jaar is dus 78 procent, de ernstige recidive na dezelfde periode maar liefst 72,3 procent, en de zeer ernstige recidive 31,1 procent. Glen Mills-pupillen die na hun Glen Mills-periode weer in de fout gaan, worden niet veroordeeld voor het door rood licht rijden.

Overigens kennen de percentages 46,4 en 78 (veroordeling na respectievelijk een en vier jaar) nog enkele belangrijke voorbehouden die niet in het voordeel van Glen Mills spreken. Het zijn op zijn minst conservatieve schattingen. De cijfers waar het WODC zich op baseerde, komen uit de Onderzoeks- en Beleidsdatabase Justitiële Documentatie (OBJD), een geanonimiseerde versie van het justitiële documentatiesysteem. Alleen jongeren die na een delict zijn opgespoord en/of gearresteerd en uiteindelijk zijn veroordeeld, zijn in de statistieken opgenomen.

Met andere woorden: ex-pupillen die na hun periode in Wezep weer het foute pad opgaan maar niet worden opgepakt, kunnen die percentages verder opkrikken. Zonder daar een wetenschappelijk rapport op los te laten, kunnen we stellen dat dit het geval is. De pakkans in Nederland is namelijk niet 100 procent, ook niet voor oud-GMS'ers. Daarnaast zijn technische sepots en vrijspraken door de rechter in de percentages uiteraard niet meegeteld.

Saillant detail: de afdeling voorlichting van het ministerie van Justitie is er normaal gesproken als de kippen bij om een persbericht de deur uit te doen wanneer er een onderzoek verschijnt. Het onderhavige rapport werd gedateerd op september 2007. Toch was het pas in januari dat een journalist van *De Pers* toevallig het rapport ontdekt op de website van de Hoenderloo Groep.

Een aantal Kamerleden is geschokt door de recidivecijfers, maar ook omdat het onderzoek hen niet heeft bereikt. SP-Kamerlid Krista van Velzen is 'totaal verbouwereerd dat het ministerie het rapport niet naar de Tweede Kamer heeft gestuurd'. Ook Naïma Azough (GroenLinks) vindt het vreemd dat het ministerie er niet eerder mee naar buiten was gekomen. 'Irritant,' is Fred Teevens (VVD) eerste reactie. 'En dan druk ik me voorzichtig uit. Je moet de burger niet een rookgordijn voorhouden.'

In het uittreksel van het rapport valt tussen de regels door te lezen dat Glen Mills bij Justitie wel degelijk ter discussie staat. Staatssecretaris van Justitie Nebahat Albayrak schrijft de Kamer in januari: 'Binnen de GMS moeten verbeteringen worden doorgevoerd. Daarbij moet ook de vraag in beschouwing worden genomen of de GMS wel toegevoegde waarde heeft binnen het totale behandelspectrum van de JJI's. (...) GMS werkt hard aan een groot aantal verbeteringen in de aanpak. Mede in het licht van de nieuwe gedragsmaatregel en de uitkomsten van de recidivemeting zal de GMS eind dit jaar een nieuwe werkwijze presenteren. Afhankelijk daarvan zal Justitie een besluit nemen over de verdere samenwerking met GMS.'

In de afgelopen tien jaar zijn er veel onderzoeken naar de methode Glen Mills geweest. Van hbo- en universiteitsstudenten, van Glen Mills zelf uiteraard, en van (onafhankelijke) onderzoeksbureaus. Verbeterpunten werden er regelmatig gevonden; want waar een verbeterpunt is, daar is een bestaansrecht voor de toekomst. Harde conclusies daarentegen werden vaak achtergehouden of werden onder het tapijt gemoffeld.

Achteraf kunnen veel (voortgangs)rapporten (uit eigen doos, 'halffabrikaat' of onafhankelijk) worden gezien als een vlucht naar voren. Omdat onderzoeken nooit alomvattend waren, maakten de opstellers ervan vaak een voorbehoud. Ze schreven, simpel gezegd: we hebben dit en dit onderzocht, maar dat en dat niet. Logisch en vanzelfsprekend, want wetenschappelijk verantwoord, maar met dat voorbehoud konden beleidsmakers harde conclusies en sancties uitstellen.

In dat kader zijn de slotzinnen van de factsheet van het WODC-rapport interessant. De eerdere 'meer of minder-redenering' wordt nog eens herhaald. 'Wellicht ook heeft de aanpak in Glen Mills andere voordelen, komt deze meer tegemoet aan andere strafdoelen, zoals generale preventie en vergelding. Dit valt echter buiten het bestek van dit onderzoek. In termen van speciale preventie kon in elk geval geen effect worden aangetoond.'

Generale preventie is het dreigen met straffen om mensen ervan te weerhouden criminele dingen te doen. Speciale preventie, gericht op het individu, moet herhaling van het misdrijf voorkomen. Dat laatste strafdoel is niet aangetoond. Maar dat was wél de opzet van Glen Mills. Het glas is niet halfvol; het is niet eens halfleeg.

Wat stond er allemaal in de rapporten (en wat niet), en wat werd ermee gedaan? Wat vonden deskundigen en (al of niet deskundig) betrokkenen? Wie ging mee in de hosanna-stemming, wie hield het hoofd koel? Een overzicht.

1997

In het boekje *Uitzicht zonder tralies. Een jongensboek* blijkt voor het eerst dat bij Glen Mills de wetenschap onderschikt is aan het systeem: 'De Hoenderloo Groep is begonnen zonder eerst de wetenschappelijke definitie van de jeugdbende af te wachten. Hoe een groep ook heet, peer-groepen bestaan en groepsdruk is in te zetten voor gedragsverandering.'

1998

Het ministerie van VWS (staatssecretaris Terpstra) maakt gelden vrij voor Glen Mills in Nederland. De methodiek van Glen Mills in Pennsylvania, Verenigde Staten, die daar al bijna een kwart eeuw (1975) bestaat, is niet op een wetenschappelijk verantwoorde manier (met evaluatiestudies) onderbouwd.

1999

Onderzoekers Kees Mesman Schultz en Peter van den Bogaart van de stichting Centrum Onderzoek Jeugdhulpverlening (COJ) kondigen aan vanaf het prille begin van Glen Mills onderzoek naar het rendement te gaan doen, in opdracht van de directie van de Hoenderloo Groep.

2000

Grondlegger Cees van der Kolk beweert in de *Hoenderloo Groep Kwaliteitskrant*: 'Kandidaten zijn er genoeg voor de Glen Mills School. (...) Diverse wetenschappelijke auteurs vertellen ons dat een groot deel van de jeugdcriminaliteit wordt gepleegd in groepsverband. Deskundigen van bekende gesloten voorzieningen vertellen ons dat minimaal 50% van hun populatie te duiden valt als potentiële GMS kandidaten.'

Kees Mesman Schultz en Peter van den Bogaart, de huisonderzoekers van Glen Mills, evalueren de voorbereidingsfase. De conclusie wordt aldus samengevat: 'Tijdens de voorbereiding zijn de beslissingen over te treffen maatregelen altijd genomen (mede) op basis van het gehele programma om daardoor de interne consistentie van het pakket implementaire voorwaarden optimaal te doen zijn. Bij de implementatie van de Glen Mills School kan daarom allerminst van een te gehaaste start worden gesproken. De kans dat de investering aan tijd, energie en geld (alle voorlichtingsbijeenkomsten en -reizen zijn gefinancierd door de Hoenderloo Groep, red.) een juiste is geweest, is dan ook zeer groot te noemen.'

Dat fijne stukje proza moet de opdrachtgever als engelengezang in de oren hebben geklonken.

2001

In de publicatie *Wasmachines, Glen Mills of het taakvaardigheidsmodel* presenteren onderzoekers Bob Horjus en Chris Baerveldt een evaluatiemodel voor de verschillende residentiële instellingen. Ze stellen dat interventies (methodieken) vaak niet binnen de officiële filosofie of theorie van de inrichting passen, en daarom moeilijk te vergelijken zijn.

Ook willen ze een handvat geven hoe een uiterst belangrijke vraag beantwoord kan worden: hoe interventies het gedrag van jongeren *buiten* de inrichting beïnvloeden. Ze noemen hun model het drempelmodel, omdat er een drempel ligt tussen het gedrag binnen en buiten de instelling. In een soort wiskundige formule zetten ze een aantal factoren zoals gedrag (G), gedrag binnen de inrichting (I), norm (S), attitude (A) en effectiviteit (E) tegen elkaar af.

Het volgen van een vakopleiding, een van de pijlers van Glen Mills, lijkt volgens de onderzoekers uiteindelijk geen invloed te hebben op de recidive. 'Er kan een positieve invloed op A verwacht worden omdat het bij de jongere het idee kan versterken dat werk relatief meer oplevert dan delinquent gedrag. Er is geen direct effect op S te verwachten omdat er niets gebeurt met de omgeving van de jongere.'

'Het is ook niet waarschijnlijk dat de drempel D tussen I en G verlaagd wordt, omdat ex-gedetineerden ook met een vakdiploma maar een kleine kans maken om weer aan het werk te komen.' Los daarvan vinden de onderzoekers dat duidelijk moet zijn wat de factor vakopleiding behelst: 'Feitelijk zou een praktijkanalyse moeten worden gemaakt waarbij nauwkeurig in beeld wordt gebracht wat er precies voor wie gebeurt, met welke intensiteit en kwaliteit.'

Toch blijkt volgens vijf door Horjus en Baerveldt geconsulteerde onafhankelijke deskundigen dat Glen Mills positief scoort op dit onderwerp. De vijf konden een score geven van –4 (sterk negatief) tot +4 (sterk positief) effect op A, S, E en D. Bij een score van 3 of hoger was de consensus van de vijf deskundigen dat het te verwachten resultaat positief was. Gescoord werd op dertien interventies op Glen Mills: mentorgesprekken, directieve structuur, eigen keuze, confrontaties, groepsinvloed, scholing, deel uitmaken van de elitegroep, dagelijkse gespreksgroep, sport, aanleren van normen, praktische en sociale vaardigheden, kunnen stijgen in de hiërarchie en werken in een betaalde baan.

De dertiende en laatste interventie, betaald werk, scoorde een 3,6; ruim voldoende dus. De andere elementen van de methodiek scoorden lager. Met een score van 2,8 kwam scholing nog het hoogst. Hekkesluiter van de top drie, om het plaatje compleet te maken, was (met een score van 2,6) praktische en sociale vaardigheden. De unieke aspecten van Glen Mills scoorden niet hoger dan 2,1. Deel uitmaken van een elitegroep (bulls) noteerde slechts een 1,4.

In *De Glen Mills School. Onderzoek naar twee jaar implementatie, ontwikkeling en uitvoering van het programma en de effecten ervan* schetsen Mesman Schultz, Van den Bogaart en Van Muijen een bijzonder positief beeld. Het programma is volgens hen gebaseerd op empirisch goed gefundeerde theorieën, die goed herkenbaar zijn in de programmabeschrijving. 'Momenteel wordt het programma uitgevoerd op een wijze, die in hoge mate overeenkomt met de oorspronkelijke bedoeling.'

Ze merken op dat de vertrekunit en het programma voor nabegeleiding aan het programma zijn toegevoegd. 'De vertrekunit is een aparte unit, waar de studenten worden voorbereid op hun vertrek en worden getraind in vaardigheden die ze nodig hebben om een zelfstandig bestaan te kunnen leiden. Het programma voor nabegeleiding houdt in, dat vertrokken studenten gedurende ten minste een jaar na hun vertrek altijd een beroep kunnen doen op ondersteuning vanuit de school bij eventuele problemen in hun nieuwe bestaan.' Dat de vertrekunit een paar jaar later weer werd opgeheven, konden Mesman Schultz, Bogaart en Van den Muijen toen waarschijnlijk nog niet bevroeden, maar dat ze geen kanttekeningen zetten bij de vrijblijvendheid van de ambulante nabegeleiding is nogal naïef.

De onderzoekers onderkennen dat 'het aantal vertrokkenen (21) nog te klein is om in het onderzoek vast te stellen of de ex-studenten zich daadwerkelijk goed staande weten te houden in de samenleving. Het vaststellen van dit langetermijneffect zal in het vervolg van het onderzoek een van de belangrijkste onderwerpen zijn.' Ze eindigen met: 'De overwegend positieve kortetermijneffecten stemmen hoopvol voor een positieve uitslag daarvan.'

Cees van der Kolk vertelt in een debat over jeugdcriminaliteit op 17 januari 2001 in het discussieprogramma *Buitenhof* dat het succespercentage 75 procent is.

2002

De huisonderzoekers van E&M Syntax en de Stichting Wetenschappelijke Ondersteuning Jeugdzorg (WOJ) in samenwerking met de Universiteit Leiden dateren hun onderzoeksperiode 'in de jaren 1998 tot en 2002'. Het zal in 2003 uitkomen. Het Leidse onderzoek wordt begeleid door een commissie, waarin twee beleidsmedewerkers van het ministerie van Justitie zetelen, een beleidsmedewerker van het ministerie van VWS, een psycholoog van het Jongeren Opvang Centrum (JOC), een justitiële jeugdinrichting in Amsterdam, een zelfstandig gevestigd psycholoog, en een orthopedagoog van de Rijksuniversiteit Groningen. Een begeleidingscommissie duidt meestal op gedegen wetenschappelijk onderzoek.

Cees van der Kolk zegt in een interview in het juninummer van *Perspectief*, informatie- en opinieblad voor de jeugdbescherming: 'Van de jongens die het programma hebben afgemaakt, was de stand van zaken op 1 januari dat 77,1 procent het nog goed doet. Ik zeg het voorzichtig, want er zitten jongens bij die nog maar enkele maanden weg zijn.'

2003

De Hoenderloo Groep reikt weer de Hoenderloo Award uit voor een vernieuwend initiatief van de instelling. De jury koos voor het Servicebureau Uitstroom en Nazorg. Ook bij de andere divisies van de Hoenderloo Groep is nazorg een speerpunt. Servicebureau Uitstroom en Nazorg biedt 'vertrektraining, intensieve nazorg door maatschappelijk werk, school en arbeidstoeleiding. Bij het vertrek krijgen de jongeren een helpdesk-kaartje mee van de medewerkers van het servicebureau met het telefoonnummer en e-mailadres. Zij geven nazorg op verzoek van de jongeren en op eigen initiatief. Dat werkt: jongeren bellen echt als ze hulp of ondersteuning nodig hebben.'

Aangezien het principe van ambulante hulp bij de divisie Glen Mills niet werkte, en de Hoenderloo Award Hoenderloo-breed geldt, doet dat het ergste vermoeden voor het effect van het Servicebureau Uitstroom en Nazorg voor de andere divisies. Is het Servicebureau Uitstroom en Nazorg een papieren service, of is de Hoenderloo Award een wassen neus? (Zie hoofdstuk 17.)

Het succes van het Servicebureau Uitstroom en Nazorg wordt in de *Hoenderloo Groep Kwaliteitskrant* met een voorbeeld verduidelijkt: 'Het meest bijzondere voorbeeld is van een jongen die belde uit Bangkok waar hij onder druk was gezet om mee te werken aan drugstransportjes. Hij wist niet meer hoe hij daar weg kon komen. Met financiële steun van Hoenderloo Groep is hij naar Nederland teruggevlogen.'

Gelukkig (hopelijk) kwam deze jongen met deze ingreep weer veilig thuis, maar het praktijkvoorbeeld roept ook vragen op. Waarom ging de jongen naar Bangkok? Was hij meerderjarig? Hoe raakte hij in de problemen verzeild? Moet nazorg op deze manier in klinkende munt vertaald worden? En bleef de jongen daarna wél op het rechte pad? Hoeveel van deze ingrepen zijn geoorloofd om iemand in het goede rijtje van de recidivestatistieken te laten belanden?

In Den Haag presenteren de huisonderzoekers Van den Bogaart, Mesman Schultz en Van Muijen in mei de eerste resultaten van de periode 1999-2003. Hun belangrijkste conclusie is in lijn met het verwachtingspatroon en de beloftes die al jaren door de directie van de instelling worden gedaan: 'De resultaten die de Glen Mills School bij de jongeren bereikt blijken zowel tijdens het verblijf als na vertrek gunstig tot zeer gunstig te zijn. Bij de aanvang van het project is tot doel gesteld, dat ten minste 70% van de studenten na vertrek twee jaar lang recidivevrij zou blijven. Dit percentage is tot nu toe gehaald.' Een succespercentage van 70 dat een paar jaar later gelogenstraft zal worden met een recidivepercentage van 78 – ergens klopt daar iets niet. Het ANP meldt op basis van aan dit bureau verstrekte gegevens dat na vertrek 80 tot 96 procent een vaste verblijfplaats, legale inkomsten en een steunende omgeving krijgt.

In november komen de huisonderzoekers met een update van het rapport, opnieuw met juichende cijfers. Een halfjaar na vertrek is 84 procent niet gerecidiveerd; een jaar na vertrek geldt dat voor 83 procent. (Dat wordt overigens meteen gecorrigeerd naar 73 procent omdat met enkele jongens het contact is verloren). Van den Bogaart e.a. melden dat er binnen afzienbare tijd een integraal rapport zal verschijnen over het onderzoek. Edoch, dat finale onderzoek wordt keer op keer uitgesteld. Van december 2003, naar het voorjaar van 2004, naar de zomer van 2004.

Een ander trio wetenschappers wordt ongeduldig en komt met een 'tegenrapport': *De Glen Mills School onderzocht... Over goede bedoelingen, hoge verwachtingen en een twijfelachtig rapport.* Van der Laan, Spaans en Verhagen zijn eveneens gelieerd aan de universiteit van Leiden, aan het Nederlands Studiecentrum Criminaliteit en Rechtshandhaving (NSCR), een nationaal onderzoeksinstituut van de Nederlandse Organisatie voor Wetenschappelijk Onderzoek (NWO). Van der Laan, Spaans en Verhagen maken korte metten met de bevindingen van de huisonderzoekers.

In het voorwoord geven ze alvast een voorproefje. 'Glen Mills heeft het imago van een "stevige", effectieve heropvoeding. Deze effectiviteit werd door een onderzoeksrapport bevestigd. De opzet en uitvoering van dit onderzoek waren echter ondeugdelijk. De conclusies zijn gebaseerd op zeer kleine aantallen jongens, van veel jongens is onbekend hoe het hen tijdens en na de Glen Mills School is vergaan en er wordt op onjuiste wijze vergeleken met andere interventies.'

Van der Laan, Spaans en Verhagen geven een gedurfde politiek-maatschappelijke observatie. 'Waarom de laatste jaren in nota's steeds de namen van Den Engh en de Glen Mills School vallen is niet helemaal duidelijk, maar politiefunctionarissen, politici en plaatselijke bestuurders noemen beide voorzieningen vaak als dé aanpak voor jonge veelplegers, hardekernjongeren of andere probleemjongeren. Dat komt wellicht door hun imago.'

'Veel mensen menen dat het strenge, op militaire leest geschoeide heropvoedingskampen zijn. Alhoewel het maar de vraag is of dit beeld overeenkomt met de werkelijkheid, wordt zo'n aanpak effectief geacht. Waarschijnlijk een door intuïtie ingegeven veronderstelling, want *gebleken* effectiviteit kan het niet zijn.' Niet veel wetenschappers in het afgelopen decennium durfden de mythe van Glen Mills zó direct te benoemen.

Zoals gezegd laat het trio er wat betreft kritiek op het rapport van de huisonderzoekers geen gras over groeien. Hun werkwijze is, volgens Van der Laan e.a., 'te kenschetsen als weinig zorgvuldig, niet al te helder, selectief en mede daardoor niet-wetenschappelijk. Dat heeft tot gevolg dat er op de conclusies veel valt af te dingen. Ze zijn vaak "boterzacht", (deels) onjuist en misschien wel tendentieus.' In de argumentatie van Van der Laan e.a. komt het slagingspercentage van 70 zo op de helling te staan dat er uiteindelijk niets meer van overblijft. Na het schiften van de beschikbare data blijkt het aantal jongens dat niet heeft gerecidiveerd slechts 17 van de 75 te bedragen.

Duidelijk wordt, althans volgens het tweede trio onderzoekers, dat de huisonderzoekers appels met peren hebben vergeleken en dat Glen Mills daardoor veel beter uit de verf is gekomen: 'De conclusies die in het rapport worden getrokken moeten we maar zo snel mogelijk vergeten.' De school zelf wordt mild op de vingers getikt: '(...) een voorzichtiger en bescheidener opstelling bij de presentatie van de onderzoeksuitkomsten zou hebben gepast.'

2004

In de *Glen Mills Journal* van september 2004 (8 pagina's op A3-formaat) is een hele pagina gewijd aan onderzoek. Dat staat er in hoofdletters boven, met de onderkop 'De Hoenderloo Groep: van nature onderzoekend'. Marjon Janssen schrijft een stukje waarin de Hoenderloo Groep bijzonder plichtsgetrouw naar voren komt. 'De Hoenderloo Groep doet op vrijwillige basis onderzoek omdat de subsidiegever (de overheid die ook opdrachtgever is) daar helaas niet vaak genoeg om vraagt.'

Gelukkig maar dat de instelling haar verantwoordelijkheid neemt, schrijft Janssen. 'Door onderzoek te doen **profileert** de organisatie zich. Dit vraagt moed en lef. Het vraagt van de organisatie dat zij zich kwetsbaar durft op te stellen en anderen vraagt om mee te kijken naar wat er gebeurt. Onderzoek doen, biedt de mogelijkheid om verantwoording af te leggen aan de samenleving over hetgeen gebeurt met het geïnvesteerde geld.'

Dat COJ-onderzoeker Mesman Schultz tot 2001 in de Raad van Toezicht van de Hoenderloo Groep zat, getuigt dat ook van moed en lef? Volgens directeur Hans Nieukerke gingen die bestuurs- en onderzoeksfuncties 'prima' samen. 'Ik denk dat iemand, ook al zit hij in mijn Raad van Toezicht en hij verdient zijn brood als onderzoeker, dan verwacht ik dat hij als onderzoeker ethisch verantwoord werk kan leveren,' zegt hij op 7 mei in het VPRO-radioprogramma *Argos*, dat de dubbelfunctie ontdekte.

Oud-WODC-directeur Josine Junger-Tas, lid van de Raad voor de Strafrechtstoepassing en Jeugdbescherming, een adviesraad voor de minister van Justitie, is onthutst. 'Je gaat niet het onderzoek laten doen door mensen die zelf betrokken zijn bij het project. Dat kan helemaal niet. Dan zijn de resultaten altijd positief.'

Door de VPRO gevraagd om een reactie over de kritiek van Van der Laan op het COJ-rapport voelt Nieukerke zich aangevallen, en hij gaat op de man spelen: 'Hij (Van der Laan, red.) had het (rapport, red.) waarschijnlijk buitengewoon graag zelf gedaan.' Nieukerke kan na de opmerking over de dubbele pet van Mesman Schultz zijn chagrijn moeilijk verbergen. 'Ik hoef geen commercieel succes te hebben, ik zet mij geweldig in voor kinderen met heel veel problemen. Dat doe ik in mijn hele organisatie en in de hele jeugdzorg. Ik ben niet ingehuurd om een spelletje te spelen met de wetenschap.'

'Ik geef toe dat wanneer het voor mensen een item is dat als iemand in de Raad van Toezicht zit omdat je daar al een relatie van, pff, 10-15 jaar mee hebt, ja, dat u zegt: dat kan wel eens naar de petroleum stinken, dan moet je dat niet doen. Ik vind het ontzéttend overdreven, maar ik maak de wereld niet.'

Uit een eigen onderzoek (gepubliceerd in september 2004) komen enkele 'harde' cijfers boven tafel. Van de in totaal 143 vertrokken studenten zijn er nog 117 in beeld. Daarvan scoren er 66 positief. Ze hebben een dagbesteding en blijven uit de problemen. 38 studenten doen dat niet, ze zijn negatief. Van hen recidiveren er 30. 13 scoren er 'neutraal*'. Het sterretje wordt onder aan de bladzijde verklaard met 'heeft het zwaar'. Als die getallen zouden kloppen dan is de successcore 46 procent, leert een simpel rekensommetje. Dat is minder dan de beloofde 70 procent. Hoe het ook zij, ook deze getallen raken kant noch wal, zoals in het WODC-rapport vier jaar later wordt geconcludeerd.

Nieukerke trekt lering uit de besmette samenwerking met Mesman Schultz. In 2004 wordt de samenwerking met een nieuw onderzoeksbureau bekendgemaakt, Adviesbureau Van Montfoort. Nog steeds op dezelfde pagina uit de *Glen Mills Journal* haalt unitleider Margreet de Jong een sportmetafoor aan. 'De van nature onderzoekende Hoenderloo Groep, blijft ook zelf onderzoek doen; het is een vanzelfsprekendheid. Net als een sportteam dat regelmatig van coach wisselt om zo haar prestaties te verbeteren, krijgt het onderzoek in Glen Mills de komende jaren een nieuw vervolg. Met onderzoeksbureau Van Montfoort is gekozen voor een andere onderzoeksopzet die past bij de huidige ontwikkelingen binnen Glen Mills en bij de ontwikkelingen in de samenleving.' Om in sportmetaforen te blijven: hoezo *never change a winning team*? Mesman Schultz e.a. wisten heel mooie prestaties te leveren.

Het ministerie van Justitie wil op zijn beurt een eigen onderzoek van de procesevaluatie, en het zal een effectevaluatie daarvan af laten hangen. Het WODC geeft de opdracht aan Nelleke Hilhorst en Eva Klooster van het Amsterdamse onderzoeksbureau DSP. Dit DSP-rapport is een kleine mijlpaal halverwege het bestaan van de instelling. Het is kritisch, onafhankelijk en gedegen. Waar Van der Laan zijn energie vooral gebruikte om het rapport van Mesman Schultz kalt te stellen, komen Nelleke Hilhorst en Eva Klooster met een constructieve 118 pagina's tellende evaluatie van het programma. Ze onderscheiden negentien factoren die van invloed zijn op het effect van het programma.

Zes daarvan zijn er 'in sterke mate' aanwezig. Acht factoren zijn 'in redelijke mate' en vijf factoren 'in geringe mate' aanwezig. De pluspunten van het programma zijn heldere doelstellingen, een zorgvuldige selectieprocedure, praktisch onderwijs afgestemd op het juiste niveau, het aansluiten bij levensstijl en capaciteiten, leren van praktische en sociale vaardigheden en een systematische beoordeling van het personeel.

Onder de maat scoren de gerichtheid op het verminderen van

dynamische risicofactoren, de samenhang tussen de intensiteit van het programma en het recidive-risico, gebruikmaking van het gezinssysteem, aandacht bij de student voor de herkenning van de kenmerken die leiden tot het plegen van het delict en het doorbreken van die kenmerken.

Redelijk is het effectiviteitsonderzoek, de elementen van cognitieve gedragstherapie, de oefenmogelijkheden met vaardigheden, de uitvoering van het programma zoals beoogd, het kunnen inspelen van medewerkers op verschillen in leerstijlen, de motivatie en de capaciteiten van de jongeren, de nazorg, de registratie van gegevens en de wetenschappelijke onderbouwing.

Merkwaardig genoeg wordt ook de wetenschappelijke onderbouwing 'redelijk' gescoord. Van de jongens die in het nabegeleidingstraject zitten, gaat het naar schatting met 56 procent goed, 18 procent heeft het moeilijk en 26 procent is (waarschijnlijk) gerecidiveerd, noteren Hilhorst en Klooster op basis van aan hen verstrekte gegevens. DSP meldt er daarom volledigheidshalve in een voetnoot bij: 'Cijfers komen uit een interne rapportage van de Unit Trajectbegeleiding (mei 2004) van 117 oud-studenten die tussen de 3 maanden en 3 jaar de Glen Mills School verlaten hebben.' Van der Laan e.a. vroegen zich bij hun onderzoek nog af waar die informatie vandaan kwam: van politie of justitie of van de jongens (en medewerkers) zelf. DSP beantwoordt die vraag dus.

Het DSP-rapport windt er geen doekjes om. 'De afwezigheid van een aantal essentiële onderdelen van de – in het toetsingskader – opgenomen factoren leidt tot de veronderstelling dat het programma in de huidige vorm slechts in beperkte mate zal leiden tot vermindering van crimineel gedrag van jongeren die de GMS hebben doorlopen.' De leiding van de GMS 'dient opnieuw te overwegen' of zaken waarvan uit de literatuur blijkt dat ze effect hebben op de vermindering van de recidive, zoals individueel maatwerk, cognitieve gedragstherapie en de sociaal-emotionele ontwikkeling, in het programma worden ingebouwd.

2005

In de begeleidende brief van Justitie-minister Piet Hein Donner bij het DSP-rapport aan de Tweede Kamer, in januari, sijpelt de urgentie meer dan duidelijk door. De boodschap uit het DSP-rapport is bij de minister aangekomen. Een aantal punten uit zijn opsomming:

'• Er is nog geen wetenschappelijk onderbouwd effectonderzoek naar de GMS-aanpak verricht. Gezien het maatschappelijke belang van een adequate behandeling van problematische jeugdigen, acht ik het wenselijk op korte termijn over gegevens te beschikken met betrekking tot de effectiviteit van de GMS.
- Bij de aanpak die de GMS kiest, loopt men aan tegen wettelijke grenzen, bijvoorbeeld daar waar de studenten in de eerste periode geen bezoek mogen ontvangen van familie.
- Teneinde de kwaliteit en daarmee effectiviteit van strafrechtelijke interventies voor jeugdigen te verhogen, stel ik in de zomer van 2005 een onafhankelijke landelijke erkenningscommissie in die op termijn alle gedragsinterventies in intra- en extramurale programma's aan de hand van kwaliteitscriteria gaat toetsen op (mogelijke) effectiviteit. Dit impliceert dat op termijn ook de aanpak van de GMS door de erkenningscommissie zal worden getoetst.'

De persvoorlichting van het ministerie bekijkt het DSP-rapport door een roze bril. De titel van het persbericht luidt: 'Glen Mills School nog volop in ontwikkeling.' Glen Mills heeft een unieke aanpak, heet het eufemistisch. 'De conclusie van de onderzoekers dat Glen Mills nog in een ontwikkelingsstadium verkeert, onderschrijft de school.' Nogal wiedes, het is slikken of stikken. De belangrijkste conclusie voor de directie is dat het experiment Glen Mills mag worden voortgezet, dat er een aantal jaren niet gevreesd hoeft te worden dat 'de Grote Geldschieters' (VWS en Justitie) de stekker eruit zullen trekken.

Glen Mills is verheugd met alle rapporten uit 2004, meldt het in maart. 'In de loop van 2004 hebben er een aantal onderzoeken en inspecties plaatsgevonden op de Glen Mills School (GMS). De GMS heeft voor deze instanties haar deuren geopend en vrijwillig meegewerkt aan deze onderzoeken. Voor de GMS was het zeer interessant om haar programma door onafhankelijke instanties te laten toetsen.' Glen Mills concludeert uit alle rapportages 'dat de GMS op het goede pad zit'.

In dezelfde maand onderkent GMS dat er nog geen wetenschappelijk onderbouwde cijfers van de recidive zijn. Gelukkig 'blijkt uit de waarneming van de trajectbegeleiders dat het met het merendeel van de jongens op het oog goed gaat. Ze hebben werk, gaan naar school, hebben geen drugsproblemen, geen schulden en ze hebben een ondersteunend sociaal netwerk.'

De hoop op nog beter nieuws is gericht op Adviesbureau Van Montfoort. 'Dat is op dit moment wel bezig met een longitudinaal (lange termijn, red.) onderzoek, maar concrete cijfers zijn nog niet bekend. Als je onderzoek goed wilt doen, dan kost dat tijd. Deze cijfers laten dus (gezien het langdurige karakter van het onderzoek) nog een aantal jaren op zich wachten.'

Bureau Van Montfoort gaat wel (op bestelling) aan de slag met een zoethoudertje, een theoretische onderbouwing van de methodiek. In december komt minister van Justitie Donner voor een werkbezoek langs in Wezep. Nieukerke vertelt dat naar schatting 15 procent van de studenten recidiveert, tegen 55 procent zeker niet. 'Dat is aanzienlijk hoger dan de gemiddelde justitiële instelling,' wrijft Nieukerke de Justitie-minister fijntjes onder de neus.

Donner neemt het allereerste exemplaar in ontvangst van *Respect voor jezelf. De theorie van het programma van de Glen Mills School, door studenten en medewerkers van Glen Mills*, geschreven in samenwerking met Adviesbureau Van Montfoort. Maar Donner heeft ook een nieuwtje. Hij kondigt een onderzoek aan naar het recidivecijfer. Dat laat hij binnenshuis doen, door het WODC.

2006

Hans Nieukerke zegt in februari in het interviewprogramma *Alziend oog* van de IKON: 'D'r zijn vormen van wetenschappelijk onderzoek geweest, maar voor de wetenschap niet wetenschappelijk genoeg. Zo werkt dat soms in Nederland. Onze eigen wetenschap zegt dat het met 60 tot 70 procent van de jongens die de Glen Mills School hebben verlaten, dat het daar heel erg goed mee gaat. Met 10 procent gaat het slecht, die zien we weer terug in de jeugdgevangenis.'

Glen Mills brengt *Respect voor jezelf* uit. Het boek is de eerste 'eigen' theoretische programmabeschrijving. Uitgevoerd door Adviesbureau Van Montfoort; gepresenteerd als een coproductie door studenten, staf en Van Montfoort – in die volgorde. De aanwezige praktijkkennis van Glen Mills wordt in *Respect voor jezelf* omgezet in een theoretische onderbouwing van de methodiek. 'Kennis van de campus' wordt onderverdeeld in ervaringskennis, gepresenteerde kennis, stellende kennis en praktijkkennis.

De nieuwe huisonderzoekers van Glen Mills schrijven in een bijlage ná de literatuurlijst een opmerkelijke verantwoording. 'De conclusies over de theoretische fundering en de methodiek zijn een product van de projectgroep, niet van externe onderzoekers. De rol van Adviesbureau Van Montfoort is primair kennisondersteunend en waar nodig structurerend geweest.' Toch eerlijk om te vermelden dat een objectieve, onafhankelijke onderbouwing dus van elders moet komen. 'Wiens brood men eet, diens woord men spreekt', dat verwijt ligt voor onderzoekers bij commerciële bureaus immers altijd op de loer.

In juni 2006 laat Stan Meuwese, directeur van Defence for Children, zijn licht op de GMS en op *Respect voor jezelf* schijnen. 'Zo lang de effectiviteit van het Glen Mills-programma niet is aangetoond, past bescheidenheid. Vooralsnog is het iets waarin men "gelooft of niet". De poging om het concept theoretisch te onderbouwen wordt in de recente SWP-publicatie (de uitgeverij, red.) gepresenteerd als een product van de docenten en de studenten van de Glen Mills School. Dat lijkt een mooie vorm van jongerenparticipatie. Toch krijg ik de indruk dat het onderscheid tussen de rol van respondenten en van onderzoekers door elkaar wordt gehaald. Het boek is gewoon geschreven door Bas Vogelvang van Adviesbureau Van Montfoort en er staan heel wat boeiende uitspraken van jongeren en stafleden in. Ik weet niet of het nu zo verstandig is om naast iets nieuws in de jeugdzorg tegelijkertijd een nieuwe aanpak en vorm in het jeugdzorgonderzoek te ontwikkelen.'

Interessante punten in het – nogal langdradige – *Respect voor jezelf* zijn ver te zoeken. Stafleden 'professionele opvoeders' noemen, is discutabel. Het merendeel van hen heeft namelijk geen professioneel-pedagogische achtergrond. Een willekeurige opleiding (van tenminste mbo-niveau) is voldoende. Wie voor het begeleiden van de GMS-doelgroep uit het goede hout is gesneden, krijgt de Glen Mills-kneepjes in Wezep geleerd. Maar wie bepaalt wat dat goede hout is?

Misschien wel het meest bijzondere van *Respect voor jezelf* is de lijst van geraadpleegde literatuur. Ze beslaat acht pagina's, 168 bronnen. Van die 168 hebben er slechts veertien als hoofdonderwerp Glen Mills. Van die veertien is één productie van Van Montfoort zelf, vijf komen van Glen Mills Nederland, en vijf komen er uit Duitsland (waar het programma German Mills loopt).

Slechts drie komen er uit de Verenigde Staten: twee onderzoeksprojecten van de Universiteit van Philadelphia (in de staat Pennsylvania), en een door Ferrainola zelf, uit 1999, toen de subsidie voor de Nederlandse GMS al verstrekt was en de proef met Samster al vijf jaar liep. De conclusie luidt opnieuw, met dank aan het zorgvuldig opgestelde literatuurlijstje van Van Montfoort: Glen Mills is Nederland binnengeloodst met amper wetenschappelijke onderbouwing uit Amerika.

2008

Het WODC-rapport, gedateerd september 2007, ziet in januari het levenslicht. Staatssecretaris van Justitie Albayrak geeft de school tot eind 2008 de tijd om orde op zaken te stellen. Hoenderloo Groepvoorlichter Tineke Hoogeveen houdt ondertussen de moed erin. Ze verwacht dat de cijfers van het volgende onderzoek beter zijn. 'Sinds 2004 is er meer ingezet op nazorg. Er loopt al een nieuw onderzoek (door Adviesbureau Van Montfoort, red.).'

Programmamanager Carolien Knibbe gebruikt in *de Volkskrant* (17 maart) al de verleden tijd. 'We wilden zo graag een alternatief vormen voor de jeugdgevangenissen. Nu blijkt dat het ons ook onvoldoende lukt de jongen op de rit te houden. Ze komen terug in hun oude wereldje, waar de verleiding groot is om terug te vallen in klussen waar ze veel geld mee kunnen verdienen.'

Voor BNR Nieuwsradio wordt unitleider Ids Postma (niet de oud-schaatser) geïnterviewd over het rapport. Hij lijkt ook de handdoek in de ring te hebben gegooid. Hier volgt de transcriptie van het deel uit het gesprek tussen verslaggever Harmen van der Veen en Postma dat op de BNR-site staat:

BNR (Van der Veen): 'Nou, nou, dit is toch die school waar iedereen zo hoog over opgaf?'

GMS (Postma): 'Ehm, ja dat klopt. Wij hebben als Glen Mills een methodiek opgezet die wat onorthodox is, waar we participatie hoog in het vaandel hebben staan. De jongens beslissen over heel veel dingen mee. Tegelijk ontdekken we dus naar aanleiding van het onderzoek dat die methodiek op zich nog niet sterk genoeg is. We zijn momenteel aan het nadenken hoe we netwerken buiten Glen Mills zouden kunnen maken waarin die jongens in een soort zelfhulpgroepen elkaar op de been kunnen houden.'

BNR: 'Nadat ze hier gezeten hebben.'

GMS: 'Nadat ze hier gezeten hebben. De belangrijkste dingen, loyaliteit en...'

BNR: (interrumpeert) 'Hadden jullie dat niet eerder kunnen bedenken?'

GMS: 'Nou, kijk, d'r is in het verleden al veel nagedacht over dit soort dingen natuurlijk. Ehm, je moet uit ervaring leren wat te halen is en wat niet te halen is.'

BNR: 'Het klinkt namelijk zo eenvoudig. Ze worden hier heel streng opgevoed binnen de muren, en thuis terug in Amsterdam, Rotterdam hè, de grote steden over 't algemeen, daar wachten al hun oude vrienden hen weer op. Dat valt te verwachten.'
GMS: 'Ja. Wij proberen een antwoord te vinden, ehm, want, je kunt er lang en breed over praten, maar niemand heeft eigenlijk het antwoord op deze vraag. Het is dus te simpel om te denken dat je met één therapievorm het gedrag zo goed verandert dat dat beklijft.'

8 Ivo Corbeij

Soms werd goede pr Glen Mills zomaar gratis en voor niets in de schoot geworpen. Een spontaan aangeboden steunbetuiging is nooit weg. Maar ouders die het voor Glen Mills opnemen, die zijn hun gewicht in goud waard.

'Een emotionele brief', noemt Charles Corbeij het epistel dat hij op 10 maart 2004 mailde naar *Sp!ts*, als reactie op het artikel 'Twijfels methode Glen Mills', een dag eerder in dezelfde krant (zie hoofdstuk 9). Een cc'tje ging naar de Hoenderloo Groep. Die publiceerde hem in het tweede *Glen Mills Journal* (september 2004), een periodiek met informatie, interviews en actuele ontwikkelingen over het instituut. In de *Glen Mills Journal* verscheen hij in de volle glorie, sterk ingekort verscheen hij in de brievenrubriek van *Sp!ts*. Hieronder de integrale tekst.

Met ongenoegen namen wij kennis van uw artikel in Sp!ts van 9 maart 2004 over de Glen Mills School in Wezep. Het zoveelste artikel dat twijfel zaait en vraagtekens plaatst bij het functioneren van de Glen Mills School en het effect van de gehanteerde methode. Wij zijn de ouders van een student van de Glen Mills School en zijn een heel andere mening toegedaan.

De afgelopen drie jaren zijn voor ons gezin een ernstig gevecht geweest om onze (toen veertienjarige) zoon te beschermen tegen zich aandienende negatieve uitspattingen, die wijzelf niet kenden en die we onze kinderen ook nooit hebben voorgehouden.

Jammer genoeg bleek na enige tijd dat wij die opgave niet alleen konden volbrengen en we hebben toen hulp gezocht bij Bureau Jeugdzorg. Een en ander heeft uiteindelijk geleid tot plaatsing van onze zoon op de GMS, een school waarvan we op dat moment nog nooit op enige wijze hadden gehoord.

We hebben desondanks onze zoon, 200 km van huis, uit handen gegeven aan de medewerk(st)ers van de Glen Mills School, in de hoop en in het vertrouwen dat men daar wel de juiste instrumenten zou hanteren.

Inmiddels, ruim veertien maanden later, constateren wij met heel veel blijdschap dat onze zoon een omslag heeft gemaakt, die wij niet voor mogelijk hadden durven houden. Zijn schoolopleiding, in de thuissituatie een ernstig zorgenkindje, heeft nu zijn absolute interesse en met veel inzet gaat hij in mei a.s. zijn eindexamen oppakken.

De vervolgopleiding, na zijn definitieve thuiskomst, is nu reeds door hem georganiseerd. Afleiding en energie kwijtraken uit zich in een zeer actieve sportbeoefening.

De ouder-kind-relatie, ten tijde van het vertrek behoorlijk onder druk vanwege de negatieve ervaringen, is thans opgebloeid tot een wederzijdse, respectvolle benadering, waarbij een liefdevol gebaar weer als normaal en prettig wordt ervaren. Een openhartige benadering en niet die bekende, op voorhand afwijzende houding.

Tot slot het persoontje zelf.

Een negatief maatschappijbeeld, en het zich afzetten daartegen, heeft plaatsgemaakt voor een spreekzame jongen, die op kan komen voor zijn belangen, die zijn verantwoordelijkheid kan nemen en die ook anderen daarop kan wijzen/aanspreken. Die zijn toekomst positief ziet en het op de GMS geleerde graag als bagage mee naar huis zal nemen.

U ziet mijnheer Maes, dat er vanuit de praktijk (ouders/student) ook veel goeds te melden is en natuurlijk kan het zo zijn dat de GMS-methode op onderdelen aanpassing en/of bijstelling nodig heeft.

Er is echter geenszins reden de GMS als zodanig in een negatief daglicht te plaatsen. Wij als ouders van een student van de Glen Mills School danken van ganser harte alle hulpverleners voor de door hen getoonde inzet.

Wij zien de thuiskomst van onze zoon met veel vertrouwen tegemoet.

Met vriendelijke groeten,
Marly en Charles Corbeij, Linne.

Charles Corbeij verontschuldigt zich bij aanvang van het gesprek enigszins voor het op de vingers tikken van de journalist, vier jaar geleden. 'Maar Glen Mills was voor ons de reddende engel. Als Glen Mills niet helpt, wat dan wel?' zegt hij, en serveert koffie met Limburgse vlaai – het is zondag.

Uit Linne, een kalm dorpje van een paar duizend mensen onder de rook van Roermond, verwacht je geen Glen Mills-rekruten. Helaas (of juist gelukkig) voor Ivo bleef het vernielen van een tractor, het experimenteren met drugs en het stelen van een fiets in Linne niet onopgemerkt. 'Zijn gedrag viel sneller op in het dorp,' zegt Charles Corbeij. Moeder Marly hoorde 'ruis' in het dorp, sprak de roddelaars erop aan, en stapte naar de politie.

Ivo (1987) had pech dat zijn moeder zo eerlijk was. De rekening van de civielrechtelijke schade ging naar de familie Corbeij, en alleen Ivo werd geverbaliseerd. Marly Corbeij is er nog boos over. 'We voelen ons gestraft voor onze eerlijkheid.' Of, zoals haar man het op tafel legt: 'Je speelt open kaart, en je krijgt de zwarte piet.' Eén ding stond ondertussen wel vast: de delicten waren in groepsverband begaan, en daarmee was de 14-jarige Ivo Corbeij geschikt voor Glen Mills. Ivo is een schoolvoorbeeld van iemand die in de doelgroep past. Charles: 'Ivo zat in een negatieve groep. Daar deed hij niets fout, daar was hij de bink, en daar ontleende hij zijn status aan.'

Dus Ivo ging naar Wezep, met goedkeuring van zijn ouders. De berichten in de media over Glen Mills waren immers zeer positief, zegt Charles. Een bezoek aan de campus bracht hen niet op andere gedachten. 'De jongens zeiden "dag meneer" en "dag mevrouw" tegen ons. Heel correct.' Thuis was hij als puber niet meer te handhaven. Marly: 'Bij berechtwijzigingen van mij verzette hij zich extreem, waar fysiek geweld ook onderdeel van was.'

Marly: 'Mijn man zat in de ontkenningsfase. Ivo's problemen zou ik overdrijven.' Vader Charles, destijds wethouder in buurgemeente Maasbracht, wist van de prins geen kwaad. 'Ik was van 's morgens vroeg tot 's avonds laat met mijn werk bezig. Ik kon nauwelijks tijd en aandacht aan de opvoeding geven.' Voor geld was pa wel goed – ma hield de hand op de knip. Charles: 'Hij had mij nodig voor zijn zondagsgeld en zijn natje en zijn droogje. Ivo had twee gezichten.'

Na de vooral voor Marly 'erg pijnlijke ondertoezichtstelling' (OTS) door Bureau Jeugdzorg Roermond en de Raad voor de Kinderbescherming volgde onmiddellijk plaatsing op Glen Mills door de jeugdrechter. Bij de intake moest Ivo even wennen. De meeste studenten en behoorlijk wat coaches bleken allochtoon. 'Vlak voordat hij naar Glen Mills ging, had hij wat rechtse sympathieën. Ik dacht: net goed voor 'm, dan ziet hij ook wat gekleurde medelanders,' zegt zijn vader. Marly Corbeij, glimlachend: 'Ik zie nog zijn ogen groot worden toen hij voor het eerst zijn coach zag, een Surinamer.'

Ivo's Glen Mills-tijd verliep volgens het boekje. Via concern, aspirant en kandidaat-bull naar bull, zonder in status terug te vallen, en dat in de voorziene standaardperiode van achttien maanden. Hij ging er weg met een vmbo-diploma op zak. In zijn bulls-logboek heeft hij in zijn nette kleine handschrift de verschillende confrontaties met medestudenten genoteerd die hem naar een hogere status brachten, geparafeerd door de studenten met hun naam. Tweehonderdentien confrontaties in totaal. Uiteenlopend van 'Ik heb hem geconfronteerd niet met de gordijn te spelen', 'Ik heb hem geconfronteerd om niet achteruit te lopen' tot 'Ik heb hem geconfronteerd om niet op zijn nagels te bijten'.

Dan stapt Ivo, terug van een bezoek aan zijn vriendin, de woonkamer binnen van het gezin uit de 'middle middleclass'; de ruggengraat van de samenleving. Een slanke jongen met een open gezicht en vierkante diamanten oorknopjes in schuift bij aan de eettafel in de serre. 'Als je bij Glen Mills weggaat, moet dat boek gesloten blijven,' begint hij een beetje stoer, maar steekt daarop meteen van wal. 'Zonder Glen Mills was ik misschien dood of lag ik ergens in de goot te rollen. Ik hoorde daar zeker thuis, tussen die andere jongens,' zegt hij, in een licht zuidelijk accent.

Een volgende kan koffie. Pindarotsjes (melk) komen op tafel. Het is voor het eerst in bijna vier jaar dat Ivo Corbeij, die ook figureert in

Theo van Goghs rolprent *Cool!*, er goed voor gaat zitten om over Glen Mills te praten. De rapporten en krantenberichten heeft hij amper gevolgd, maar na twee bezoeken aan Glen Mills sinds hij er weg is, heeft hij zijn conclusie klaar: Glen Mills is Glen Mills niet meer.

Op een *Graduation Day* in de zomer van 2006, een feestelijke dag waar studenten diploma's en certificaten krijgen uitgereikt, stoorde hij zich mateloos aan de in zijn ogen te losse omgangsvormen. 'Het is softer geworden, en dat is niet goed voor het systeem. Ik zag aspiranten op de campus met elkaar praten, en ook nog eens over koetjes en kalfjes. Dat is het privilege van een bull. Ook liepen aspiranten onbegeleid rond. Dat kan niet. Ik vind dat er altijd *cover* van een big brother moet zijn.' Ivo kijkt misprijzend. 'Een senior-coach vertelde me dat de nieuwe studenten allemaal mietjes zijn. Maar zo'n systeem, daar moet je fysiek en mentaal tegen kunnen. In mijn tijd zaten er ook al hele zielige mannetjes, die horen daar niet.'

Urenlang de douche schrobben in een bijzonder oncomfortabele houding, incidenten die de pers haalden; Ivo kent het en ook hij moest het doen. 'En dan daar ook nog eens je boterhammen opeten. Dat vind ik absurd. Dat vind ik zelf ook onmenselijk. Ik heb het vaker moeten doen en ik heb het geaccepteerd. Maar ben ik er slechter van geworden?'

'Nu hoef je niet meer te schrobben. Wij zijn daar hartstikke afgemat. Juist omdat de methode zo zwaar is, heeft het me geholpen. Glen Mills is nu een paradijsje. Hoe meer vrijheid je de studenten geeft, hoe meer ze pakken.' Bij een volgend (spontaan gepland) bezoek zag hij vanuit de auto in de aula studenten chaotisch door elkaar heen lopen. Ivo kon het niet aanzien en besloot maar door te rijden.

Eén keer maakt hij een groepsproces mee van acht dagen. 'Van 06.00 tot 04.00. Dat was echt een hel.' Ivo doet voor hoe hij moest zitten, en hoe minimaal hij zich tijdens de collectieve straf mocht verplaatsen. Er kwam nogal wat naar boven in dat proces: graffiti, groepsvorming, plannen om weg te lopen. Het dagenlang zitten ging hem niet in de koude kleren zitten. 'Toen ben ik voor rugklachten opgenomen in het ziekenhuis.'

Ivo's moeder kan zich in de spartaanse aanpak van het groepsproces goed vinden. 'Dat is goed voor de jeugd van tegenwoordig. Ik zie Glen Mills als een streng militaire opvoeding. Vroeger zag je dat wel bij militaire dienst: ze gingen er als mietjes in, en kwamen er als mannen uit.' Ook Ivo klaagt niet. 'Na negen maanden ben ik gebroken. Toen pas was de energie op,' grijnst hij.

Het hele gezin Corbeij is ervan overtuigd dat het warme nest, het gezin waar Ivo na de periode in Wezep naar kon terugkeren, zijn redding is geweest. Vader: 'Al heb je tien jaar op Glen Mills gezeten, als je terugvalt in een omgeving zonder ruggensteun moet je erg sterk in je schoenen staan om niet terug te vallen. Dan kom je namelijk in het luchtledige terecht. En dorp of een stad, dat maakt nogal een verschil.'

Zijn vrouw valt hem bij. 'Als Ivo na Glen Mills naar een van de vier grote steden was gegaan, was het slecht met hem afgelopen.' Zoon Ivo zelf is nog stelliger. 'Ik weet zéker dat al die recidivisten in de grote steden wonen. Je kunt toch niet verwachten dat het met die jongens goed komt als ze weer in de Bijlmer of in een van die achterstandsbuurten terechtkomen, met de verkeerde vrienden, en weer aan geld moeten komen?'

De aangeboden nazorg vinden de ouders te gering. 'Dat nabegeleidingstraject is heel goed bedoeld, maar het kwam neer op één bezoek in de zes weken en een nummer dat we 24 uur per dag konden bellen,' zegt Charles. Marly: 'We hadden graag wat handvatten gewild hoe we met onze zoon moesten omgaan. Als ik tegen de begeleider zei dat hij wiet gebruikte, werd er gezegd: "Dat is zijn probleem." Ook Bureau Jeugdzorg trok de handen van hem af omdat inmiddels de meerderjarige leeftijd was bereikt.'

Met Ivo gaat het nu goed. Drie dagen per week werkt hij als metselaar, twee dagen per week studeert hij voor tegelzetter. Het geëxperimenteer met harddrugs is voorbij, elke avond een blowtje met vrienden van de lagere school kan nog wel, alcohol blieft hij niet meer. 'Ik ben duidelijk naar mijn vrienden toe. Over wat ik van hen verwacht, en wat ze van mij kunnen verwachten.'

Ivo woont sinds juli 2004 thuis. Zijn vader houdt dat voorlopig liever zo. 'Volgens mij is hij nog niet zo ver dat hij zijn eigen boontjes kan doppen.' Van Marly, niet het type moeder dat alles wat haar zoon doet en laat door een roze bril ziet, mag Ivo uitvliegen. 'Hij mag het proberen, en eventueel op de blaren zitten.' Streng: 'Maar dan is de deur wel dicht. Ik heb er nu genoeg energie in gestoken.'

9 Het zijn geen lieverdjes

Een kruiswoordraadsel uit *de Volkskrant* van zaterdag 22 maart 2008, 7 horizontaal: 'heropvoedingsinstelling die een deels illegale aanpak voor criminele jongeren hanteert (4,5)'. Voor de oplettende krantenlezer van die week was het antwoord uit weekpuzzel 3606 niet zo moeilijk. De goede oplossing: Glen Mills.

Het jaar 2008 was een rampjaar voor de GMS. Nadat het WODC-rapport in januari, met enige vertraging, in de openbaarheid kwam, ging de Inspectie jeugdzorg (IJZ) er nog eens dunnetjes overheen. Het WODC torpedeerde Glen Mills' mythe van de mooie recidivecijfers; de IJZ maakte gehakt van de methode zoals die in Wezep wordt gehanteerd, overigens al jarenlang.

Lieverdjes, nee, dat zijn ze inderdaad niet, zoals Hans Nieukerke placht te debiteren. De Marokkaanse en Turkse, Surinaamse en Antilliaanse, Hollandse en Hindoestaanse studenten op Glen Mills hebben vaak meerdere kerfjes op hun kerfstok, en komen vaak uit problematische gezinnen. Dat kan uiteenlopen van een vader uit een stabiel autochtoon middenklassegezin met een topbaan die te weinig tijd voor zijn zoon heeft, een alleenstaande moeder in een 'prachtwijk', tot een gezinssituatie waarbij er simpelweg geen gezin is. Zoals een moeder zegt: 'Ze worden niet geboren als klieren.'

Veel gewezen koorknaapjes worden er niet in Wezep ondergebracht. Maar daarmee zijn het nog niet allemaal moordenaars of verkrachters. Los daarvan hebben ze (grond)rechten, zoals bescherming van lichaam en geest, het recht actief gemonitord te worden door een onafhankelijke instantie, en een realistische toegang tot een onafhankelijke klachtencommissie. Glen Mills is een particuliere instelling waar minderjarigen voor anderhalf jaar aan toevertrouwd worden, en particuliere instellingen mogen niet buiten de wet opereren, ook niet als het om criminele veelplegers gaat.

De pupillen mogen geen vriendschappen kweken met andere studenten of vertrouwensbanden opbouwen met medewerkers, om 'subgroepjes' en belangenverstrengeling tegen te gaan. Hun ouders mogen ze in de beginperiode niet zien. In een systeem dat zo streng is, moeten die ruim honderd tieners – of ze nu studenten of jonge criminelen genoemd worden – weten waar ze aan toe zijn. In een competitief systeem waarin de groep heilig is en respect hoog in het vaandel staat, moet dat systeem uiteindelijk bescherming bieden en mag van de staf (of groep) geen gevaar uitgaan.

Laat er (potentieel) gewelddadige studenten tussen zitten, laat sommigen de kunst van het manipuleren tot in de vingers kunnen beheersen; dat het jongens van de straat zijn, wil niet zeggen dat zolang ze opgeborgen zitten er niet naar hen omgekeken hoeft te worden. Aanhangers van een no-nonsenseaanpak moeten zich sowieso realiseren dat streng(er) of langer straffen (en Glen Mills straft streng en lang) kanttekeningen kent. In het land van oorsprong, de Verenigde Staten, wordt streng gestraft en zit anno 2008 meer dan 1 procent van de bevolking in de gevangenis, in een spiraal van langer straffen. Een ex-gedetineerde ben je voor het leven.

Ondanks dat er al in 2003 berichten in de pers verschenen over misstanden in de instelling, bleven onafhankelijke onderzoeken daarnaar uit. Het leek er de afgelopen jaren sterk op dat bij verhalen over misstanden even de andere kant op werd gekeken. Alsof men dacht: 'Als die recidivecijfers zo goed zijn, stellen wij voorlopig geen vragen.' Pas in 2008 volgde een doorlichting van de methodiek die consequenties zou hebben.

Enkele publicaties over de rechtsbescherming en de pedagogische elementen van het programma op een rij.

2003

Ongeveer halverwege het eerste lustrum stortten drie studentes zich op Glen Mills met enkele specifieke onderzoeksvragen. De eerste is Astrid van der Velde van de Haagse Hogeschool, opleiding Maatschappelijk Werk en Dienstverlening. Ze schrijft in het voorwoord van *De Glen Mills School en ouderbegeleiding* (mei 2003) dat het haar opvalt dat er binnen Glen Mills geen functie bestaat die zich alleen op de ouderbegeleiding richt, en dat in het programma niet terug te vinden is hoe de ouders worden voorbereid op de terugkeer van hun zoon naar het ouderlijk huis.

Hierdoor ging ze zich afvragen of de manier waarop er binnen de Glen Mills School vorm wordt gegeven aan ouderbegeleiding eventueel niet kon worden verbeterd. 'Ik hoop dat deze scriptie de lezer een indruk kan geven over de werkwijze van de Glen Mills School en een positieve bijdrage levert aan de manier van ouderbegeleiding binnen de Glen Mills School.'

Van der Velde kreeg voor haar onderzoek een interessant overzicht toegespeeld van de aanwezigheid van specifieke problemen bij studenten. De Hoenderloo Groep had die voor haar beschikbaar voor de jaren 1999 en 2000, de beginjaren.

AANWEZIGHEID VAN SPECIFIEKE PROBLEMEN IN PROCENTEN

	1999	2000	Totaal
Diefstal	76	86	64
Joyriding	24	9	19
Agressie tegen zaken	62	38	54
Agressie tegen personen	79	81	79
Gedragsproblemen thuis	90	95	92
Gedragsproblemen op school	95	90	94
Weglopen van huis	59	49	57
Zwerven	50	48	49
Seksueel storend gedrag	9	19	13
Alcoholmisbruik	31	29	30
Harddruggebruik	5	9	6
Softdruggebruik	64	57	62

	1999	2000	Totaal
Depressiviteit	36	48	40
Driftbuien	64	48	59
Onredelijke opstandigheid	79	81	79
Recalcitrantie	67	62	65
Teruggetrokkenheid	29	29	29
Waanvoorstellingen	2	5	3
Angsten	14	5	11
Incestverleden	0	0	0
Lichamelijke mishandeling	24	19	22
Conflicten in het gezin	69	76	71
Verslaving ouders	19	5	14
Pedagogisch onmachtige ouders	83	95	87
Afbreken gezinsrelaties	38	29	35
Cultuurkloofproblematiek	31	62	59
Psychosomatische klachten	14	29	19
Neurologische klachten	10	14	11

Voor het onderzoek waren gegevens van 63 studenten beschikbaar. Van der Velde merkt op dat 92 procent van de jongens gedragsproblemen thuis vertoont, dat 71 procent van de jongens conflicten in het gezin ondervindt en dat 87 procent van de ouders 'pedagogisch onmachtig' is. Ze vraagt zich dan ook af of een gezin voldoende is voorbereid op de terugkomst van hun zoon. 'Zullen de problemen die het gezin, voor het verblijf van hun zoon op de GMS, ervoer weer terugkomen of blijven deze achterwege door de positieve gedragsverandering van hun zoon?'

Zo ziet Van der Velde wel meer (ogenschijnlijk logische, maar daarom nog niet door veel wetenschappers gedocumenteerde) problemen, zoals de voor alleenstaande starters ongunstige woningmarkt, zodat jongens gedwongen terug naar het gezin van herkomst gaan. 'Ze zijn weer teruggekeerd in hun oude situatie, waar zij niet meer de status hebben die zij binnen de GMS hadden verkregen. Dit kan het voor de jongens moeilijk maken om hun aangeleerde positieve gedrag te blijven hanteren.'

Als Astrid van der Velde niet op het verkeerde been was gezet door de juich-recidivecijfers van de huisonderzoekers en Van der Kolk, was ze misschien nog iets kritischer geweest. Toch merkte ze op: 'De jongen die op de GMS verblijven zijn gevoelig voor groepsdruk. Kan eventuele negatieve groepsdruk uit de oude situatie ervoor zorgen dat de jongens weer vervallen in negatief gedrag?'

Na berichten in de pers over misstanden schakelt Nieukerke een onderzoeksbureau in om een punt te zetten achter de ongeregeldheden. Onderzoeken worden wel vaker uitgevoerd, 'maar nu extern', benadrukt hij. 'Glen Mills is een politiek gevoelig product. Ik krijg vragen van de Jeugdzorg, die schrikt zich kapot. Justitie wil ook weten wat er aan de hand is.' De Hoenderloo Groep financiert het onderzoek zelf. 'Het is hier nooit een klerezooi geweest,' benadrukt Nieukerke, die de publicaties 'maar overdreven' noemt.

Het onderzoeksbureau, Consultance Groep Nederland, belooft het rapport snel klaar te hebben, eind september. Directeur Henk Ouwens wil uitvinden 'wat er leeft onder de werknemers, en waar ze tegenaan lopen'. Ouwens heeft het bij aanvang van het onderzoek over 'geruchten in de bladen waar de directie niet vrolijk van wordt'. Aan het eind van het onderzoek zal 'wellicht' blijken of er een nieuw functieprofiel voor coaches moet worden opgesteld.

Het onderzoek naar mishandelingen dat de directie van de Hoenderloo Groep laat verrichten, verschijnt in november 2003. De allereerste zin van de *Rapportage onderzoek Glen Mills School* illustreert de ondernemingsgezinde instelling van de directeur van de Consultance Groep Nederland, een zakenman: 'De Glen Mills School staat inmiddels 4 jaar in de markt.' De hoofdvragen van het onderzoek luidden als volgt: 1. Welke rol speelt de macht en afhankelijkheid tussen medewerkers en leidinggevenden?, en 2. Wat moet er gebeuren om de Glen Mills School te laten groeien naar een professionele organisatie?

De derde onderzoeksvraag lijkt er voor de bühne te zijn 'bijgefrommeld': 'Als gevolg van de aanhoudende aandacht vanuit de pers voor fysiek en psychisch geweld tegenover de studenten is tevens in het onderzoek meegenomen of er redenen zijn om te veronderstellen dat er sprake is van machtsmisbruik naar studenten.'

Van 72 (oud-)medewerkers werden vragenlijsten ontvangen, die anoniem konden worden ingevuld. De gesprekken die daarna volgden, waren minder arbitrair. 'De te interviewen personen zijn door de onderzoekers geselecteerd op basis van de functie en van de duur van de dienstbetrekking, zodat een representatief deel van de organisatie is gehoord.'

Uit de anonieme enquête onder de werknemers over agressie onderling komen verhalen naar voren van een selectieve behandeling van medewerkers, frustratie van carrièremogelijkheden, dreiging met ontslag, het openlijk tot de orde roepen van medewerkers, het in de openbaarheid kleineren van medewerkers en roddelen. In de mondelinge interviews maken de medewerkers zich vakinhoudelijk zorgen, om onder meer de organisatiestructuur, procedures en het programma.

Een analyse van de incidentenregistratie en -frequentie, en de klachtenregistratie en -frequentie door de Consultance Groep Nederland op basis van de logboeken laat zien dat er tussen 1 januari 2003 en 31 oktober 2003 102 maal level 6 is toegepast en 27 keer level 7 (holding). Het aantal klachten dat vanaf de oprichting in 1999 is binnengekomen bij de directie van Glen Mills bedraagt 9, bij het Klachtenbureau 1, en bij de Inspectie voor Jeugdhulpverlening en de Onderwijsinspectie 0.

Op basis van deze statistieken, op basis van door Glen Mills verstrekte gegevens, concludeert de Consultance Groep, in een ingekaderde, cursieve tekst: *'Al deze gegevens bij elkaar genomen bestaat er **geen** grond voor het vermoeden dat de studenten van de Glen Mills School stelselmatig onheus worden bejegend of zelfs mishandeld.'* Bij het gegeven dat er erg weinig klachten zijn gemeld, worden in het onderzoek geen vraagtekens gezet. Ook het bijwoord 'stelselmatig' is frappant. Als een 'onheuse bejegening of zelfs mishandeling' niet stelselmatig maar incidenteel gebeurt, kan het dan wel door de beugel? En hoe definieer je 'onheuse bejegening', 'mishandeling' en 'stelselmatig'?

Glen Mills-directeur Cees van der Kolk wordt in het addendum 'Managementstijl' met kleurig taalgebruik getypeerd. 'De directeur heeft een sterk programmatische inslag. Zijn kracht ligt in het, als inhoudsdeskundige, bezielen van mensen en het overbrengen van het programma. Daarin is hij sterk visionair gedreven, creatief en handelend vanuit een heel sterke pioniersgeest.' Na het zoet komt het zuur. 'Zonder een dergelijke leider zou er niets van de grond komen. De directeur is echter onvoldoende in staat om een omgeving van veiligheid te bouwen naar medewerkers, toont daarin onvoorspelbaar gedrag en is onvoldoende geëquipeerd om als leider stabiel te bouwen aan een professionele organisatie.'

De eerste aanbeveling die de Consultance Groep Glen Mills daarom ook doet, is het versterken van de directie. 'Naast de bestaande directeur moet een andere directeur worden aangetrokken. De huidige directeur wordt belast met de programmatische aspecten. De andere directeur wordt belast met de operationele aansturing van de gehele organisatie en vormt de top van de hiërarchische piramide.' Ouwens, dan nog een externe onderzoeker, zal die taak in 2006 zelf op zich nemen.

De samenvatting die de Hoenderloo Groep bij de publicatie van het rapport uitbrengt, begint met een enigszins geprikkelde verantwoording. 'Diverse berichtgevingen dit voorjaar (die overigens tot stand kwamen door één artikel van een journalist en vervolgens klakkeloos werd overgenomen door meerdere bladen) over machtsmisbruik en misstanden op de Glen Mills School (GMS), met daarnaast signalen over spanningen onder het personeel zijn voor de directeur van de Hoenderloo Groep aanleiding geweest om een extern onderzoek te laten uitvoeren naar de **personele** verhoudingen binnen de Glen Mills School.' Voor alle duidelijkheid: de haakjes () komen uit de passage. In het vertrouwelijke rapport wordt duidelijk wie die 'meerdere bladen' precies zijn. Het blijkt slechts om één boosdoener te gaan: *Sp!ts* (zie hoofdstuk 6).

De suggestie van Consultance Groep Nederland om de directie met 1 fte uit te breiden, zal ter harte worden genomen en, omdat de 'externe communicatie een steeds belangrijkere rol krijgt', wordt daar eveneens extra capaciteit gecreëerd. 'Dit alles onder toeziend oog van de algemeen directeur van de Hoenderloo Groep, de heer J.R. Nieukerke,' sluit het persbericht af.

Journalisten kunnen een samenvatting inzien, maar derden – inclusief journalisten – krijgen het rapport zelf niet. Volgens de pr-medewerkster van de Hoenderloo Groep heeft dat te maken met 'de privacy gevoeligheid (informatie over medewerkers)'. Dat valt te betwijfelen. In het rapport staan geen namen en de gegevens zijn zodanig geanonimiseerd dat zelfs de medewerkers elkaar in het boek absoluut niet kunnen herkennen (op directeur Cees van der Kolk na, uiteraard).

In een interne memo wordt medewerkers meegedeeld dat alle gegevens voor het onderzoek vertrouwelijk zijn behandeld, ook de mondelinge interviews. Toch moet het hun bevreemden dat de verslagen van hun ontboezemingen in het bezit zijn van een onafhankelijk onderzoeksbureau, waarvan de directeur twee jaar later hun eigen directeur wordt.

Het rapport van de Consultance Groep Nederland wordt voorgelegd aan de Inspectie jeugdzorg (IJZ) met de vraag te bezien of er aanleiding is om (aanvullend) onderzoek te verrichten. De IJZ vindt dat de Glen Mills School haar handelwijze kan verantwoorden en in staat is de interne situatie goed te gaan beheersen. De Inspectie ziet geen aanleiding tot aanvullend onderzoek.

2004

In het voorjaar van 2004 komt studente Evelien Diederen met de scriptie *Glen Mills School. Een ideale school voor winnaars?* Haar eerste begeleider is hoogleraar familie- en jeugdrecht prof. mr. Paul Vlaardingerbroek, voorzitter van de Raad Strafrechtstoepassing en Jeugdbescherming, niet de minste in het wereldje van het jeugdstrafrecht.

De scriptie, gewaardeerd met het cijfer 8, blijft aanvankelijk onopgemerkt, maar leidt na publicatie in *Sp!ts* tot Kamervragen van GroenLinks-Kamerlid Marijke Vos aan Justitie-minister Donner. Diederen stelt dat de jongeren geen grondwettelijke bescherming genieten – een conclusie die de Inspectie jeugdzorg vier jaar later ook zal trekken. Nieukerke, wanneer gevraagd om commentaar, doet Diederens scriptie in een eerste telefonische reactie af als een 'romannetje' van iemand die 'een uurtje op de diploma-uitreiking is geweest'.

De behandeling van delinquente jongeren op Glen Mills druist in tegen een tiental grondwettelijke rechtsbeginselen, concludeert Diederen. Opname en verblijf van jongeren in Glen Mills is onvrijwillig, dus is er sprake van vrijheidsontneming, schrijft ze. Er wordt daarom volgens haar inbreuk gemaakt op het recht van elk kind op bescherming tegen alle vormen van geweld, letsel of misbruik (art. 19 Verdrag inzake de Rechten van het Kind) en het recht van een ieder, die van zijn vrijheid is beroofd, op een menselijke en een waardige behandeling (art. 10 lid 1 Internationaal Verdrag inzake Burgerrechten en Politieke Rechten en 37 sub c IVRK).

Diederen: 'De Wet op de jeugdhulpverlening, waar Glen Mills onder valt, en art. 15 lid 4 van de Grondwet (vrijheidsontneming, red.) bieden onvoldoende legitimatie voor inbreuk op de grondrechten.' Volgens haar begeleider Vlaardingerbroek worden de jongeren 'elementaire rechten afgenomen'. Nieukerke riposteert dat de vrijheidsontneming van tijdelijke aard is en bovendien deel uitmaakt van de methode Glen Mills.

Diederen en scriptiebegeleider Vlaardingerbroek, verbonden aan de Universiteit van Tilburg, hebben een donkerbruin vermoeden dat de terugval van de criminaliteit een kortetermijnsucces is. En passant stellen ze vraagtekens bij de wetenschappelijke onderbouwing van de recidivecijfers van Glen Mills op lange termijn, die aantonen dat 70 procent van de jongeren na het verlaten van het strafinternaat niet opnieuw in de criminaliteit terechtkomt.

'Theoretisch een juiste constatering' van de studente, zo geeft Nieukerke toe, die zijn antwoord daarna, niet voor het eerst, meteen weer handig in zijn voordeel draait: 'Op dit moment is het succespercentage rond de 70, een veelbelovende score. Dit na vijf jaar onderzoek. Het recidivepercentage stabiliseert omtrent de 15. Onderzoek zal uitwijzen hoe de succespercentages op langere termijn zijn. In deze blijft het interessant aan onderzoekers te vragen welke methode een beter alternatief is.' De laatste zin van het antwoord is een klassieke reactie van de Glen Mills-directie wanneer die in het nauw gedwongen wordt: 'We zijn misschien niet perfect, maar is er soms iets beters dan?' (De 70 procent zal in 2008 22 procent blijken; 100 – 78 procent recidive. Zie hoofdstuk 7.)

Nieukerke reageert kribbig, maar – Nieukerke ten voeten uit – hij blijft communiceren. Een brief volgt. 'Jammer dat zij (Diederen, red.) niet vooraf uitgebreid met mijn staf heeft gesproken en vooral de studenten zelf niet heeft gevraagd. Het gaat immers over hun toekomst. Voor mij het bekende probleem: we spreken niet met de belanghebbenden maar over hen.' Volgens Diederen heeft zij wel interviews aangevraagd, maar zijn die afgewezen. Op enkele andere schriftelijke vragen gaat Nieukerke uitgebreid in, en hij laat drie studenten van het campusbestuur, het hoogste studentenorgaan, er ook schriftelijk op reageren. Hun antwoorden mailt hij door.

Over Diederens vraagtekens bij het recidivepercentage schrijven Jefrey Dorff, Fouad Mourigh en Nouredaine Yahyaoui van het studentenbestuur: 'Omdat de school nog niet zo lang bestaat zijn er geen cijfers over de recidive op lange termijn, maar sinds de tijd dat de school open is zijn de cijfers toch wel veel beter vergeleken met andere jeugdinstellingen.'

Het volgende antwoord is iets spontaner. 'Wij hebben hier veel meer inspraak in tegenstelling tot andere instellingen en internaten,' stellen Dorff, Mourigh en Yahyaoui: 'Vanaf het moment dat je wordt geplaatst op de Glen Mills School merk je dat, naarmate je beter je best doet in het programma, je meer vrijheid krijgt. Zo wordt het ook ervaren door ons. Dat we ineens veel meer vertrouwen krijgen van de mensen met wie we werken. Als we daar goed mee omgaan, krijgen we steeds meer vrijheden.'

Pas echt uit het hart lijkt, gezien de interpunctie, hun reactie op de vraag of Glen Mills een justitiële jeugdinrichting (Diederens aanbeveling) moet worden. 'Nee omdat hier anders wordt omgegaan met ons in tegenstelling tot andere instellingen. Hier op de school ervaren wij dat we meer inspraak hebben en ook vertrouwen in het werk dat we doen en dat komt ook omdat hier naar mening wordt gevraagd van ons en we ook samen aan werken aan de doelen die we samen maken en niet dat we alles opgelegd krijgen en moeten uitvoeren en daarom moet de Glen Mills School ook geen justitiële inrichting worden omdat we nu het gevoel hebben dat er naar ons geluisterd wordt en we zien dat het succes heeft daar waar we aan werken. Bovendien is het zo op de Glen Mills School dat we hier samenwerken en samen oplossen i.p.v. dat de coaches uit zijn op macht en beheersing en bezig zijn met opdrachten te geven die uitgevoerd moeten worden.'

Nieukerke legt de bal bij de beperking van grondrechten bij de rechter. 'Soms wordt een grondrecht beperkt zoals vrijheidsontneming. Dit is gerechtvaardigd omdat de rechterlijke macht besloten heeft dat het volgen van het methodische Glen Mills-programma in het belang is van de ontwikkeling van de jongen die strafbare feiten gepleegd heeft. Natuurlijk is de vrijheidsontneming van tijdelijke aard, de vrijheid wordt stapsgewijs weer opgebouwd binnen de methodiek van de Glen Mills School.' De drie studenten, die meer privileges en vrijheden hebben opgebouwd dan de meeste studenten zullen krijgen, gebruiken ongeveer dezelfde bewoordingen.

De beperking van grondrechten van studenten in de open instelling geeft Nieukerke dus toe. Maar hij legt de bal daarvoor bij de rechter, stelt dat het voor de bestwil van studenten is, dat dit bovendien tijdelijk is, én dat de studenten er zelf niet over klagen. De suggestie van Diederen om Glen Mills te erkennen als justitiële jeugdinrichting vindt hij desalniettemin 'de moeite waard om serieus te onderzoeken. Als blijkt dat dit mogelijk is met behoud van de specifieke kenmerken van het Glen Mills-programma is het een interessante optie.'

Wie nou precies verantwoordelijk is voor (het welzijn van) de jongeren, is een vraag die Nieukerke met alle plezier doorschuift. 'Zoals blijkt uit de scriptie van mevrouw Diederen kunnen zelfs de betrokken ministeries nog geen eenduidig antwoord formuleren op deze vraag. Dit vraagt in de toekomst nog de nodige aandacht.' Dat had de schrijfster van het romannetje dus wel goed gezien.

Nog voordat onderzoeker Van der Laan (zie hoofdstuk 7) in een artikel zijn vraagtekens zal zetten bij het COJ-onderzoek van huisonderzoekers Mesman Schultz e.a., twijfelt studente Diederen aan de objectiviteit van de centrale indicator, het uitblijven van recidive. 'Ten eerste kan men zich met rede afvragen of bij het invullen van de genoemde criterialijsten door trajectbegeleiders, te weten functionarissen van het instituut zelf, voldoende objectiviteit is betracht. Het instituut is namelijk gebaat bij een positieve score.'

'Bovendien is het de vraag, of bij de beoordeling van de ex-studenten na 6 respectievelijk 12 maanden, steeds dezelfde groep studenten wordt beoordeeld, dan wel dat beoordeling plaatsvindt op basis van willekeurigheid. Hierdoor kan het resultaat ook positief dan wel negatief beïnvloed worden.'

Uit wetenschappelijk oogpunt bevindt ze het rapport daarom te licht. 'Gezien het feit dat er geen verdere uitdieping van de analysegegevens heeft kunnen plaatsvinden, kan mijns inziens nauwelijks beoordeeld worden of het onderzoek van voldoende wetenschappelijke gehalte is.'

Diederen schrijft op pagina 38 dat het tijdens haar onderzoek niet gelukt was om met een functionaris van Glen Mills over het rapport te spreken. 'Aangezien de interesse in de op deze School uitgevoerde methodiek uiteraard overweldigend is, is het niet gelukt een persoonlijk interview te krijgen. Helaas is het evenmin gelukt informatie betreffende dit onderwerp te krijgen, gezien het feit dat er, gedurende de twee uurtjes waarin het mogelijk was de Glen Mills School te bezoeken, niet uitgebreid de gelegenheid bestond om vragen te stellen.' Onduidelijk is of het hier om ironie van de studente gaat.

De ene scriptie is de andere niet. Die van Astrid van der Velde en Evelien Diederen worden niet op de website geplaatst, maar die van Annamarie Gerritsen (december 2004) van de Universiteit Utrecht wel. In *De Glen Mills School: in de (juiste) houding!?* doet Gerritsen verslag van haar onderzoek naar attitudeverandering bij de studenten. Daarvoor houdt ze schriftelijke en mondelinge interviews met tien studenten.

Haar aanpak is goed. Ze probeert valkuilen te vermijden en plaatst diverse kanttekeningen bij haar onderzoek. Gerritsen houdt er rekening mee dat studenten sociaal wenselijke antwoorden kunnen geven en dat de hogestatusstudenten met wie ze sprak succesgevallen zijn, en ze vermeldt dat haar onderzoek zich beperkt tot de korte termijn. Gerritsen ziet op de korte termijn een gedragsverandering op verschillende vlakken.

De Hoenderloo Groep, die Gerritsens onderzoek opwaardeert tot 'onafhankelijke instantie', destilleert alle pluspunten in een persbericht. Zo nemen studenten verantwoordelijkheid, zijn ze serieus en staan ze als gevolg daarvan steviger in hun schoenen. Studenten hebben geleerd zelf keuzes te maken en de consequenties van die keuzes te aanvaarden. Ze geven aan minder gevoelig te zijn voor de negatieve groepsdruk van delinquente vrienden.

Ze zijn volwassen geworden, voelen zich zeker, zijn trots op zichzelf. Ze denken verder positief over zichzelf en hun toekomst. Ze kunnen assertief optreden in plaats van agressief. Ze hebben een probleemoplossend vermogen. Ze hebben geleerd te praten in plaats van te vechten en actie te ondernemen wanneer er problemen zijn, in plaats van passief af te wachten.

Ze hebben meer inlevingsvermogen: ze zijn zich bewust van de pijn die hun delinquente gedrag anderen oplevert. Ze kunnen kritiek accepteren, fouten toegeven, en zichzelf beter onder controle houden. De relatief lange verblijfsduur van ten minste achttien maanden ten slotte zorgt voor een internalisering van al die prosociale normen.

Twee van Gerritsens aanbevelingen zijn een longitudinaal (langetermijn)onderzoek naar gedragsverandering en een theoretische onderbouwing van de methodiek. Niet lang daarna krijgt Adviesbureau Van Montfoort van Glen Mills daarvoor de opdracht. Gerritsen treedt daar in 2007 in dienst.

2006

Een artikel uit juli in *De Telegraaf*, waarin medewerkers aan de bel trekken over misstanden op de werkvloer, leidt tot een onderzoek van de Inspectie jeugdzorg (IJZ). De Hoenderloo Groep laat er ook een uitvoeren. De opdracht wordt gegund aan de nieuwe huisonderzoekers; Adviesbureau Van Montfoort. Het is de derde opdracht over Glen Mills die ze krijgen. Twee maanden later hebben ze hun bevindingen klaar.

Uit een samenvatting voor het personeel: 'Adviesbureau Van Montfoort heeft schriftelijke informatie verzameld en bestudeerd over organisatie, beleid en methode. De Glen Mills School heeft voorts gegevens geleverd over personele bezetting, incidenten en klachten. Om tot een oordeel te komen heeft Adviesbureau Van Montfoort bovendien interviews gehouden met 20 medewerkers verbonden aan de Glen Mills School'. Oud-medewerkers zeggen dat het management van Glen Mills die zelf heeft uitgezocht. Bovendien is de vraag hoeveel medewerkers nog openlijk zaken op tafel durven leggen, gezien de historie van het onderzoek van de Consultance Groep.

In zijn rapportage van 15 september 2006 komt Adviesbureau Van Montfoort tot de volgende bevindingen: 'Er zijn *geen* aanwijzingen gevonden dat er sprake is van een situatie van fysieke onveiligheid. Voor zowel medewerkers als studenten is er voldoende veiligheid binnen de Glen Mills School.' Zo luidt de letterlijke conclusie, in een samenvatting die aan het personeel wordt verstrekt.

Er zijn wel degelijk kritiekpunten, maar die worden door de Hoenderloo-directie meteen geneutraliseerd. 'De afgelopen twee jaar heeft men een gemis gevoeld voor aandacht en training. Mede daardoor heeft een aantal medewerkers onvoldoende ondersteuning ervaren, hetgeen heeft geleid tot onzekerheid over het methodisch handelen. Voorts is een aantal medewerkers van mening dat zij onvoldoende op de hoogte is van keuzes die de leiding maakt. Zij verwijten de leiding dat zij onvoldoende communiceert. Het nieuwe management is volop aan het werk met de gewenste veranderingen door te voeren.'

'Genoemde veranderingsplannen hebben voor een aantal medewerkers geleid tot onzekerheid en daarmee tot gevoelens van emotionele onveiligheid bij hen. De kans bestaat dat deze vorm van onzekerheid doorwerkt naar uitvoering van de manier van werken. De leiding van de Glen Mills School onderkent dit gevaar en onderneemt actie om te voorkomen dat deze vorm van onveiligheid bestaat of zelfs doorwerkt naar anderen.'

Op verzoek van de minister van Justitie start de IJZ een meervoudig onderzoek (een serie onderzoeken) naar de veiligheid en continuïteit in justitiële jeugdinrichtingen, met de werktitel *Meervoudig Toezicht Veiligheid JJI's*. De IJZ werkt hierin samen met de Inspectie voor de Gezondheidszorg, de Onderwijsinspectie, de Inspectie Sanctietoepassing en de Arbeidsinspectie. Het SCO-Kohnstamm Instituut van de Universiteit van Amsterdam, dat onderzoek doet naar opvoeding en onderwijs, inventariseert de gegevens.

2007

In april presenteert de IJZ samen met het Nederlands Studiecentrum Criminaliteit en Rechtshandhaving (NSCR) het inventariserend literatuuronderzoek *Veiligheid en continuïteit in justitiële jeugdinrichtingen*. Een van de vijf onderzoekers is Peter van der Laan.

De onderzoekers maken een aantal opmerkingen vooraf over de resultaten van hun literatuuronderzoek. 'In diverse publicaties worden opvattingen en ideeën naar voren gebracht, maar veelal ontbreekt het aan een duidelijke fundering. Er is geen empirische evidentie en er is geen onderzoek gedaan, hetgeen de opvattingen soms impressionistisch of anekdotisch maakt. Afgezien van enkele meer als journalistiek te bestempelen beschouwingen, en beschouwingen door belangenbehartigers of zaakwaarnemers, zijn weinig publicaties uitgesproken kritisch. Het zijn vooral kanttekeningen die worden geplaatst bij bepaalde aspecten.'

De vijf onderzoekers raken een pijnpunt (holding) dat in het rapport van 2008 zal terugkomen: 'Een terugkerend aandachtspunt in, of startpunt voor beschouwingen over de situatie in de JJI's is de spanning tussen beheersen en behandelen. Aangegeven wordt dat onder druk van externe factoren (bijvoorbeeld ontsnappingen en ernstige delicten gepleegd door gedetineerden op verlof, personeelstekort en ziekteverzuim, of bezuinigingen die leiden tot grotere groepen, minder uren dagprogramma enz.) de nadruk ligt of komt te liggen op beheersen en beveiligen.'

Glen Mills krijgt lof, omdat het een positieve uitwerking heeft op ernstig problematische en delinquente allochtone adolescenten die imponerend gedrag vertonen en kampen met emotionele onthechting, omdat mogelijk sociaal angstig gedrag wordt aangepakt en omdat zelfstandigheid en doorzettingsvermogen worden bevorderd.

Toch wordt nog maar eens benadrukt dat de methodiek Glen Mills haar bestaansrecht nog niet heeft verdiend. 'Verschillende kernelementen van het programma zijn nog niet aan breed wetenschappelijk onderzoek onderworpen en niet gebaseerd op empirisch onderzoek bij deze doelgroep. Dit betekent dat de kernelementen van GMS niet gebaseerd zijn op vigerende theorieën, noch op evidence-based programma's. Dit betekent dat er geen redenen zijn om aan te nemen dat GMS het doel bereikt, maar ook geen motieven om aan te nemen dat het niet werkt.' De vergoelijkende slotzin zal later bijna letterlijk worden gebruikt in het recidiverapport van de WODC, en gretig door de directie van Glen Mills en de Hoenderloo Groep worden overgenomen.

2008

Toeval bestaat niet. In maart van het negende jaar, het jaar voor het tienjarig feestje, twee maanden na publicatie van het vernietigende WODC-rapport van Justitie komt de Inspectie jeugdzorg (IJZ) (gelieerd aan VWS) met een voor Glen Mills historisch rapport, *Veiligheid binnen de Glen Mills School*. De behandelmethode, de klachtenprocedure voor studenten én het opleidingsniveau van de medewerkers, drie zeer belangrijke aspecten, scoren onvoldoende. IJZ maakt zich duidelijk zorgen over wat er in Wezep allemaal gebeurt. Letterlijk meldt ze op de website: 'De inspectie is van mening dat er van buiten weinig zicht is op wat zich tussen de muren van Glen Mills afspeelt.'

Glen Mills is geen Glen Mills zonder dat coaches onwillige studenten mogen vastpakken en tegen de muur of de grond fixeren. Maar de zevende en ultieme benadering van een onwillige student in een crisissituatie, 'holding', is volgens de IJZ niet toegestaan binnen Glen Mills, omdat het een open instelling is. Volgens een wijziging in de Wet op de Jeugdzorg (artikel 290 lid1 sub d), mag holding alleen in de gesloten jeugdzorg. 'Volstrekte waanzin,' vindt ad-interimdirecteur Henk Ouwens. 'Als wij niet mogen ingrijpen bij excessen, kunnen wij niet functioneren.'

Maandag 17 maart, de dag dat het rapport uitkomt, meldt minister Rouvoet (Jeugd en Gezin) de Tweede Kamer te onderzoeken 'of en zo ja, onder welke condities, de Glen Mills School een gesloten jeugdvoorziening kan worden'. Ouwens zegt met hetzelfde idee te spelen. Drie maanden later valt die beslissing. Rouvoet komt in juni 2008 met de chique oplossing die was verwacht. De Glen Mills School, in naam een school, wordt een instelling voor gesloten jeugdzorg.

Oud-Hoenderloo Groep-directeur Nieukerke vindt de gang van zaken 'politieke folklore'. 'We geven het een andere naam en het is opgelost. Maar "geen hekken" is juist de kracht van het verhaal. Daarmee geef je het vertrouwen aan de jongens.' Glen Mills-grondlegger en oud-directeur Cees van der Kolk, die voor dit boek niet wilde terugblikken, wilde wel dit kwijt. 'De politiek helpt Glen Mills naar de klote door er een gesloten instelling van te maken. Men had goud in handen als het programma was doorgezet.' Glen Mills gesloten maken, noemt oud-directeur Thieu van Hintum een 'politieke oplossing voor een inhoudelijk probleem, geen inhoudelijke oplossing'. Van Hintum verwacht niet dat het programma, waaronder het gebruik van holding, daardoor wezenlijk gaat veranderen.

Het IJZ-rapport dat aan de beslissing ten grondslag ligt, noemt holding een vorm van agressiereductie, een fysieke ingreep in de vrijheid van jongeren – een inbreuk op het grondrecht lichamelijke integriteit. 'Holding mag je alleen doen als je pedagogisch geschoold bent', zegt de IJZ-woordvoerster. 'Holding is het laatste middel. Er wordt te snel naar gegrepen.' Ook 'heeft Glen Mills (in de voorgaande negen jaar, red.) niet vastgelegd hoelang een holding kan duren en met hoeveel personen een holding uitgevoerd wordt'.

Daarnaast is er kritiek op de klachtenafhandeling bij incidenten. Die voeren (betrokken) medewerkers zelf uit. De IJZ stelt dat studenten geen toegang hebben tot een vertrouwenspersoon en evenmin tot een onafhankelijke klachtencommissie. Beide zijn vereisten in de Wet op de Jeugdzorg. Het alamerings- en bewakingssysteem van GMS zit zo in elkaar dat directie en management niet tijdig kunnen reageren op signalen van mogelijk misbruik. Bovendien is er geen periodieke evaluatie en analyse van de incidentenregistratie.

Kritiekpunt nummer drie: het opleidingsniveau van de medewerkers. Die worden intern opgeleid. 'Dit draagt niet bij aan zelfreflectie en het zelfkritisch vermogen van de organisatie. Risicovolle patronen kunnen hierdoor in stand worden gehouden. Dit kan bijdragen aan onveiligheid,' aldus het rapport. De woordvoerster van de IJZ noemt de gang van zaken 'pedagogisch niet verantwoord. Veel mensen worden intern getraind. Doe dat niet. Wij vinden dat je kennis van buiten naar binnen moet halen.'

Wat niet in het rapport staat, maar wat de IJZ-woordvoerder *Sp!ts* desgevraagd meldt, is dat ook het plaatsingsbeleid verre van ideaal is. Op Glen Mills zitten strafrechtelijk én civielrechtelijk verwezen jongeren. Een IJZ-woordvoerster spreekt hier haar afkeuring over uit. 'Dit vinden we niet goed. Kinderen met een criminele achtergrond zouden niet samen met civielrechtelijke kinderen moeten worden geplaatst.' Het adagium 'Het zijn geen lieverdjes' krijgt een facelift: 'Het is niet gezegd dat het allemaal criminelen zijn.'

Ook dit rapport komt Glen Mills ongelegen. Hoenderloo Groep-directeur Herman Geerdink wimpelt het weg. 'We zijn druk bezig met het herschrijven van het programma,' zegt Geerdink. 'Het rapport komt er nu tussendoor.' Een onafhankelijke klachtencommissie zal er twee maanden later zijn, wordt beloofd. Dat holding van de IJZ niet mag, is 'discutabel'. Het opleidingsniveau van medewerkers zegt Geerdink naar hbo-sph (sociaal-pedagogische hulpverlening) te willen tillen.

Geerdink spreekt zichzelf tegen. Enerzijds is GMS geen experiment meer, zegt hij. 'Het is het niveau van pilot wel ontgroeid.' De vernieuwde interventiebescherming zal er binnen een halfjaar zijn. 'Dat zijn we aan onszelf verplicht. Dan hebben we een reëel verantwoord wetenschappelijke periode, ongeveer vier jaar nodig om dat te bewijzen.' Zolang een experimenteel programma zich in Nederland in tien jaar niet heeft bewezen, of daar veertien jaar voor nodig denkt te hebben, is het een experiment.

In het in juli 2008 verschenen *Jaarbeeld Hoenderloo Groep 2007*, een soort jaarverslag met veel interviews, zegt Geerdink in het stuk 'Realistisch kijken naar resultaat in een totaalcontext': 'Ik denk dat er in Nederland veel begrip is voor zo'n instituut (Glen Mills, red). Als de methodiek gedegen onderzocht is en effectief blijkt, dan kunnen we door, blijkt hij niet te werken, dan moeten we ermee stoppen. Zo'n besluit mag echter niet worden genomen op basis van incidenten of sentiment, maar op basis van inhoud.' Hoeveel of hoe weinig inhoud hebben de rapporten van het WODC en de IJZ?

Naast voornoemde kritiekpunten in het rapport van de IJZ lijken andere klachten klein grut. Het puntje onveiligheid, bijvoorbeeld. Het ontwerp en de constructie van de gebouwen dragen bij aan het ontstaan van onveilige situaties; de gebouwen zijn weinig overzichtelijk, de 'zichtlijnen' in de trappenhuizen en bepaalde klaslokalen zijn slecht.

Serieuzer is het ontbreken van pedagogische deskundigheid. De IJZ geeft bij haar beoordeling vier verschillende scores: afwezig, aanwezig, operationeel en geborgd, oplopend van negatief naar positief. Het 'herkennen en diagnosticeren van behandelbare psychiatrische stoornissen' is afwezig. Er is op Glen Mills één gedragskundige. Volgens de Inspectie is één gedragswetenschappelijk geschoolde medewerker op honderd studenten 'zeer beperkt'. (In de eerste jaren van Glen Mills was er geen gedragskundige.)

Opmerkelijk is dat er al in 2007 op Glen Mills een proef met gesloten jeugdzorg loopt, ruim voor de politieke besluitvorming in juni 2008. Dat blijkt althans uit een ander rapport van de IJZ, *Veiligheid behandeling in gesloten jeugdzorg. Streven naar waarborgen* uit januari 2008. In het project *Juiste hulp* zijn bij de Hoenderloo Groep vijftig kinderen 'blind' onder de noemer gesloten jeugdzorg geplaatst, verdeeld over drie locaties: achttien kinderen op Glen Mills, achttien à twintig jongeren in Deelen en ongeveer vijftien in Hoenderloo.

Volgens de IJZ loopt het project nog niet op rolletjes. 'Eén project (*Juiste hulp*) plaatst de kinderen van de gesloten jeugdzorg volledig geïntegreerd in het totale aanbod van de instelling; niet iedere medewerker van de betreffende groepen weet hoeveel en welke kinderen opgenomen zijn in het kader van gesloten jeugdzorg. Hierdoor is het voor de groepsleiding niet inzichtelijk bij welke jongeren bepaalde vrijheidsbeperkende maatregelen mogen worden toegepast. De mogelijke toepassing van maatregelen is met onvoldoende waarborgen omkleed waardoor de persoonlijke levenssfeer van jongeren onvoldoende beschermd wordt.'

Ook was ten tijde van het onderzoek 'nog geen sprake van het systematisch registreren, evalueren en leren van de incidenten', concludeert de IJZ. De Hoenderloo Groep zou wel initiatieven hebben genomen om dit op korte termijn te realiseren. Bij *Juiste hulp* is verder niet vastgelegd dat de cliënt, met name de ouders, is gevraagd om in te stemmen met het plan. Ook zijn de doelen nog niet altijd concreet en meetbaar geformuleerd. De doelen zijn niet herleidbaar uit de problematiek of hulpvraag van het kind en het is niet duidelijk wie verantwoordelijk is voor de realisatie. En er worden geen termijnen aan de doelen gekoppeld. Gevraagd om meer informatie over het proefproject, ontkent de IJZ-woordvoerster dat het project ooit bij Glen Mills heeft gelopen. Ook Nieukerke ontkent dat in augustus 2008. De persvoorlichting van de Hoenderloo Groep bevestigt de proef op Glen Mills.

Wat werkt, en wat niet? De wetenschappers zijn er nog niet uit. Een stroming die de groepsdynamiek op Glen Mills afwijst, heeft haar hoop gevestigd op Amerikaanse methoden die focussen op het hele gezin, zoals ouderschapstraining (Parent Management Training Oregon, PMTO), gezinschapstraining (Functional Family Therapy, FFT) en Multi Systeem Therapie (MST), waarbij criminele jongeren niet naar een inrichting hoeven. De behandeling voor jonge delinquenten vindt plaats in de natuurlijke omgeving zoals familie en vriendengroep, en richt zich op meerdere problematische aspecten van de jongere, dus op het individu en niet op de groep.

MST staat hemelsbreed van de groepsdynamische aanpak van Glen Mills af. Het is dus niet verwonderlijk dat MST-voorstander prof. dr. Josine Junger-Tas (Willem Pompe Instituut voor Strafrechtswetenschappen, Universiteit Utrecht) al in juni 2003 over Glen Mills zegt: 'Veel te veel jongeren worden naar inrichtingen gestuurd. Dat is de slechtste oplossing. Vroeger telden ze 70 plaatsen, nu 120. Zet eens 120 rotjochies bij elkaar, dat kan toch niet goed gaan? We weten uit de psychologie dat je niet allemaal probleemgevallen bij elkaar moet zetten. Zeker als je geen aantoonbaar goed behandelprogramma hebt.'

Oud WODC-directeur Junger-Tas werkt als lid van de Raad voor de Strafrechtstoepassing en Jeugdbescherming in juli 2008 aan een in oktober van dat jaar te verschijnen advies voor het ministerie van Justitie over de aanpak van criminele jeugdigen. Het tienjarig bestaan van Glen Mills is volgens haar geen reden voor een feestje. 'Het is een slechte methodiek die nooit geëvalueerd is, en de recidive neemt alleen maar toe. In de groepsaanpak zie ik niets. Je krijgt altijd een informele subcultuur die volledig aan de begeleiders ontsnapt, waarin de brutaalste jongens de machtigste worden. Jongeren moet je individueel aanpakken.'

In de ruim veertig jaar die de criminologe actief is in de wetenschap heeft ze vele rapporten zien verschijnen. De kwaliteit van de rapporten van commerciële onderzoeksbureaus heeft volgens haar te lijden onder tijdsdruk, in tegenstelling tot bijvoorbeeld universitaire onderzoeken. 'Wiens brood men eet, diens woord men spreekt' speelt altijd mee, stelt Junger-Tas. 'De aanbevelingen zijn vaak niet kritisch genoeg naar de opdrachtgever.'

Adri van Montfoort typeert de instelling van zijn Adviesbureau Van Montfoort, een in 'het wereldje' gerespecteerd onderzoeksbureau, als betrokken en dienstverlenend. 'We kiezen ervoor om een betrokken buitenstaander te zijn. Volgens ons draagt alleen een lakmoesproef, zoals onderzoeken in opdracht van ministeries, weinig bij aan de methode. Maar extern onderzoek blijft noodzakelijk. Je kunt ons rapport niet in de plaats zetten van wat de Inspectie jeugdzorg doet.'

Over een groepsdynamische methodiek, zoals toegepast op Glen Mills, zegt Van Montfoort: 'Zolang we in Nederland jongeren in een gevangenis in een groep zetten, moeten we kijken naar welke strategieën in een groep effect hebben. Een groep heeft een enorme impact op jeugdigen. Als we daar geen strategie op zetten, bepaalt de sterkste in de groep de pikorde.'

MST, FFT en andere ambulante programma's ziet hij in de praktijk nog niet werken als alternatief voor gesloten jeugdzorg. 'Alle instellingen zitten vol en de trend is nog steeds dat er meer jongeren worden aangemeld voor gesloten jeugdzorg. Voor een ambulant programma is MST duur en de methode wordt slechts op beperkte schaal verspreid. Vanzelfsprekend ben ik een voorstander van ambulante programma's. Maar in de geschiedenis van de jeugdzorg zijn vaak wonderoplossingen naar voren geschoven, die naderhand slechts voor een beperkte groep bleken te werken. Glen Mills is geen haarlemmerolie. De justitiële jeugdinrichtingen zijn dat niet en MST is dat ook niet.'

Toch helt de balans in de wetenschap over naar door de erkenningscommisie erkende gedragsinterventies als Multisysteem Therapie (MST), en lijkt Glen Mills te hebben afgedaan. Hoogleraar forensische psychologie prof. dr. Corine de Ruiter (Universiteit van Maastricht) pleit al jaren voor sluiting van de Nederlands Glen Mills. Ad-interimdirecteur Ouwens verwijt haar partijdigheid. 'Ze is voorstander van de MST-theorie. Dat is haar belang, daar moet ze geld voor zoeken.' Ook hoogleraar ontwikkelingspsychologie prof. dr. Willem Koops (Rijksuniversiteit Groningen) vindt dat GMS dicht moet. 'Politici verkeren in wanhoop, willen snel scoren en roepen "aanpakken die handel".'

Ouwens kan er niet over uit dat 'objectieve en weldenkende mensen zo ongenuanceerd doen. De Ruiter en Koops weten van toeten noch blazen. Dat is geen verwijt maar een constatering.' Maar is er kritiek van meer knappe koppen. Prof. dr. Ido Weijers, bijzonder hoogleraar jeugdstrafrechtspleging aan de Universiteit Utrecht, pleit voor een strafrechtelijk onderzoek naar misstanden, en uit felle kritiek op de methode. Glen Mills richt zich op 'jongens die bijzonder gevoelig zijn voor groepsdruk, en versterkt die gevoeligheid nog eens extra, in plaats van ze te leren er weerstand aan te bieden,' zegt Weijers, lid van de Raad voor de Strafrechtstoepassing en Jeugdbescherming in juni 2008 in *NRC Handelsblad*.

Een van de eerste en grootste GMS-criticasters is hoogleraar sociaal-pedagogische hulpverlening (en bijzonder hoogleraar reclassering) prof. dr. Peter van der Laan: 'Orde, tucht en discipline, dat werkt niet. Dat weten we al twintig jaar. Dat heeft weinig te maken met hoe je je staande kunt houden in de samenleving, op school en in werk en je sociale omgeving. Dat vereist andere vaardigheden, sociale vaardigheden,' zegt hij in *EénVandaag*.

Prof. mr. Paul Vlaardingerbroek, hoogleraar familie- en jeugdrecht aan de Universiteit van Tilburg, moet zich bij hen aansluiten. 'De politiek zoekt een oplossing voor overlast. Het makkelijkst is het om die overlast naar een andere omgeving te verplaatsen. Maar die jongen komt terug. Dan begint het opnieuw, en heftiger,' zegt de kinderrechter en voorzitter van de sectie Jeugd van de Raad voor de Strafrechtstoepassing en Jeugdbescherming. 'Jongens die een hoge status krijgen, zijn managers in de dop. Ze kunnen prima als manager bij McDonald's aan de slag, maar ze kunnen ook leider van een jeugdbende worden.'

Een van de weinige wetenschappers die Glen Mills wil openhouden (ondanks dat hij op verschillende elementen van de methode wel degelijk kritiek heeft) is prof. dr. Theo Doreleijers, hoogleraar kinder- en jeugdpsychiatrie aan het VU Medisch Centrum. 'Ik zou het ernstig betreuren als een instelling als Glen Mills gesloten zou worden, het zou kapitaalvernietiging betekenen. Zet er liever een paar goeie experts op die de methode toetsen en bijstellen! En laat een en ander door adequaat wetenschappelijk onderzoek begeleid worden.'

Steun komt er niet van de Universiteit van Amsterdam. 'GMS is een van de vele methoden die proberen binnen instellingsmuren (gestrafte) jongeren te "genezen" en ze te leren functioneren in de samenleving daarbuiten. GMS baseert zich daarbij op zeer speculatieve theorieën over mogelijke effecten van positieve groepsdruk, terwijl tot nu toe alleen maar negatieve effecten bekend zijn. Er is dus om meerdere redenen geen rationele basis om te verwachten dat GMS jongeren kan helpen. Integendeel, door ze een tijdlang uit de samenleving te halen (vaak langer dan de opgelegde straf) belemmert GMS het leren meedoen,' zegt prof. dr. Jo Hermanns, hoogleraar opvoedkunde. 'Het is jammer dat in Nederland om mij niet bekende redenen er veel geld in onevenredig dure, maar notoir ineffectieve hulp aan delinquente jongeren gestoken wordt. Met hetzelfde geld dat nu wordt uitgegeven aan dit soort voorzieningen had een veelvoud van probleemjongeren effectief in hun eigen leefsituatie geholpen kunnen worden.'

Prof. dr. Jan Janssens, hoogleraar opvoedings- en gezinsondersteuning aan de Radboud Universiteit Nijmegen en prof. dr. Micha de Winter, hoogleraar maatschappelijke opvoedingvraagstukken aan de Universiteit Utrecht, houden het bij een korte reactie. 'Ik ga af op het onderzoek van Peter van der Laan, en denk dat hij gelijk heeft. Dus ik sta niet achter de methode,' aldus Janssens. Micha de Winter: 'Ik geloof niet dat iemand mij ooit op een steunbetuiging aan Glenn Mills heeft kunnen betrappen.'

Een jaar na zijn pensionering bij de Hoenderloo Groep op 1 juli 2007 staat Hans Nieukerke nog steeds achter de methode. 'Glen Mills is nog steeds een succesverhaal, en het programma wordt alleen maar beter.' Toch zegt hij ook: 'Het heeft minder opgeleverd dan we verwacht hadden. Het is moeilijk om gezonde plantjes weer in giftige grond te zetten.'

Desondanks verwacht Nieukerke geen heil van MST. 'Daar zit ontzettend veel lucht in, maak de borst maar nat hoor. Met ouders die geen Nederlands spreken, en heel ver van de wereld zijn, daar begin je niet veel mee met MST. Ik zie het wel over drie jaar. Maar als er morgen een programma komt met een beter rendement dan Glen Mills, dan maken we van dat gebouw (de Willem de Zwijgerkazerne, red.) toch een bejaardenhuis? Glen Mills is niet heilig, ben je belazerd.'

Na het tijdperk Nieukerke blijft Glen Mills experimenteren om aan alle eisen te voldoen. Net zolang blijven verbeteren en schaven als dat onder politieke bescherming kan, net zolang tot Glen Mills wel werkt. Hoenderloo Groep-directeur Herman Geerdink had het er na het IJZ-rapport al over, en Ouwens sluit zich daarbij aan: 'Het is *work in progress*. Stoeien met het programma zodat jongeren goed op de rit komen. Maar de filosofie blijft hetzelfde: zonder tralies.'

Kamerlid Coskun Çörüz (CDA) is initiatiefnemer van een motie om projecten voor Nederlandse probleemjongeren op effectiviteit te onderzoeken. Çörüz' keurmerk zou moeten komen ná de beoordeling door de al bestaande erkenningscommissie Gedragsinterventies van het ministerie van Justitie, die onderzoekt of bepaalde projecten of behandelmethoden leiden tot recidivevermindering. Çörüz verzocht het kabinet eerder de erkenningscommissie mandaat te geven om in ieder geval alle rijksprogramma's op effectiviteit en recidive te beoordelen en te voorzien van een keurmerk.

Bij het Algemeen Overleg over Glen Mills in juni 2008 wil hij weten welke 'keurmerken c.q. certificaten' Glen Mills heeft. Rouvoet antwoordt dat zelfs toetsing aan de erkenningscommissie niet mogelijk is, want 'Glen Mills is een experimenteel programma dat niet is gebaseerd op een programma dat al eerder wetenschappelijk is getoetst en effectief bevonden.' Justitie-minister Donner zei in 2005 nog dat 'op termijn ook de aanpak van de GMS door de erkenningscommissie zal worden getoetst'.

Na de kritische rapporten van de ministeries van Justitie en VWS komt een derde ministeriële dinosaurus, het Sociaal en Cultureel Planbureau (SCP) in 2008 met een rapport dat met een kettingzaag aan de stoelpoten van Glen Mills zaagt. Het interdepartementaal wetenschappelijk instituut concludeert in een op 9 juli verschenen studie dat de aanpak van Glen Mills averechts zou kunnen werken. Heropvoeding van jongeren via disciplinering en groepsdruk verhoogt juist de kans om na terugkeer in de maatschappij weer crimineel te worden, stellen de SCP-onderzoekers. Het volgen van een ambulant resocialisatieprogramma waarbij gezin, school en straat betrokken worden, helpt veel beter. De MST-lobby dringt in het Haagse door.

Het SCP ziet Glen Mills als een wapen van de kabinetten Balkenende in de strijd tegen overlast en criminaliteit. 'Kortom, in deze beleidslijn is handhaven in plaats van gedogen het nieuwe credo. Niet alleen kunnen er hierdoor meer veroordelingen plaatsvinden, maar meer algemeen wordt het vertrouwen van slachtoffers en de Nederlandse bevolking in het rechtssysteem herwonnen.'

Een volgend onderzoek naar de effectiviteit van de Glen Mills-methodiek binnen de gesloten jeugdzorg zal worden gedaan door ZonMw, de organisatie voor gezondheidsonderzoek en zorginnovatie, in opdracht van het ministerie voor Jeugd en Gezin. In 2009 verschijnt het eindrapport.

Op 25 april 2008 publiceert de Hoenderloo Groep op haar website een aantal vernieuwde interventiebeschrijvingen, 'afgestemd op de laatste maatschappelijke, politieke ontwikkelingen en de vraag vanuit de samenleving'. Ook bij de interventiebeschrijving van Glen Mills zijn wijzigingen aangebracht, bijvoorbeeld in de selectiecriteria. Een antisociale persoonlijkheidsstoornis wás een contra-indicatie, maar in de nieuwe beschrijving wordt jongeren met een *ontwikkeling* tot een antisociale persoonlijkheidsstoornis juist de doelgroep.

De grens tussen die in elkaar overlopende fases is dun. De doelgroep van potentiële GMS'ers die bij selectie afvalt omdat ze een antisociale persoonlijkheidsstoornis hebben, is groot. Door het selectiecriterium te veranderen, door doelgroep en contra-indicatie dichter naar elkaar toe te brengen, vergroot de Hoenderloo Groep de vijver waaruit ze kan vissen.

Een 'verstoorde agressieregulatie en/of gebrekkige gewetensontwikkeling', beide stoornissen, horen ineens tot de doelgroep. Drugsverslaving was altijd een contra-indicatie, maar veel potentiële GMS-studenten blowen nu eenmaal. In de vernieuwde interventiebeschrijving heet die contra-indicatie nu een 'langdurige harddrugsverslaving', waarbij de verslaving aan softdrugs als contra-indicatie dus afvalt.

Bij het kopje 'Theoretische onderbouwing' wordt voor het eerst gesteld dat Glen Mills geen eindstation is. Onder het kopje 'Sociale contextuele risicofactoren' worden de geringe opvoedingsvaardigheid van ouders, het gebrek aan steun van prosociale leeftijdsgenoten en volwassenen, een achterstandsbuurt en weinig binding van ouders en familie met de Nederlandse cultuur genoemd. Onder het kopje 'Niet beïnvloedbaar' staat: 'Buurt/sociale context waarin de jongere terugkeert.'

Dat valt lastig te rijmen met 'De student moet het buiten de campus voornamelijk zelf doen, met steun vanuit een positief sociaal netwerk. De student woont zonder ouders en familie op de campus en zonder zijn oude (negatieve en positieve) vrienden. Dit blijft voor de Glen Mills School een van de belangrijkste uitdagingen: de begeleiding van de terugkeer van de student naar deze twee contexten. Wie de student "losknipt", moet daarna ook "plakken".'

Gesteld wordt dat 'met betrekking tot de groepsdynamische benadering – zoals de visie van de GMS op de "groepsdruk en positief normatieve cultuur" – geen breed wetenschappelijk effectonderzoek beschikbaar is'. Maar 'met betrekking tot de individuele gedragsverandering die binnen de methodiek wordt nagestreefd zijn er aanwijzingen dat het programma effectief is. Uit onderzoek (een voetnoot verwijst naar de scriptie van Gerritsen, red.) is gebleken dat jongeren pro-sociaal gedrag internaliseren, dat attitudeveranderingen plaatsvinden ten opzichte van zelfverantwoordelijkheidsgevoel en zelfbeeld en dat de kans groot is dat studenten deze attitudes op lange termijn zullen blijven behouden.'

Om sollicitanten met een opleiding sociaal-pedagogische hulpverlening (hbo) of sociaal-pedagogisch werk (mbo) stond Glen Mills nooit te springen. 'Die zijn toch vaak op zoek naar zichzelf,' zegt Ouwens in mei 2008 op een Open Dag voor potentiële nieuwe coaches. Optimale nabijheid met behoud van distantie, noemt Ouwens de ideale opstelling. 'De jongens weten je zwakte onmiddellijk te vinden, ze weten waarom je deze baan wilde hebben. We hebben mensen nodig die autonoom zijn.'

Die in *Sp!ts* gepubliceerde uitspraken worden Ouwens intern niet in dank afgenomen. In de recent vernieuwde interventiebeschrijving van 25 april 2008 komen spw en sph juist wel naar voren, en dat voor het eerst. In het wervingsbeleid komt ook een omslag. In de vernieuwde vacaturebeschrijving op de site heten coaches nu 'pedagogisch medewerkers'. Die moeten nog steeds minimaal mbo-werk- en-denkniveau hebben, maar nu 'bij voorkeur blijkend uit een spw of sph-diploma'. Het verafschuwde 'therapeuteren' komt gevaarlijk dichterbij.

Het is in ieder geval de vraag of er hbo'ers in de wijde omtrek van Wezep zijn (de meeste coaches van Glen Mills komen uit de regio) die voor een salaris van 1800 tot maximaal 2200 euro per maand als coach willen werken. Hoewel... in de zomermaanden van 2008 blijkt uit de vernieuwde vacaturebeschrijving dat het maximumsalaris is opgeschroefd van 2200 naar 2653 euro.

Op die Open Dag in mei 2008 bleek hoe moeilijk het is om (geschikt) personeel te vinden. Glen Mills wilde bij vijftig aanmeldingen de grens trekken, maar de voorgenomen voorselectie bij overschrijding bleek niet nodig. Van de in totaal vierentwintig geïnteresseerden kwamen er uiteindelijk maar vijftien opdagen. (Op de Open Dag voor justitiële inrichtingen was het die dag wat drukker; alle 61 deelnemende inrichtingen waren volgens het ministerie volgeboekt.) Vijf bezoekers waren louter belangstellenden, de resterende tien wilden coach worden. Vier van de tien sollicitanten worden na een eerste *assessment* uitgenodigd voor een tweede gesprek.

Uit het *Jaarbeeld Hoenderloo Groep 2007*: 'Wij zien ons steeds meer gedwongen niet, of beperkt geschoold personeel aan te nemen.'

10 Zorg dat je erbij komt

Nee, Glen Mills is géén *boot camp* waar crimineeltjes door een drilsergeant afgebeuld worden en moeten leren marcheren. Maar Glen Mills heeft wel degelijk militaristische trekjes. Zo is er een duidelijk hiërarchisch model dat streng wordt bewaakt en waarin het stijgen (en dalen) in de rangorde essentiële elementen zijn. In het systeem moeten groepsdynamiek en collectieve straffen druk op de ketel zetten. De jongens worden bij binnenkomst gekortwiekt en het campuscomplex was in het vorig leven een kazerne.

En dan zijn er de banden met Defensie. Bij de eerste lichting coaches zat, geheel in lijn met de *Zeitgeist* om de jongens hard aan te pakken, een groot deel voormalige medewerkers van Defensie: oud-mariniers, oud-commando's, kerels die van aanpakken wisten. De mannen werden bij het aflopen van hun contract bij Defensie gewezen op de mogelijkheid bij Glen Mills aan de slag te gaan.

Volgens oud-coaches leden verschillende collega's met een militaire achtergrond aan PTSS (posttraumatische stressstoornis), opgelopen tijdens missies in Bosnië en Irak. Het aannemen van coaches met een defensieachtergrond bleek in ieder geval, na (de berichtgeving over) de misstanden, toch niet zo'n gelukkige keuze.

De combinatie van oud-studenten & Defensie, dat ziet Nieukerke wel zitten. 'Zijn jongens' zouden baat hebben bij de structuur. Maar wie soldaat wil worden, die mag nou eenmaal geen strafblad hebben. 'Anderhalf jaar Glen Mills schijnt niet genoeg te zijn voor een bewijs van goed gedrag,' moppert hij op 24 januari 2005, tijdens het MKB-feestje op de campus (zie hoofdstuk 17).

Via zijn defensiecontacten heeft Nieukerke goedschiks dan nog geen potten kunnen breken. Nieukerke's medebestuurslid bij het MKB, luitenant-kolonel b.d. Louis Daems, had in december 2003 al een eerste gesprek op het ministerie van Defensie over het onderwerp met staatssecretaris van Defensie Cees van der Knaap (CDA) en twee generaals. Het departement laat hem en de meegevraagde Jean Debie, voorzitter van de vakbond voor defensiepersoneel VBM/NOV, weten dat de kazernes voorlopig dicht blijven voor oud-studenten van Glen Mills. 'We kregen geen onvoorwaardelijk nee te horen,' blikt Debie terug.

Sp!ts doet een dag later, 25 januari, een rondje 'Den Haag'. De grote partijen zijn sceptisch. De PvdA (Angelien Eijsink) zegt geen voorstander te zijn van een voorkeursbehandeling voor oud-GMS'ers. 'Aan deze jongeren worden behoorlijke eisen gesteld. Een deel van deze jongeren kan ontsporen. De criteria moeten niet worden opgerekt omdat die jongeren aan een baan geholpen moeten worden.'

Het CDA (Ine Aasted Madsen-van Stiphout) ziet een 'probleem met agressieregulatie'. Ze heeft het over 'korte lontjes. Dat kan een probleem zijn als je met een mitrailleur in het buitenland staat.' Ook zij zegt dus nee: 'Ik vind dat de jongens een kans moeten hebben in de maatschappij. Alleen bij Defensie botst dat met het veiligheidsonderzoek, dus op dit moment is dat onmogelijk.'

Zsolt Szabó (VVD) laat per mail weten: 'De VVD is van mening dat de leerlingen niet speciaal een baan moet worden aangeboden bij de krijgsmacht. Als iemand geschikt is kan die altijd solliciteren maar we zien geen reden waarom speciaal deze groep voor een voorkeursbehandeling bij Defensie in aanmerking moet komen.'

Vakbondsvoorzitter Jean Debie pleit ervoor om voor de GMS'ers een uitzondering te maken op het veiligheidsonderzoek. 'Onze opvatting is: probeer het een keer uit.' Het defensiestandpunt is echter duidelijk. 'We hebben interesse in alle jonge mensen, ook Glen Mills-pupillen. Maar ze moeten wel voldoen aan de eisen: geen strafblad,' aldus de woordvoerder. Het leger is tenslotte geen Vreemdelingenlegioen.

Nog voor het einde van het jaar zijn de kaarten geschud. VVD-Kamerlid Jelleke Veenendaal en Nieukerke vinden elkaar. Veenendaal leest in de krant dat Nieukerke zijn beklag doet dat oud-studenten geen gevechtsfuncties mogen betrekken in het leger en neemt contact met hem op, zegt ze terugblikkend in juli 2008. Nieukerke zegt juist Veenendaal te hebben gebeld, maar zeker weten doet hij dat niet meer.

Legercommandanten in verschillende regio's en bij verschillende wapens stelden volgens Veenendaal dat GMS-studenten onder voorwaarden zeker welkom zijn. Dat haar collega Zsolt Szabó eerder een ander VVD-standpunt verkondigde, is makkelijk te verklaren. 'U had de verkeerde woordvoerder te pakken.' De instelling volgt ze nog steeds. 'Men probeert Glen Mills weer eens onderuit te halen,' moppert ze door de telefoon, refererend aan het SP-zwartboek.

Bij een hoorzitting van de commissie-Defensie (waarvan de notulen niet bewaard zijn) roert Veenendaal het onderwerp aan. Ze stelt het nogmaals aan de kaak bij het (wel vastgelegde) begrotingsoverleg op 7 november 2005: jongeren die Glen Mills met goed gevolg hebben doorlopen, moeten het leger in kunnen. 'Wij moeten het gewoon eens proberen met vijf jongens die graag Defensie in willen, die graag aan de extremere kanten van Defensie willen werken. Laten wij die opnemen en laten wij na een jaar evalueren of dat een goede keuze was, of er heel veel problemen waren of dat er geen problemen waren. Laten wij dat als proef evalueren. Dat is alles wat ik vraag.'

Veenendaal redeneert dat wanneer de jongens klaar zijn voor de samenleving, ze ook bij Defensie toegelaten moeten worden, omdat Defensie ook deel van de samenleving uitmaakt. Madsen-van Stiphout (CDA) stelt dat Defensie ook mensen aanneemt met een strafblad van maximaal een halfjaar, en Glen Mills-studenten die GMS als alternatief hebben gekregen voor bijvoorbeeld een straf van twee maanden, zou ze onder voorwaarden wel een kans willen geven. Van der Knaap: 'Die benadering staat mij wel aan.'

Szabó laat in juli 2008 weten dat hij in januari 2005 als algemeen woordvoerder van de VVD-fractie wel degelijk het VVD-standpunt weergaf. De gewijzigde opstelling van de politieke partijen wijt hij aan 'voortschrijdend inzicht'. Vakbondsman Debie denkt dat de politici de studenten een tweede kans wilden geven, maar noemt ook 'de macht van de lobby'.

De voortvarende Veenendaal wil dat er per 1 januari 2006 al een proefproject start. Ze dient een motie in opdat jongeren die met 'goed gevolg Glen Mills hebben doorlopen', nieuwe kansen moeten krijgen. De motie wordt door de Kamer met algemene stemmen aangenomen. Veenendaal beweert dat 'velen van deze jongeren zeer gemotiveerd zijn om actief te worden binnen de krijgsmacht'. Dat is opmerkelijk, omdat de Glen Mills-populatie behoorlijk allochtoon is, en allochtone Nederlanders niet bepaald vooraan in de rij staan om bij het leger aan de slag te gaan, alle wervingscampagnes ten spijt.

Een jaar eerder, in april 2004, meldde de staatssecretaris van Defensie in een toespraak op het congres 'Multicultureel Netwerk Defensie' dat het aandeel allochtonen binnen Defensie sinds jaren schommelt rond de 7,5 procent. In diezelfde speech, 'Diversiteit en Defensie', geeft Van der Knaap, verantwoordelijk voor personeelszaken, het formele startsein voor het Multicultureel Netwerk Defensie, een allochtonennetwerk dat de diversiteit van de organisatie moet vergroten.

Op hetzelfde symposium, op de Koninklijke Militaire Academie (KMA) in Breda, is de dagvoorzitter trendwatcher Adjiedj Bakas, op dat moment betrokken bij de productie van de Glen Mills-film *Cool!* Hij schetst een beeld van Nederland in 2020, wanneer een derde van de Nederlanders ouder is dan 65, een kwart 'een kleurtje' heeft, en met name de G4-steden een grote groep *drop outs* kennen.

De Glen Mills-scholen (Bakas gebruikt de meervoudsvorm) en andere vergelijkbare opleidingen zijn in dezen erg belangrijk, betoogt hij, en hij stelt dat Defensie uit de studenten BBT'ers (Beroepsmilitairen Bepaalde Tijd) zou moeten rekruteren. Juist in deze groep zouden mensen erg gemotiveerd zijn om in een omgeving te komen waarin regelmaat en orde heerst.

Van der Knaap ziet een mogelijkheid om Veenendaals motie uit te voeren. Hij betrekt het project *De Uitdaging* erbij, een soort *boot camp* dat sinds 2000 (onder meer allochtone) probleemjongeren meer kansen moet geven op een baan in de burgermaatschappij. Jongens die een positief advies van de Glen Mills School krijgen, moeten zich eerst bij *De Uitdaging* bewijzen. Als ze dat drie maanden durende traject succesvol afsluiten, kunnen ze instromen bij Defensie. De keurings- en selectiemomenten worden in overeenstemming gebracht met de opleiding en voor de psychologische keuring wordt een aangepaste systematiek ontwikkeld.

Om dat alles mogelijk te maken, wordt coulant met het strafblad van de adolescenten omgesprongen. Bij het antecedentenonderzoek zal rekening worden gehouden met de individuele omstandigheden van de oud-leerling. Dit betekent onder andere dat niet 'de duur van de opleiding aan de Glen Mills school als maat geldt voor genoten straffen, maar de duur en de aard van de oorspronkelijke straf waarvoor deze opleiding in de plaats is gekomen'. 'De Uitdaging nieuwe stijl' moet in januari 2006 van start gaan.

Om de *hearts and minds* van Cees van der Knaap te winnen, had Jelleke Veenendaal hem uitgenodigd om samen Glen Mills te bezoeken: 'Op die manier kan hij met eigen ogen zien hoe het gaat op deze school en welke fantastische resultaten ze hier bereiken,' meldt de VVD-website. Van der Knaap vraagt zijn hoofddirecteur personeel mee. Tijdens de rondleiding op 17 februari 2006 geeft hij nogmaals aan dat er mogelijkheden zijn om bij Defensie te werken.

De eisen worden iets versoepeld. De Uitdaging is niet meer een noodzakelijke tussenfase voor elke student. Een positief advies van de directeur van de Glen Mills-School is genoeg om meteen te mogen solliciteren. Als de directeur niet positief adviseert maar twijfels heeft over de oud-leerling, kan die worden toegelaten tot *De Uitdaging*. Hiermee krijgt Defensie zelf de mogelijkheid om een afweging te maken.

Het weblog van Veenendaals persoonlijke medewerker, een dag later, is optimistisch. 'Wat goed is te melden, door het werkbezoek gisteren, waarbij ook de staatssecretaris van defensie was, krijgen jongeren die Glen Mills succesvol doorlopen hebben (en een positief advies van de staf meekrijgen), de kans om bij Defensie te werken. Dit allemaal dankzij een motie die Jelleke eerder namens de VVD had ingediend in de Tweede Kamer.'

In november 2006 publiceert het ministerie van Defensie *Kopstuk-*

ken over de krijgsmacht, een bundeling van 21 interviews met vooraanstaande Nederlanders van buiten de krijgsmacht over hun visie op de toekomst van de organisatie. Onder hen Ahmed Aboutaleb, Rijkman Groenink, Ronald Plasterk, Alexander Rinnooy Kan, Paul Scheffer en Rob de Wijk. Twee geïnterviewden, Pauline Krikke en Paul Schnabel, halen specifiek Glen Mills aan.

Pauline Krikke, burgemeester van Arnhem, roemt Glen Mills. 'Zij vindt het fantastisch dat Defensie heeft ingestemd met het, onder voorwaarden, aannemen van jongeren die de Glenn Mills school succesvol hebben doorlopen. De gestructureerde omgeving van Defensie zou volgens Krikke voor veel jongeren prima werken. Ze spoort Defensie aan om door te gaan met dergelijke initiatieven. Ook al omdat het weer in het gareel krijgen van ontspoorde jongeren bijdraagt aan de zichtbaarheid van Defensie. Defensie moet niet bang zijn dat dit soort activiteiten haar imago zou schaden,' wordt ze indirect geciteerd.

Krikke (VVD) is lid van de Taskforce Jeugdwerkloosheid, een project van de ministeries van Sociale Zaken en Werkgelegenheid en van Onderwijs, Cultuur en Wetenschap om tijdens het kabinet-Balkenende II (2003-2007) 40.000 extra jeugdbanen te realiseren voor jongeren onder de 23 jaar, onder het voorzitterschap van voormalig MKB-voorzitter Hans de Boer. Begin 2005 sluiten de Taskforce Jeugdwerkloosheid, CWI en Defensie een convenant om jaarlijks 7000 werkloze jongeren militair te laten worden. (Hans de Boer lanceert in februari 2006 ook het idee om 35.000 tot 40.000 *drop outs* naar *prep camps* te sturen, een soort *boot camps*.)

Glen Mills wordt in *Kopstukken over de krijgsmacht* door nog een andere geïnterviewde genoemd; Paul Schnabel, sinds 1998 directeur van het Sociaal en Cultureel Planbureau (SCP). Schnabel staat afwijzend tegenover De Boers plan voor de *prep camps*. 'Het bijeenbrengen van dit soort jongeren creëert juist een broeinest van criminaliteit. Nog bezwaarlijker is dat een dergelijke aanpak geen oplossing biedt voor de problemen van deze jongeren.'

'Het militaire "drillen" sluit niet aan bij hun mentale problemen. De resultaten van eerdere pogingen, zoals de Glenn Mills-scholen, zijn volgens hem evenmin onverdeeld positief. Schnabel vermoedt dat de bedenkers van deze aanpak zich bovendien niet realiseren dat Defensie vooral werkt met 'professionals'. En hij vraagt zich af of het juridisch mogelijk is om het plan uit te voeren. Deze jongeren moeten toch eerst een delict hebben gepleegd?' wordt hij deels direct en indirect geciteerd.

De Uitdaging in stand houden was op zich al een uitdaging. Het project krijgt verschillende herstarts. Aanvankelijk is er te weinig aanvoer van jongeren uit de G4, de deelnemende gemeenten. Een verruiming in 2002 naar de G30, aangevuld met de gemeente Den Helder, brengt daar weinig verandering in. Jongeren die daarna worden aangevoerd, hebben een te groot strafblad om te worden aangenomen. *De Uitdaging* wordt geplaagd door uitval, recidive en hoogoplopende conflicten tussen de jongeren en militaire begeleiders, die zo veel agressie niet gewend zijn.

In mei 2007, na een evaluatie, wil Defensie ermee stoppen. *De Uitdaging* kost geld, legt beslag op personeel, maar levert het leger veel te weinig nieuwe rekruten op: vijf. Cees van der Knaap, een voormalige beroepsmilitair bij de Koninklijke Landmacht, laat er geen twijfel over bestaan van welke waarde hij *De Uitdaging* voor Defensie acht. In een algemeen overleg over *De Uitdaging* zegt hij met klem (zo noteert de griffier) dat hij er nooit toe zal overgaan om de toelatingseisen voor Defensie te versoepelen en dus voor mensen die naar moeilijke gebieden als Afghanistan worden uitgezonden.

'De eisen zijn al niet al te hoog en versoepeling zou betekenen dat Defensie op een hellend vlak terechtkomt. Jongeren die hun diploma van De Uitdaging hebben gehaald, moeten niet verplicht worden om nog eens zes maanden bij Defensie te werken. Dat zou vooral pesterij zijn en deze jongeren ook geen perspectief bieden op een loopbaan bij Defensie, omdat zij veelal door hun verleden niet in aanmerking komen voor een vaste baan bij Defensie.'

De Kamer houdt voet bij stuk. Op 7 juni vragen Hero Brinkman (PVV) en Rita Verdonk (VVD) in een motie of *De Uitdaging* uitgebreid kan worden door de instapcriteria minder hoog te stellen, en het project uiteindelijk buiten het defensiebudget te doen vallen. Die motie wordt verworpen. Kees van der Staaij (SGP) vraagt dezelfde dag in een andere motie om *De Uitdaging* bij de minister voor Jeugd en Gezin onder te brengen. Die motie wordt aangenomen.

De Uitdaging wordt ingebed in de proeven van minister Rouvoet (Jeugd en Gezin) voor *prep camps*, campussen voor probleemjongeren, die in 2011 een landelijk dekkend netwerk moeten vormen. In maart 2008 wordt de commandant geschorst wegens fraude en valsheid in geschrifte.

Glen Mills-*De Uitdaging* lijkt stilletjes te sneuvelen. Kamerlid Rita Verdonk vroeg in het algemeen overleg in mei 2007 over *De Uitdaging* hoeveel oud-studenten van Glen Mills na de motie-Veenendaal bij Defensie aan de slag waren gegaan. Er bleek welgeteld één sollicitant te zijn opgekomen voor de keuring. Zo groot was het veronderstelde enthousiasme van Veenendaal en Nieukerke in 2005 van GMS'ers voor een baan als soldaat klaarblijkelijk dus niet. De sollicitant werd afgewezen. Het ministerie van Defensie laat in augustus 2008 weten dat er nooit iemand van Glen Mills is aangenomen.

Cees van der Knaap, tegenwoordig burgemeester van Ede, liet via zijn woordvoerder weten liever af te zien van een terugblik in verband met de actualiteit van Glen Mills.

11 Cool & the Gang (en Fouad)

Glen Mills kreeg nooit betere publiciteit dan met de film *Cool!*, geregisseerd door Theo van Gogh. Niet dankzij het hoge niveau – de recensenten waren niet bepaald lyrisch – als wel vanwege de publiekstrekkers Johnny de Mol, Katja Schuurman en Thijs Römer, én een rits onbekende acteurs, echte studenten van die o zo mystieke instelling Glen Mills, door Van Gogh zelf gerekruteerd na een lange selectieprocedure.

In *Cool!* (2004) wordt een groepje jonge criminelen na een bankoverval naar Glen Mills gestuurd. Hun leider wordt gespeeld door Johnny de Mol (Prof). Gangsterliefje Mabel (Katja Schuurman) papt aan met gangster Abdel (Fouad Mourigh), terwijl ze ook door Prof wordt geclaimd. Tussen driehoeksrelatie en getapte rechercheurs (Thijs Römer, Steve Hooi) door worden enkele elementen uit de methodiek van Glen Mills getoond, zoals de Geleide Groeps Interactie (GGI) en de zeven confrontatielevels. *Cool!* gunt een kijkje in de keuken van Glen Mills. Misdaad loont niet, is de boodschap. Zowel Abdel als Prof komen aan hun einde bij een mislukte kluisroof in een bank: Prof schiet Abdel dood, agenten schieten Prof dood.

Op de Internet Movie Database, een door veel filmliefhebbers geraadpleegde website voor films, gaven ruim 300 stemmers de film een pover gemiddelde van 5,4 (stand oktober 2008). *Cool!* wordt wel genomineerd voor een Gouden Kalf (Beste Regie). Een jaar later valt Van Gogh in de prijzen. In april 2005 krijgt hij postuum, eveneens voor Beste Regie, de Jury Award op het Philadelphia Film Festival. Dat de film uitgerekend dáár in de prijzen valt, mag geen toeval heten. De Amerikaanse Glen Mills School, in de staat Pennsylvania, ligt op een kleine dertig kilometer van Philadelphia, Pennsylvania's grootste stad. Glen Mills is in die contreien dus geen onbekend fenomeen.

Cool! wordt regelmatig op televisie vertoond. Maar om de film (gemaakt in opdracht van de Hoenderloo Groep) in 2004 in de bioscopen gedraaid te krijgen, bleek een stuk lastiger te zijn. De film komt bij bioscoopketen Pathé niet door de ballotage; Pathé vindt de film niet goed genoeg om in haar cinema's te tonen. Omdat Pathé een groot marktaandeel heeft in de binnensteden van de G4, is dat extra tegen het zere been.

De beoogde allochtone doelgroep van de film woont immers in de grote steden. Zelfs met de *soapies* erbij heeft de film 'geen commercieel perspectief', vindt de keten. Jacques Goderie, filmkenner en programmeur van Pathé, noemt *Cool!* in *de Volkskrant* een 'propagandafilm voor het huidige Nederlandse justitiële vervolgingsbeleid'.

In de Tweede Kamer gaan de liberale klokken luiden. De Kamerleden Fadime Örgü (woordvoerder jeugd) en Jan Rijpstra (woordvoerder cultuur) schrijven getweeën een brief aan de directie van de Pathé-bioscopen. Ze begrijpen als rechtgeaarde VVD'ers natuurlijk dat een bedrijf als Pathé 'commerciële en esthetische/kwalitatieve afwegingen' moet maken.

Toch wijzen ze er Pathé op dat 'de VVD initiatieven zoals de film Cool! van groot belang acht en wat ons betreft navolging verdient in de strijd tegen jeugdcriminaliteit, een verschijnsel waarvan u als bioscoopexploitant in het recente verleden heeft aangegeven hinder te hebben ondervonden'. Örgü en Rijpstra duiden op Marokkaanse relschoppers die, vooral in Amsterdam, filmvoorstellingen voor andere bezoekers verzieken.

Van Gogh en de Hoenderloo Groep zijn zeer verbolgen over Pathé's opstelling. Dat de film niet goed genoeg zou zijn 'is op zijn minst vreemd te noemen, omdat Cool! als een van de weinige Nederlandse films is geselecteerd voor het prestigieuze Toronto filmfestival', zegt Nieukerke. Zijn financierende Hoenderloo Groep dient een klacht in bij de Nederlandse Mededingingsautoriteit (Nma) tegen Pathé. Volgens Van Gogh speelt er nog een andere, onderhuidse, kwestie. Programmeur Jacques Goderie zou een stokje voor de vertoning van *Cool!* hebben gestoken omdat Van Gogh Goderie er nog wel eens van langs wil geven in zijn columns.

Dat doet de cineast en columnist dan ook in zijn eerstvolgende. 'Als ik aan filmkenner en televisiepresentator Jacques Goderie denk, maakt zich altijd een zekere deernis van mij meester. Ik zie een eenzame man voor me die in een lege kantine een bakje zelf meegebrachte sla nuttigt en peinst over de dagen dat hij nog geen dubbel tarief hoefde te betalen aan zijn schandknaapjes.' Van Gogh kan als laatste lachen – de wereldpremière is in het Pathé-theater in Scheveningen, op 16 september 2004. Het theater was afgehuurd door het festival Film by the Sea. *Cool!* is er in acht Pathé-zalen tegelijk te zien. De Pathé-rel leverde veel gratis publiciteit op.

Van Gogh 'gaat' voor *Cool!* Hij werkt belangeloos mee aan de film. De Gezonde Roker neemt er zelfs voor deel aan de Vierdaagse van Nijmegen. 3FM-dj Giel Beelen draait als beloning elke dag de titelsong 'Hou je hoofd Cool'. Ook minister van Financiën Gerrit Zalm werkt een draaidag belangeloos mee. Zalm (VVD) heeft een cameo als bankdirecteur van de bank die werd beroofd. Hij mag een sterfscène spelen: tijdens de overval bezwijkt de bankdirecteur aan een hartaanval.

Over het beoogde effect van *Cool!* is goed nagedacht. De film moet de Glen Mills School op de kaart zetten, en daarvoor wordt door Nieukerke communicatiedeskundige en trendwatcher Adjiedj Bakas aangetrokken. De opdracht aan Bakas' bedrijf Dexter Communicatie BV is een breed toegankelijk communicatiemiddel te realiseren dat inzicht biedt in de achtergrondsituatie van probleemjongeren. De Hoenderloo Groep wil laten zien dat probleemjongeren over veel talenten beschikken, en dat ook voor hen een goede toekomst is weggelegd. *Cool!* moet op scholen worden vertoond.

Nieukerke: 'Wij willen laten zien dat hardekernjongeren of veelplegers of hoe je ze noemen wilt, ook tot iets anders in staat zijn dan crimineel gedrag. We willen iets positiefs laten zien.' Al ruim anderhalf jaar voordat *Cool!* uitkomt, wordt Dexter ingeschakeld om de film te realiseren. Overigens is er in de eerste plannen voor een film nog geen sprake van een film over studenten op Glen Mills, blijkt uit een interview met Bakas in een uitgave van de *Hoenderloo Groep Kwaliteitskrant*, maar over kinderen op héél de Hoenderloo Groep. Pas in een later stadium gaan alle ballen op Glen Mills.

Communicatiedeskundige Adjiedj Bakas neemt zijn taak serieus. Bakas laat een conceptscenario ontwikkelen, zoekt fondsen en vindt een producent. Hij raakt lichtjes in de ban van Glen Mills. In zijn Pamflet nr. 2, *Ondernemen in Nieuw Nederland* (juni 2005) pleit de trendwatcher voor de huisvesting van een nieuwe vestiging van een Glen Mills School, in Den Haag, als bijdrage aan 'Den Haag als hoofdstad van vrede en veiligheid'.

Van de lobby rondom *Cool!* (zie ook hoofdstuk 4) hebben de Glen Mills-acteurs in *Cool!* geen benul. Fouad Mourigh en Farhane El Hamchaoui spelen zich het meest in de kijker. Na hun filmdebuut hebben F&F de smaak te pakken. Met de toneelvoorstelling *rZpkt* (2005) staan ze aan de wieg van hun gelijknamige theaterinitiatief. Het stuk *rZpkt*, waarmee ze scholen en jeugdgevangenissen langsgaan, doet *Cool!* dunnetjes over. Jongeren gaan het criminele pad op, komen in Glen Mills terecht, maar beteren hun leven. De boodschap is weer dezelfde. 'Misdaad loont niet dus blijf op het rechte pad,' redeneert Mourigh.

Fouad en Farhane zijn op weg naar het huis van scriptschrijver Dick van den Heuvel als ze horen dat Theo van Gogh is vermoord. 'Gewoon klote,' is Fouad Mourighs eerste reactie. Mourigh sprak Van Gogh vijf dagen voor de moord voor het laatst, over de telefoon. 'De dood van elk mens is erg. Maar het is nog erger omdat je die persoon goed kent. De samenwerking ging tegen verwachting in goed. Van Gogh was niet streng maar rechtdoorzee. Ik had daar geen problemen mee.'

Door de moord speelt het multiculturele vraagstuk op. Fouad wordt gebeld door journalisten. 'Een gelovige doet zoiets niet tijdens de ramadan, een tijd van bezinning. Maar ook buiten de ramadan ga je niet iemand vermoorden,' zegt hij in *Sp!ts*. In hetzelfde reactieverhaal typeert Nieukerke Van Gogh als een 'geweldige liberaal. Ik heb Theo leren kennen als iemand die niet specifiek tegen islamieten was. Hij trok ook tegen absurde uitlatingen van christenen van leer.'

Na het succes van de voorstelling *rZpkt* brengt het gelijknamige theaterinitiatief *Liefde is kouder dan de dood* en *Daggoedays*, dat tot eind 2007 speelt. Mourigh en El Hamchaoui krijgen ook veel aanbiedingen voor televisie en film. Verschillende opdrachten worden aan de vrienden tegelijk aangeboden. El Hamchaoui legt zich daarna toe op toneel, terwijl Mourigh iets meer tv- en filmklussen doet.

Mourigh speelt achtereenvolgens in een aflevering van de televisieserie *Zes minuten*, in Van Goghs film *06-05* (Hamid), over de moord op Fortuyn, in afleveringen van de politieseries *Baantjer* (Rachid), *Van Speijk* (Driss) en *Boks*, en als loverboy Mo in *Fok Jou!*, een tv-drama in vijf afleveringen, uitgezonden bij de NPS in 2006. Er volgt een rol in *Mannenharem*, een korte film door Eddy Terstall over het onderwerp homoseksualiteit en Marokkaanse jongeren (in opdracht van het ministerie van Integratie en het COC), de 13-delige regiosoap *Koning van de Maas* (sjacheraar Aziz Yilmaz) en een rol in Terstalls rolprent *Vox Populi* (2008).

Meer dan eens wordt Mourigh getypecast als een foute Marokkaan, dan wel een Marokkaan en zijn gevecht op het rechte pad te blijven. Opdrachten genoeg. Maar het leven van een freelance-acteur gaat niet over rozen. Ten tijde van het interview, juni 2008, dateert de laatste opdracht alweer van januari. Bij het theatergezelschap dat hij heeft opgezet, kreeg hij ruzie met zijn baas.

De geboren en getogen Papendrechter klinkt verbitterd. 'Het interesseert mij niet of Glen Mills blijft bestaan. Ik ben weer terug op de bodem van de maatschappij. Het is een *fokking struggle* man.' Fouad Mourigh volgt Glen Mills niet meer en hij komt er niet meer. De laatste keer was een paar jaar geleden, maar zakelijk: voor een voorstelling. In de feestelijke *Graduation Day*, die oud-studenten altijd mogen bezoeken (als ze uit de problemen blijven), heeft hij ook geen zin meer. 'Te overdreven.'

De bekendste oud-Glen Mills-student moet op een houtje bijten. Hij heeft schulden en woont in bij een vriendin. Mourigh zit naar eigen zeggen in een lange dip. 'Na Glen Mills kom je buiten in de maatschappij die niet op je staat te wachten.' Ander werk dan acteren kwam (nog) niet van de grond. 'Ik kan niet via een uitzendbureau werken, ik heb op Glen Mills geen diploma's of certificaten gehaald. Een paar dagen heb ik in de bouw gewerkt en bij een callcenter, maar dat is niets voor mij. Ik ga nog liever gras eten. Ik leef met niks, met wat er op me afkomt.'

Zijn tijd in Wezep was goed, zeker. 'Ik had een fokking goede tijd daar. Sommige jongens hebben misschien een trauma opgelopen, maar ik niet. Je hebt daar het gevoel dat je ergens bij hoorde. Er werd daar goed geïntegreerd, dat zeg ik je wel. Dat kom je nergens anders tegen.' Mourigh looft het volle dagprogramma. 'Glen Mills is niet zo slecht als sommigen zeggen. Er is veel sport, ze houden je bezig. De tijd gaat er sneller dan op een jeugdgevangenis. Je leert ook socialiseren. Je komt op plekken waar je nooit was, en praat op bijeenkomsten met politici. Het eten is lekker en er is genoeg van.'

Mourigh was een harde, pure jongen van de straat, zo eentje die op Glen Mills op zijn plek was. Voor Mourigh ging door Glen Mills en *Cool!* een wereld open. Hij kreeg de methodiek goed in zijn vingers. Hij werd rep, unitpresident (Ferrainola) en als exec vice-president van de campus. Daarna kwam de wereld van televisie, van Amsterdam, van eerlijk je brood verdienen, van de status en waardering die daarbij hoort, verdiend door acteerwerk, niet in een bende. Dat de gestage stroom opdrachten is opgedroogd, is lastig te verkroppen.

Had hij nu nog maar een trajectbegeleider. Die belde aanvankelijk een paar keer, maar Mourigh had hem toen niet nodig. Er wás immers werk genoeg. 'Als mijn acteercarrière weer op de rails komt, komt het goed. Met een paar subsidies kunnen we weer aan de slag met een nieuwe voorstelling.' En mocht dat niet lukken?

'Mij maakt het niet uit als ik binnenkort weer vast kom te zitten. Dan krijg ik daarna reclassering en kan ik misschien een opleiding doen, dan zijn we goed bezig. Ik leef om te overleven. Echt petje af voor mij. In vier jaar ben ik niet opgepakt.' *Art imitates life.* Bij Fouad

Mourigh lopen spel en werkelijkheid een beetje door elkaar heen.

Zo zittend in het zonnetje op het balkon van het Papendrechtse appartement van zijn vriendinnetje is het lekker chillen, met een kopje Marokkaanse thee en een jointje binnen handbereik. Vanaf de zevende verdieping heeft hij uitzicht over een aangeharkt park en een fontein. Erg relaxed. Alleen: zo gaat het elke dag. Voor een treinkaartje naar Amsterdam, waar hij een paar jaar woonde, waar het allemaal gebeurde, is op het moment zelfs geen *doekoe*.

Voor het terugblikken op Glen Mills heeft hij dus wel tijd. Veel namen is hij vergeten, maar de grote lijnen van het programma zitten nog in zijn hoofd. Bij steekwoorden heeft hij meteen een verhaal klaar, ongekleurd door andere berichtgeving. Over de recidivepercentages: 'Daar gaat het niet om. Je ontwikkelt je daar sociaal en emotioneel. Ik heb me daar leren uiten... Maar ik ben weer naar beneden gegaan, ik ben weer terug in de oude situatie.'

In *Cool!* zijn het bankovervallers die naar Wezep worden gestuurd, maar al in Mourighs tijd (2003-2004), waren het niet meer de veelal harde jongens van daarvoor die er zaten, types à la Mourigh. 'De harde jongens zijn vaak het serieust, maar er werden veel te "lichte" jongens geplaatst. Die jongens zijn te makkelijk te manipuleren. Negen van de tien OTS'ers gaat ten onder. Die zielige jongetjes belemmeren het programma: je krijgt een proces en alles ligt dan stil.'

Wie niet de baas is, wie geen hoge status heeft, die kan het haasje zijn. 'Een oudere bull bepaalt wanneer jij naar de wc gaat. Als die de pik op je heeft dan kun je zeker de lul zijn. Dan kun je blaasproblemen krijgen.' Een veelgehoord verhaal: 'Coaches zijn selectief. Iedereen heeft zijn lieverdjes, en dan krijg je ongezonde concurrentie. Coaches willen niet dat trainees van andere coaches sneller gaan, dus proberen ze je negatief te scoren.' Beuken tegen de kast bij de levels 6 en 7? 'Die kasten zijn niet hard. En als je ziet wat daar voor beesten binnenkomen...'

De pijn in zijn rug die hij 'misschien' wel aan processen heeft overgehouden, staat volgens hem in geen verhouding tot 'de pijn die ik nu in mij draag. Het echte leven is tien keer harder dan Glen Mills. Ik voel me constant terrorist, tweederangsburger. Overal moet ik me bewijzen, moet ik harder lopen.' Discriminatie en racisme zijn altijd Mourighs stokpaardjes geweest. Die pijn zit diep. 'Reed ik als kleine jongen met vriendjes mee naar het voetbal en had de vader achter het stuur het over buitenlanders. Dat was ik.'

Mourigh is niet het type dat verslaggevers naar de mond praat. Hij was altijd kritisch tegenover de pers, maar gaf journalisten wel commentaar als ze een quootje nodig hadden. De Marokkaan uit het Rif is niet alleen groepsgevoelig, maar ook coöperatief. Maar de frustratie over wat was maar niet meer is – werk, status, meedraaien in de maatschappij – zit hoog. Hij waarschuwt maar vast: bellen voor een stukje in de krant hoeft niet meer. 'En ze hoeven me ook niet meer voor zo'n discussieprogramma te vragen, voor *Netwerk* of *Rondom Tien*. Die mensen daar discussiëren alleen maar om de discussie. Man, als ik daar zou zitten, ik ga ze stoten geven.'

Hij trekt een vies gezicht wanneer hij herinneringen ophaalt aan de rondleidingen die hij gaf aan de LPF'ers Eerdmans en Varela, en aan de handjes die hij schudde met Verdonk en Hirsi Ali. 'Dat zou ik zeker niet meer doen. Al die types, ze maken mensen zwart, ze creëren tweederangsburgers. Maar op Glen Mills weet je dat niet. Daar kom je later pas achter.'

12 De schoorsteen moet roken

Brood op de plank is niet voor alle zelfstandigen, bedrijven of stichtingen een vanzelfsprekendheid. In een competitieve wereld moet men nu eenmaal vaak iets harder rennen om aan gelden (omzet, fondsen) te komen dan bij de overheid, de machtigste monopolist van Nederland. Dat is geen geheim. Zo heeft de Belastingdienst miljoenen cliënten zonder er iets voor te hoeven doen, maar in dezelfde tak van sport zal een accountantskantoor zelf achter opdrachtgevers aan moeten.

Eigenlijk bestaat dat verschil ook in de wereld van de jeugdinrichtingen. Een justitiële jeugdinrichting is min of meer verzekerd van klanten (dus inkomsten en dus behoud van arbeidsplaatsen). Een particuliere jeugdinrichting daarentegen moet zich bewijzen, wil de schoorsteen kunnen blijven roken. De Hoenderloo Groep is een particuliere instelling, en moet zelf de boer op om de bezettingsgraad op peil te houden. Marktwerking in de jeugdzorg, heet dat.

Service, schaalvergroting, kostenbesparing, productinnovatie en marketing zijn voorbeelden van manieren om de concurrent de loef af te steken (de factor politiek buiten beschouwing gelaten). Wees uniek. Zorg ervoor dat het eigen product onderscheidend is. Creëer een vraag. Een nieuw concept in de markt zetten, een revolutionair product dat iedereen wil hebben, kan een nieuw marktsegment aanboren.

Een afscheidscadeau voor Hans Nieukerke bij zijn vertrek als Hoenderloo Groep-directeur, het gebonden boekje *Maximaal resultaat voor jongeren*, is doordrenkt van de ondernemersgeest die Nieukerke beleed. Pagina na pagina wordt benadrukt dat lef hebben, innoveren en experimenteren ook in de jeugdzorg noodzakelijk is. 'Een jeugdzorgorganisatie moet risico's nemen. Natuurlijk met geld en investeringen, maar vooral met inhoudelijke projecten en experimenten waarmee die organisatie kan scoren, maar ook een uitglijder kan maken. En natuurlijk zijn er experimenten die niet succesvol zijn, het is dan de kunst om dat te herstellen met zo min mogelijk schade,' schrijft divisiemanager Diane Onnink in de inleiding van het door Dexter Communicatie geproduceerde boekje.

Een voorbeeld is *Valor*, een recentelijk geflopt experimenteel prestigeproject van de Hoenderloo Groep waar getraumatiseerde meisjes, (bijna-)slachtoffers van meisjesprostitutie en/of van loverboys, meisjes die ook al met politie in aanraking zijn gekomen, een halfjaar op een geheime locatie in India in een veilige setting verbleven om los te komen uit hun omgeving, 'ver weg van alle verleidingen'. Dat klinkt op papier als een succesformule voor een maatschappelijk probleem dat veel media-aandacht krijgt.

De meisjes zouden in Indiase tehuizen weeskinderen en kinderen met een lichamelijke beperking of een visuele handicap gaan begeleiden. Het van betekenis zijn voor anderen die het veel slechter hebben, zou hun negatieve zelfbeeld doen verdwijnen en hen stimuleren om hun eigen leven weer positief op te pakken. Hans Nieukerke vindt het 'geweldig' dat de Inspectie jeugdzorg naar het project in India gaat kijken, citeert NRC *Handelsblad* hem wanneer dat in de loop van 2007 bekend wordt: 'Het is heel interessant wat we daar doen, ook wetenschappelijk.'

Het India-project (begroot op 700.000 euro voor 32 meisjes) wordt in 2005 met veel poeha gestart. Aanvankelijk vindt de Hoenderloo Groep te weinig geschikte kandidaten. Na twee jaar wordt *Valor* weer met stille trom beëindigd. Formeel omdat de werkvergunningen voor de begeleiders niet geregeld konden worden, waardoor de veiligheid van de deelnemers niet gegarandeerd was. (De meisjes en hun begeleiders moesten vertrekken op toeristenvisa.)

Tussen India en Nederland bestaan nogal wat culturele verschillen. Weliswaar wordt het oudste beroep van de wereld ook in India uitgeoefend; tegen prostitutie wordt echter iets minder liberaal aangekeken. Vrouwen hebben sowieso in het Indiase achterland nog een lange emancipatiestrijd te gaan, zeker in een religieus-conservatieve regio als de Indiase deelstaat Tamil Nadu, waar de meisjes werden gehuisvest.

De meisjes met hun lichte huid vielen sowieso op in Tamil Nadu, waarvan de inwoners een zeer donkere huidskleur hebben. Eenmaal dat in de lokale gemeenschap bekend werd waaróm die meisjes in hun midden verbleven en wat voor verleden ze hadden, was het hek van de dam. 'We worden lastig gevallen door mannen, op een vervelende manier bejegend door mensen in de buurt... er zijn mannen die proberen ons aan te raken en lastig te vallen en ik heb ook al vervelende telefoontjes gehad. Ik heb situaties met dronke mannen op straat meegemaakt die niet prettig waren...' meldt een begeleidster van *Valor* op 18 oktober 2007 op haar weblog.

'Dit alles heeft mij deze week doen besluiten om eerder terug te komen naar Nederland en te stoppen met mijn baan hier. Ik heb veel geleerd over mezelf, het land, het werk en nog veel meer... Mijn lijf geeft aan dat ik dit niet veel langer meer moet blijven doen, anders werk ik mezelf een burn-out in... en ik voel me niet meer prettig en veilig in dit land.'

Op 28 oktober 2007 schrijft ze: 'Misschien hebben jullie een van de uitzendingen (nova, rtl 4 of tv gelderland) over ons project voor meiden met loverboy-problematiek gezien de afgelopen week. Ik heb begrepen dat het allemaal erg mooi is afgeschilderd op tv. Dit is een zeer vertekent beeld. De organisatie heeft een boel steken laten vallen. Er zijn de afgelopen weken weer veel dingen gebeurd die de onveiligheid voor meiden en personeel vergroot hebben. Daarom is besloten dat ik komende week 2 meiden naar NL breng en zelf ook in NL blijf.' Volgens haar heeft 'de Hoenderloo-groep misbruik gemaakt van de passie waarmee wij als hulpverleners in het project valor zijn gestapt'.

Terwijl de televisieploegen op locatie in India aan het filmen zijn, rommelt het al flink. De meegereisde Herman Geerdink, de kersverse Hoenderloo Groep-directeur, vertelt in de op 25 oktober 2007 uitgezonden *NOVA*-reportage: 'Valor betekent moed, lef. We proberen met dit project die meiden weer de moed en lef te geven om beter van zichzelf uit te kunnen gaan (...) en de moed weer te krijgen straks terug te keren naar Nederland, en dan los te komen van hun eigen achtergrond.' Hij zegt dat daarin 'de verandering van cultuur en klimaat een extra shock' voor ze is die hen kan helpen.

De reportage van TV Gelderland, dat ook naar India vloog, is kritischer dan *NOVA*, dat empathisch de meisjes interviewt en het programma uitlegt. TV Gelderland vraagt dóór. In hun op 24 oktober 2007 uitgezonden item komt meisje X. aan het woord. Haar begeleidster vertelt dat X. de veiligheid van de groep meiden in geding bracht.

X. had samen met drie andere meiden een plannetje gesmeed om een mobiele telefoon van een begeleider te kapen, en belde daarna daarmee stiekem naar haar 'ex-loverboy' in Nederland. India blijkt toch niet zo ver weg als gehoopt. 'Dat kan gewoon niet, dat kan echt niet,' zegt haar begeleidster. Tijdens een vakantie wordt X. verliefd op een riksjarijder en zoent met hem – eveneens ontoelaatbaar, volgens haar begeleidster. Dat de meisjes zelf het gevaar opzoeken, kan gebeuren ondanks een – in theorie – 24 uursbegeleiding.

Hans Deten, de projectleider van *Valor* bij de Hoenderloo Groep, reageert in de studio van TV Gelderland. 'Van de huidige 22 meisjes die er (in India, red.) geweest zijn, zijn er 20 meisjes niet meer in contact met hun loverboy of met oudere mannen en als ze dat wel zijn, dan weten we dat ze dat over het algemeen vrij gecontroleerd doen op dit moment.' Deten zegt dat 'met een halfjaar' geconcludeerd wordt of het project geslaagd is of niet.

Nog geen maand na de televisiereportages, op 16 november 2007, trekken de Hoenderloo Groep en de provincie Zuid-Holland de stekker uit het exotische avontuur, melden ze in een gezamenlijk persbericht. Het grondige evaluatieonderzoek van de Inspectie jeugdzorg (IJZ) is niet meer nodig. De IJZ concludeert in april 2008 in een beknopt rapport dat er twaalf incidenten waren, waarbij het in vijf gevallen ging om 'seksuele incidenten'. In één geval was er contact met een Indiase 'loverboy'. De IJZ ziet af van interviews met meisjes, medewerkers en leidinggevenden 'omdat deze gezien de resultaten van de beleidsanalyse niet meer informatie zouden opleveren'. In augustus 2008 wordt bekend dat de Hoenderloo Groep een herstart overweegt in een land in West-Europa.

Valor kon makkelijk door de Hoenderloo Groep en de provincie Zuid-Holland worden stopgezet, op eigen initiatief en eigen gezag. Met Glen Mills ligt dat anders. Het is al lang niet meer het project van Ferrainola, of van Van der Kolk, of van de provincie Zuid-Holland, of zelfs van de Hoenderloo Groep. Glen Mills hoort toe aan de politiek.

Glen Mills is net als *Valor* een voorbeeld van gewaagde productinnovatie. De timing was goed. De Lubberskampementen waren weliswaar geflopt, maar de roep om het strenger straffen van jeugdigen was niet verstomd, integendeel. Cees van der Kolk, de innovator en de bewaker van de bedrijfsformule, 'ontdekte' Glen Mills. Hans Nieukerke was de fondsenwerver, de man met het netwerk, de man die investeerders zocht en vond.

Het belang van Glen Mills voor de Hoenderloo Groep moet niet onderschat worden. Glen Mills is het vlaggenschip van de instelling: op één locatie zitten ongeveer 125 jongens, ongeveer een derde van het totale aantal kinderen dat aan de Hoenderloo Groep is toegewezen. Bij de uitwerking van de plannen wisten Nieukerke en Van der Kolk dat ze iets unieks in handen hadden, maar ze konden nog niet bevroeden dat Glen Mills zó groot zou worden. Glen Mills is de Hoenderloo Groep als het ware overkomen.

Het in de markt zetten ging niet als vanzelf, maar met de ondernemersinstelling van Nieukerke en zijn gigantische netwerk lukte het. Bovendien: de politiek was er helemaal klaar voor. Om de schoorsteen te laten blijven roken, blijven verkooppraatjes nodig, en ook na 1999 reist Nieukerke stad en land af om steun te werven binnen bedrijfsleven en politiek.

In een toespraak op 2 mei 2002 verwoordt PvdA-lijsttrekker Ad Melkert zo Nieukerke's argumentatie: 'Directeur Hans Nieukerke praat over de doelstelling van de Glen Mills School in nuchtere economische termen. "Waar zijn die jongens en de maatschappij het meest bij gebaat? Dat ze een half jaar de bak in gaan om vervolgens voortdurend in recidive te vervallen? Of dat ze twee jaar hier zitten met een grote kans nooit meer een bajes van binnen te zien?" 'Maar er zit een andere kant aan dit verhaal. Want Hans Nieukerke vertelde me ook over het taaie gevecht dat hij tegen de overheidsbureaucratie moest leveren voordat hij zijn school van de grond kon tillen. "Natuurlijk is het terecht dat je als overheid meetbare criteria stelt en je daarop afrekent", vertelde hij. "Maar in ons geval moesten we van tevoren eigenlijk al bewijzen dat onze aanpak zou werken. Als je zo denkt kan je nooit aan een experiment of een innovatief project beginnen."'

De structuur van verantwoordelijkheid en inkoop van bedden loopt via een omweg. De direct verantwoordelijke overheden zijn het ministerie van VWS (sinds 2006 het ministerie voor Jeugd en Gezin) en de provincie Zuid-Holland, die optreedt als handhavende financierende overheid. Dat zit zo: het Rijk heeft provincies aangewezen voor planning en financiering van landelijk werkende instellingen, om taken te decentraliseren. Zo is bijvoorbeeld de provincie Utrecht verantwoordelijk voor de Stichting Gereformeerd Jeugdwelzijn.

Ondanks dat de Hoenderloo Groep een particuliere instelling is, valt Glen Mills onder de Wet op de Jeugdzorg. Het ministerie van VWS koopt de eerste bedden in. Het ministerie van Justitie kijkt eerst nog de kat uit de boom, maar gaat uiteindelijk overstag. Daarna is het een kwestie van plaatsen bezet krijgen en gefinancierd houden. Glen Mills wordt de kip met de gouden eieren van de Hoenderloo Groep.

Op 2 augustus 2001 ondertekenen Justitie en de Hoenderloo Groep een intentieverklaring om voor een periode van vooralsnog drie jaar 75 plaatsen in te kopen. Dat worden er in 2002 dankzij het CDA 100. 'Het CDA-kamerlid Theo Rietkerk kreeg middels een amendement in de Kamer voor elkaar dat de school er 25 plaatsen extra bijkreeg,' juicht een persbericht van de CDA-fractie. Volgens Rietkerk hadden heropvoedingskampen als Glen Mills en Den Engh laten zien dat een gerichte aanpak prima effect heeft op criminele jongeren.

Per 1 december 2001 wordt de directe toekomst veiliggesteld, een jaar vóór de afloop van de testfase op 31 december 2002. De structurele financiering van Justitie en VWS is daar, terwijl het eindevaluatierapport van de methodiek nog geschreven moet worden. De 50 bedden die VWS financiert, worden in 2003 structureel, zegt staatssecretaris Vliegenthart mondeling toe. Justitie zal in 2002 75 bedden plaatsen, de totale capaciteit komt daarmee op 125 bedden.

Volgens een woordvoerder van VWS krijgt 'Glen Mills het voordeel van de twijfel. Het is nu nog te vroeg om te zeggen of het project geslaagd of gefaald is. De kinderziektes moeten er nog uit gehaald worden.' Provincies besluiten zelf of ze bedden bij Glen Mills inkopen. Dat zullen ze volgens de woordvoerder niet doen als het beoordelingsrapport negatief uitvalt. 'We kunnen die mensen (het personeel, red.) toch niet zomaar op straat zetten.'

Een Justitie-woordvoerder motiveert de keuze voor Glen Mills als volgt: 'Er is sprake van een duidelijke systematiek. De eerste signalen zijn positief. Uiteraard is het nieuw.' Justitie plaatst jongens gefaseerd bij Glen Mills, eveneens zonder het onderzoeksrapport af te wachten. 'Dat hoeft elkaar toch niet te bijten,' zegt een andere Justitie-woordvoerder.

Edoch, de 'aanvoer' van nieuwe jongens stokt vrijwel vanaf het begin. Hoewel het naar buiten toe is alsof GMS goed 'draait', is er leegstand en kan de groepsdynamiek van de methode amper worden benut. Het aantal stafleden is ongeveer zo groot als het aantal studenten. In 2002 kunnen van de 75 door Justitie ingekochte plaatsen er in eerste instantie maar 14 worden gevuld. In november 2002 waren 35 van de 75 ingekochte plaatsen gevuld. Rond de jaarwisseling waren iets meer dan 40 plaatsen bezet, en pas in mei 2003 waren alle 75 ingekochte Justitie-plaatsen gevuld.

Al in november 2002 wordt, na overleg tussen Hoenderloo en de Dienst Justitiële Inrichtingen, sector Justitiële Jeugdinrichtingen, besloten de 25 plekken van Rietkerk te 'temporiseren', oftewel te bevriezen. Het geld wordt overgeheveld naar het gevangeniswezen omdat daar dan een cellentekort is.

In februari 2003 adviseert de Raad voor Strafrechtstoepassing en Jeugdbescherming minister van Justitie Donner over *Jeugd terecht*, het *Actieprogramma aanpak jeugdcriminaliteit 2003-2006* van de regering. 'Alleen bij gebleken effectiviteit' ondersteunt de Raad de gedachte het aantal plaatsen in internaatachtige voorzieningen zoals Den Engh en Glen Mills uit te breiden.

In het voorjaar van 2003 schrijft Glen Mills een volgens LPF'er Joost Eerdmans 'nogal verontwaardigde' brief naar de LPF. Glen Mills zou blijkens die brief moeiteloos kunnen uitbreiden naar 180 plaatsen, 'mits er geld komt'. Lijsttrekker Mat Herben zet met die brandbrief (tevergeefs) druk op de ketel in de tweede termijn van het debat over de regeringsverklaring van het nieuwe kabinet, en vraagt waar de fondsen blijven die met het amendement-Rietkerk zouden vrijkomen. 'We weten dat het in de grote steden gaat om relatief kleine groepen jeugdcriminelen. Laat deze kans niet lopen. Mijn fractie wil niet wachten tot de Algemene Beschouwingen dit najaar, want dan is er weer een half schooljaar verloren. Vandaar een motie.'

In 2003 zouden er ongeveer 125 jongens zijn geïnterneerd: 75 van Justitie en 50 van VWS. Vanaf 2003 VWS subsidieert structureel 50 plaatsen. Maar in 2004 bereikt de bezetting met 64,5 procent een dieptepunt. Die problemen worden met name veroorzaakt doordat de vraag van rechters naar korte resocialisatieprogramma's niet overeenkomt met het minimumverblijf van achttien maanden van de methode Glen Mills, antwoordt Donner op vragen van Aleid Wolfsen (PvdA). Om bedrijfseconomische redenen besluit Den Haag het aantal inkoopplaatsen niet verder te laten zakken dan 50, omdat een lager aantal tot exploitatietekorten zou leiden.

De onderzoekers van bureau DSP merken op dat de instroom de eerste jaren achter blijft bij de doelstelling (en verwachting). In 2003 zijn 43 jongens op last van Justitie geplaatst, waarvan 14 met (voorwaardelijke) PIJ of OTS. Van de 100 plaatsen die Justitie claimt, zijn er per 1 februari 2004 69 bezet. Omdat veel PIJ'ers met psychische problemen kampen (een contra-indicatie), kan justitie hen niet bij GMS plaatsen. Vanwege de achterblijvende instroom worden de mogelijkheden voor plaatsing uitgebreid en wordt het voor Justitie mogelijk veelplegers te plaatsen, maar de lege bedden worden daarmee niet gevuld.

Eind 2004 wil het ministerie van Justitie gaan beslissen of het al dan niet structureel inkoopt. Dat vormt mede de aanleiding voor de opdracht voor het DSP-onderzoek (zie hoofdstuk 7), dat veel aandacht besteedt aan het maken, toepassen en wegen (van de elementen) van een toetsingskader. Het onderzoek verandert de inkooprelatie. Als er in 2005 meer dan 50 plaatsen nodig zijn dan zal het feitelijke gebruik boven de 50 plaatsen apart worden betaald, zo wordt afgesproken: er is een prestatiecontract voor 25 plaatsen. 'In goed overleg met de Hoenderloo Groep,' aldus Gerrit Zalm, ad-interimminister van Justitie, wordt de inkoop dus gehalveerd.

In *Zware jongens gevolgd. Een benchmark voor de G4 met bijzondere aandacht voor Den Engh en de Glen Mills School*, een onderzoek door Advies- en Onderzoeksgroep Beke uit Arnhem uit 2005, blijkt hoe moeilijk de plaatsing van jongeren op Glen Mills verloopt. Het onderzoek wordt gedaan in opdracht van het Programmabureau Veilig van de gemeente Rotterdam. Die wil weten hoe de Rotterdamse groep ernstig criminele strafrechtelijk geplaatste minderjarigen zijn weg vindt richting de justitiële jeugdinrichtingen. Beke doet dat door de vier grote steden (Amsterdam, Rotterdam, Den Haag en Utrecht) tegen elkaar af te zetten, omdat de vier grote steden nu eenmaal de meeste crimineeltjes leveren.

Beke's conclusie: de instroom bij Glen Mills blijft achter bij de doelstelling, en van verhalen over wachtlijsten is geen sprake. De tegenvallende instroom komt door een aantal 'systeemeisen' van GMS. De duur van minimaal achttien maanden is strikt, weten rechters en Bureau Jeugdzorg. Dat betekent dat de jongeren dus voor de leeftijd van 16,5 jaar moeten worden geplaatst, willen ze het programma kunnen afmaken. Ook de verhalen over misstanden die in de media verschijnen, spelen mee.

Dat het bij Glen Mills wat het vullen van het aantal lege bedden betreft niet crescendo gaat, wil niet zeggen dat het bij andere instellingen beter gaat, analyseert de Hoenderloo Groep. 'De sector Jeugdzorg beleeft zwarte dagen. Het imago van de branche heeft het zwaar te verduren. Rapporten over fouten en tekortkomingen binnen bureaus Jeugdzorg, onderzoeken over recidive na jeugdgevangenis. Het houdt niet op,' klinkt het op solidaire toon in een persbericht in maart 2005.

Het bewijsmateriaal is er, blijkt uit een kleine selectie krantenkoppen op de site van de Hoenderloo Groep: 'Jeugdzorg geheel op de schop' (*De Telegraaf*), 'Het roer moet om in de Jeugdzorg' (*de Stentor*), 'Jeugdzorg Nederland wordt tegen het licht gehouden' (*Trouw*), en 'Meeste jongeren na straf weer in de fout' (*Utrechts Nieuwsblad*). 'Toch zijn er ook nog positieve ontwikkelingen te melden. Interessante en innovatieve programma's, zoals de Glen Mills School, zijn ook zeker de moeite waard om eens in de schijnwerper te plaatsen,' biedt de Hoenderloo Groep Glen Mills aan.

Waar de instelling zich altijd op heeft voorgestaan, is het kostenplaatje. Dat heeft altijd stukken lager gelegen dan bij andere justitiële jeugdinstellingen, was het *unique selling point*. Hans Nieukerke merkte dat de ministeries van VWS en Justitie aanvankelijk niet op Glen Mills zaten te wachten: 'Methodisch was er niet zo vreselijk veel enthousiasme. Voor een andere *trigger* om het op de markt te zetten, moest je laag zijn in de prijs,' zegt hij in augustus 2008, 'een Hema-prijs'.

Een GMS-woordvoerster zegt in *NRC Handelsblad*, vlak na het WODC-rapport over de recidivecijfers in 2008: 'Dat valt tegen, we wijken niet af van justitiële inrichtingen. Het enige waar we wel echt in afwijken, is dat we goedkoper zijn.' De nuancering van het WODC dat Glen Mills niet beter of slechter is dan andere instellingen stimuleert de koopmansgeest. 'We zijn in ieder geval een derde goedkoper, en deze jongens zijn twee jaar opgeborgen,' zegt ad-interimmanager Ouwens.

Er was de afgelopen jaren geregeld kritiek op de instelling, en de directie bracht het gunstige prijskaartje bij die gelegenheden spontaan naar voren. Bij aanvang van het experiment was de kostprijs 70.000 gulden (31.765 euro) per student per jaar plus 5000 gulden huisvestingskosten p.p., maakt samen 75.000 gulden (34.034 euro) p.p. per jaar. Justitievoorzieningen berekenen dan ongeveer 135.000 gulden (61.260 euro) per plaats. Sommige bedragen worden niet in de kostprijs verwerkt, zoals een subsidie van 1,4 miljoen gulden van het ministerie van OCenW voor inrichtings- en intensiveringskosten voor het onderwijs.

Door kostenstijgingen en inflatie lopen de kosten geleidelijk op. In 2001 naar 114.000 gulden (bijna 52.000 euro), zegt Van der Kolk in het *Volkskrant Magazine* van 28 juli 2001. Hij maakt de vergelijking met bedden in een jeugdgevangenis, die volgens hem 180.000 tot 220.000 gulden kosten.

Een halfjaar later is Glen Mills weer goedkoper geworden, althans, daar lijkt het op. Nieukerke stelt in een paginagroot artikel op 15 december 2001 in *De Telegraaf* ('Boefjes in het gareel') dat 'deze school per leerling circa 95.000 gulden (43.109 euro) per jaar kost, terwijl de belastingbetaler aan een plaats in een justitiële inrichting meer dan het dubbele kwijt is.' In het *Algemeen Dagblad* in januari 2005 is de kostprijs 60.000 euro geworden.

Of Glen Mills echt zo goedkoop is, kan worden betwijfeld. De jaarprijs (of de dagprijs) per student zegt lang niet alles over het totale kostenplaatje per student. Tijdens een overleg tussen de vaste Kamercommissie van Justitie over de begroting van 2004 ontspint zich een amusant twistgesprek tussen het lid Kalsbeek (PvdA) en minister Donner over het verschil in kostprijs tussen een dag Glen Mills of Den Engh en een dag in een justitiële jeugdinrichting.

Mevrouw Kalsbeek (PvdA): 'Bepaalde voorzieningen zijn natuurlijk goedkoper. Den Engh en Glen Mills worden vaak genoemd.'

Minister Donner: 'Die zijn niet goedkoper.'

Kalsbeek: 'Zij zijn per dag goedkoper, omdat zij een bepaalde groep jongeren hebben, waarmee zij op een bepaalde manier kunnen werken en die minder begeleiding nodig hebben. Bovendien kunnen zij selecteren aan de poort. Dat is geen verwijt, maar dat is zo. De moeilijkste jongeren, zowel strafrechtelijk als civielrechtelijk, komen in een setting waar veel meer begeleiding nodig is. Dat kan niet goedkoper in de mate waarin de minister dat wil. Misschien kan het voor een procentje of twee.'

Donner: 'Daarom is het fout om te concentreren op Den Engh en Glen Mills. Dat is maar een onderdeel van het totaal.'

Kalsbeek (PvdA): 'U luistert niet. Ik zei dat die relatief goedkoop zijn...'

Donner: 'Die zijn niet relatief goedkoop.'

Kalsbeek (PvdA): 'Dat zijn ze wel, maar ze zijn maar voor een beperkte groep kinderen geschikt.'

Donner: 'Die zijn per dag goedkoper, maar vanwege de lengte van het programma zijn ze aanzienlijk duurder.'

Kalsbeek (PvdA): 'Het gaat natuurlijk om de dagprijs.'

Donner: 'Met de dagprijs heb ik niets te maken. Ik heb te maken met de gemiddelde prijs van een plaats.'

Het aantal geïnterneerde dagen maal de dagprijs geeft al een meer realistisch beeld. De minimale (gemiddelde) verblijfsduur is achttien maanden. Maar als de methodiek voorschrijft dat de minimale verblijfsduur voor behandeling achttien maanden is én de gemiddelde verblijfsduur ook op achttien maanden uitkomt, dan kan dat in principe alleen doordat uitvallers het gemiddelde omlaaghalen. Jongens die dertig maanden of langer op Glen Mills verblijven, zijn geen uitzondering. Maar tegenover een jongen die na dertig maanden Glen Mills verlaat, kan geen jongen gezet worden die al na zes maanden positief is weggegaan om het gemiddelde op 18 te laten uitkomen (18 maal 2 = 36, 36 min 30 = 6).

Methodisch is dat onmogelijk, dus ergens wringt het schoentje. De dag- en jaarprijzen zoals die worden gepresenteerd, houden vanaf de oprichting geen verband met het feit of een jongen zijn behandeling heeft afgemaakt. En dat gebeurt niet altijd, door bijvoorbeeld studenten die zelf afzwaaien omdat ze 18 jaar zijn geworden, overplaatsing door psychische problemen of wangedrag, weglopen of een gang naar de rechter. Als voorbeeld het jaar 2003. 56 jongens verlaten het programma, waarvan 35 positief. 21 jongens maken het programma *niet* af. Hun gemiddelde verblijfsduur is 6 maanden. (Van de 35 jongens die positief weggingen, is de gemiddelde verblijfsduur 20 maanden.)

Glen Mills kan door de rechter worden opgelegd als bijzondere voorwaarde of alternatieve straf, als vervanging voor een straf in een jeugdgevangenis die aanmerkelijk korter zou hebben geduurd dan anderhalf jaar. Als rekenvoorbeeld een straf van bijvoorbeeld drie maanden in een justitiële jeugdinrichting.

Ervan uitgaande dat de dagprijs in een justitiële jeugdinrichting (JJI) dubbel zo duur is als Glen Mills, dan kost drie maanden JJI dus evenveel als zes maanden Glen Mills. Maar een gemiddeld verblijf in Glen Mills duurt achttien maanden, dus de totaalprijs van een behandeling van achttien maanden Glen Mills is nog altijd drie keer zo duur als een straf van drie maanden JJI. Daar komt geen hogere wiskunde bij kijken. In het spel om de knikkers geven de dag- en jaarprijzen van Glen Mills ook om deze reden een onvolledig beeld van de reële prijzen.

Adviesbureau Beke maakt in 2005 in het rapport *Zware jongens gevolgd* een voetnoot bij de lagere dagprijs voor particuliere inrichtingen in vergelijking met rijksinrichtingen. Dat verschil valt namelijk voor een deel terug te voeren op overheadkosten, zoals die van het hoofdkantoor DJI (Dienst Justitiële Inrichtingen), die zijn doorberekend in de dagprijzen. Bij particuliere inrichtingen is dat niet het geval. De DJI is verantwoordelijk voor de uitvoering van vrijheidsbenemende straffen van ongeveer 50.000 gedetineerden, heeft meer dan 85 vestigingen en 18.000 medewerkers.

Als in 2006 via *De Telegraaf* misstanden naar buiten komen, vraagt de Hoenderloo Groep Adviesbureau Van Montfoort onderzoek te doen naar de veiligheid op Glen Mills: 'Als antwoord op kwesties van personele aard, voorziet de Glen Mills School een uitbreiding van de formatie; hetwelk mogelijk wordt gemaakt door de verhoging van de verpleegprijs per ultimo 2006.' Het waarborgen van een minimaal veiligheidsniveau blijkt dus zijn prijs te hebben.

Minister Rouvoet stelt bij het Algemeen Overleg over Glen Mills in juni 2008 dat Glen Mills heeft aangegeven minimaal 108 studenten nodig te hebben om budgetneutraal te draaien. In juni 2008 kosten bedden op Glen Mills 63.698 euro per jaar, oftewel 140.371 gulden, een verdubbeling van de initiële kostprijs. Ter vergelijking: in Pennsylvania kost een student anno 2008 tussen de $37.000 en $38.000 (onder meer dankzij schaalvergroting).

Na het WODC-rapport uit 2008 is de eerste reflex om flink in te zetten op nazorg, maar nazorg kost geld. 'Een zeer intensieve begeleiding volgend op de Glen Mills School kan in onze ogen de resultaten verbeteren. Dit is echter niet binnen de bestaande budgetten per deelnemer en bestaande wetgeving op te vangen. Hierover zal Glen Mills in gesprek gaan met haar geldverstrekkers.' Goedkoper zal Glen Mills er niet op worden, alleen maar duurder.

Hoeveel een jongen 'kost' is meer dan een centenkwestie. Of geld goed wordt besteed, hangt natuurlijk ook af van de effectiviteit van de methode, de maatschappelijke schade van recidive, maar ook aan *wie* dat geld wordt besteed. Dat zijn al heel lang niet meer de bikkelharde bendejongeren die er zouden moeten zitten (zie hoofdstuk 9), maar lichtgewicht-crimineeltjes, huilebalken en jongens met een twijfelachtig IQ die het onderwijs op vmbo-niveau amper kunnen bijbenen.

'De bedden moesten vol. De schoorsteen moest ook roken. Er loopt nu veel klein grut rond en ook het intelligentieniveau ligt gemiddeld veel lager dan in het begin. Het lukt niet om die oorspronkelijke doelgroep zuiver te houden. Dan werkt het programma niet of in elk geval veel minder,' zegt oud-directeur Thieu van Hintum in augustus 2008.

Volgens Van Hintum is voor de afdeling intake van de Hoenderloo Groep de druk om jongens met contra-indicaties buiten de deur te houden te hoog. 'Onder druk van Nieukerke werden er concessies gedaan aan de toelatingseisen. De tent moest vol. Nieukerke werd weer onder druk gezet door Justitie en de Bureaus Jeugdzorg. Die dreigden helemaal geen jongens meer te plaatsen als de moeilijke gevallen niet geplaatst werden. Maar dat zal altijd ontkend worden.'

Nieukerke noemt Van Hintums visie op het plaatsingsbeleid 'zeer betrekkelijk. Wij werden niet onder druk gezet dan dat de plaatsende instantie natuurlijk bij moeilijk plaatsbaren in welk zorgprogramma dan ook een sturende rol heeft. Gelukkig zijn er ook jongens met contra-indicaties tot een erg goed eind gekomen, denk aan de zoon van een topambtenaar. Natuurlijk is er druk uitgeoefend, want de markt bepaalt en onderbezetting kost geld. Gezocht werd naar mogelijkheden om het programma aan te passen. Immers, de markt bepaalt en ondernemen is veranderen als dat nodig is.'

13 Lloyd Smit

Ze keken hem met grote ogen aan, de agenten van het politiebureau in Roosendaal, toen Lloyd Smit binnenliep om aangifte te doen. Aangifte van mishandeling in een strafinternaat, dat maakten ze niet vaak mee. Het was de laatste akte van het toneelspel waar Lloyd onvrijwillig in verzeild raakte.

Op 8 september 2005 werd Lloyd, toen net 15 jaar oud, vanuit een jeugdgevangenis naar Glen Mills verplaatst. Hij had zes veroordelingen aan zijn broek, voor onder meer huisinbraak, mishandeling en verzet bij arrestatie. Bij tijd en wijle is Lloyd Smit (1990) namelijk geen lieverdje. De tiener uit Breda-Prinsenbeek oogt vriendelijk, maar o wee als hij zich in het nauw gedrongen voelt, probeer hem dan maar eens te temmen.

Dat valt althans op te tekenen uit de verhalen van de lange, goed verzorgde, knappe licht getinte jongeman, die ten tijde van het interview (begin juni 2008) nog minderjarig is. Lloyd: 'Het stond in de krant. "Veertienjarige jongen gearresteerd met behulp van pepperspray." Een beveiliger van een winkelcentrum vroeg me weg te gaan.'

Dat ging volgens Smit met enige intimidatie gepaard, met een handgemeen en de uiteindelijke arrestatie als gevolg. Qua profiel en kaliber is Lloyd Smit, geboren uit een Nederlandse moeder en een Indonesische vader, dus een jongen die op Glen Mills wel klein te krijgen zou zijn. Het liep anders, want Lloyd liep weg.

Net zoals voor elke nieuwe Glen Mills-klant werd ook de Bredanaar na binnenkomst snel duidelijk hoe de vork in Wezep in de steel zit: staartje eraf en strak staan. 'Ik wilde zo snel mogelijk bull worden. Na vijf maanden zou ik geïnstalleerd worden, maar toen twee jongens wegliepen, was er een proces en kon de bulls-installatie niet doorgaan.' Datzelfde ritueel vond nog een keer plaats, in een periode dat er op de unit Korczak veel confrontaties, issues en processen waren.

'Net voor de Nijmeegse Vierdaagse, waar we met Glen Mills aan mee zouden doen, kwamen er veel subgroepjes. Tijdens de trainingen voor de Vierdaagse hadden we daar de tijd voor.' Ook Lloyd raakte verzeild in een subgroep, een groep(je) studenten dat zich gezamenlijk door negatief gedrag aan de methodiek onttrekt. 'Het langste groepsproces dat we hadden, duurde acht dagen. Dat was met ongeveer 20 bulls.' Acht dagen geen privileges, geen school. 'Ik was aan het tegenwerken.'

Toen hij, na lange tijd, in juli 2006 weer aspirant was, ging Lloyd na een confrontatie op level 7 opnieuw terug naar af. 'Een bull vroeg me om de wc schoon te maken. Dat wilde ik niet. Hij confronteerde me om een doekje te pakken.' Lloyd weigerde. 'Toen kwamen er twee coaches en werd ik meteen in level 7 genomen. Ze zaten boven op me. Coach A wurgde me steeds even, totdat ik weer rustig werd. Tussendoor, en ook voor het begon, werd ik tegen de metalen kast gebonkt. Een level 7, dat hóór je.'

'Ze willen je moe maken,' blikt Lloyd terug op de holding. Nu, dat had bij Lloyd wat voeten in de aarde. 'Ik scheurde meteen het shirt van coach A kapot. 'Die was van mijn moeder!' zei hij. Ik zag aan zijn ogen dat hij flipte. Coach B heb ik een kopstoot gegeven. Die schopte me na afloop van de level 7 nog in mijn ballen, die had nog wat recht te zetten.' Twee uur lang bood hij verzet, dus zo lang duurde de worsteling. 'Ik weet het nog goed, het was in kamer 1 A, van 8.30 tot 10.30. Ik kon niets meer accepteren. Ik eiste dat ik alleen met mijn moeder wilde spreken, maar ik werd steeds gecovered als ik haar zag op bezoek.'

Lloyds gedrag leidde tot een degradatie naar eye-concern, de laagst mogelijke status, gereserveerd voor studenten die zwaar de fout in zijn gegaan. 'Na die wurging ben ik gaan accepteren, en heb ik mezelf op Glen Mills bewezen.' Lloyds lichamelijke verzet was gebroken. Voor de twee coaches had de confrontatie met Lloyd ook consequenties. 'De senior-coach vertelde me dat twee stafleden waren ontslagen. Hij zei het op zo'n manier alsof de wurging daarmee afgedaan was. Er was een gezamenlijke soort van plechtigheid voor die coaches.

Daarna heb ik ze ook niet meer gezien. Maar eigenlijk had ik toch door moeten zetten met de klachtenprocedure.'

Het klimmen in status ging daarna snel: eye-concern, concern, aspirant, kandidaat-bull, bull en rep. 'Er was zo'n gek die deed de hele tijd snottebellen smeren. Dat leidde uiteindelijk tot een proces van twee dagen, omdat het al vaker was gebeurd. Bij Glen Mills maken ze van iets kleins iets groots, je weet toch. Voor dat proces was ik bull, maar omdat ik zo goed meedeed in het proces, ik moest alles noteren, werd ik rep.' Die laatste statusstijging vond plaats in minder dan een maand. Lloyd werd rep studentenzaken, hij had het op de GMS redelijk voor elkaar.

Toch had Lloyd al besloten het bijltje erbij neer te leggen; hij vond het mooi geweest. Lloyds gedrag was misschien veranderd, maar zijn denken niet. 'Ik begreep uit de gesprekken tussen mijn vader en mijn trajectbegeleider dat ik nog zo'n acht keer op verlof zou moeten voordat ik klaar was om terug te keren in de maatschappij. Dat betekent dat ik nog acht maanden op Glen Mills te gaan had. Ik kon niet meer op Glen Mills vertrouwen. Nieuwe stafleden hadden al snel de pik op bepaalde mensen, dat merkte je. Ik kon het niet verkroppen dat ik gepakt zou kunnen worden voor dingen die ik niet gedaan had. Bovendien, mijn jongere broertjes misten mij. Het was een weloverwogen keuze om weg te lopen. Ik vond dat ik het recht had.'

Met de status 'positieve' rep (een rep die positief gedrag vertoont) op zak, maar zonder diploma of certificaat, verdwijnt hij tijdens een verlof op 20 november 2006, duikt een paar weken onder, en doet daarna aangifte van het holding-incident op het Roosendaalse politiebureau. De rechter heeft volgens hem gezegd dat hij niet meer naar Glen Mills terug hoefde. 'Hij zei: "We kunnen je niet terugplaatsen in een instelling als we niet kunnen uitsluiten of je mishandeld bent of niet." Er liep toen ook al een onderzoek van de Jeugdzorg, dat heeft denk ik wel meegespeeld in zijn beslissing.'

In de eindrapportage, over de laatste twee maanden van zijn verblijf op Glen Mills, staan door zijn plotse vertrek wat eigenaardigheden.

Voor de dubbele puntjes staat de voorgedrukte tekst, daarachter staan in cursief de variabelen, ingevuld door zijn trainer-coach.

'Zijn sociale status in de unit en op de campus is momenteel:

relatief laag, omdat hij geen verantwoordelijkheid neemt voor zijn eigen gedrag (vanaf 20-11)

erg hoog, omdat hij lid is van het unit-bestuur (tot 20-11)'

'In de afgelopen periode zijn de volgende bijzondere gebeurtenissen voorgevallen bij de student:

hij is sportstudent van de week geweest

hij is Bull van de week geweest

hij is weggelopen (20-11-2006)'

'Hij is op verlof geweest tijdens de afgelopen periode en:

dit is slecht verlopen omdat hij niet is teruggekeerd op de Glen Mills School.'

Lloyd kwam inderdaad niet meer terug. Holding, proces, douches schrobben; hij had er tabak van. 'Die rondleidingen zijn zo grappig. Dan komt bijvoorbeeld Bureau Jeugdzorg of een politiekorps langs, maar de deuren van de doucheruimtes waar jongens zitten te schrobben, blijft altijd dicht. Als ik moest coveren bij het douches schrobben en er was een rondleiding dan kwam iemand van de staf zeggen: doe die deur dicht. Of de schrobbers moesten even naar de woonkamer.'

Voor de in juni 2008 meerderjarig geworden Lloyd geldt het volwassenenstrafrecht. Tot halverwege juni stond hij nog onder de jeugdreclassering, individuele trajectbegeleiding (ITB). Dat is een intensieve begeleiding voor een periode van zes tot twaalf maanden (die in de plaats kan komen van een vrijheidsstraf), bedoeld voor de zogenoemde hardekernjongeren. Als jongeren zich niet aan de afspraken houden, volgt alsnog opsluiting. Bij veel ITB'ers spelen problemen als een afgebroken schoolopleiding, werkloosheid of slechte familierelaties. Lloyds moeder scheidde nadat zijn vader zijn gevangenisstraf in Spanje erop had zitten. Lloyds twee jongere broertjes kregen eerder van de rechter een OTS. Ze hebben een voogd maar wonen nog wel thuis. 'Mijn moeder heeft moeilijk gezag over hun. Niet dat ze met justitie in aanraking komen of zo.'

Lloyd woont bij zijn halfbroer. Lloyd is vrij, maar hij moet oppassen niet af te glijden. Bij een volgende misstap kan een echte gevangenis volgen, en dat weet hij. 'De rechter zei: "Als je weer voor moet komen, kennen we geen genade meer voor jou."' Dat zei de rechter niet zonder reden. Lloyd is na Glen Mills al een keer uitgegleden, op een avond in januari 2008.

'We waren aan het voetballen op een soort hangplek. Toen kwam er een politiebusje aanrijden, na een melding van overlast. We maakten te veel lawaai doordat we de bal tegen de muur schopten. "Mogen we wel de bal hoog houden?" vroeg ik. Een van die agenten vatte dat op als sarcastisch, en ik moest mee naar het busje. Daar werd ik gevraagd naar mijn identiteitsbewijs, maar dat had ik dus niet bij me.'

'Er ontstond een discussie, hij verhief zijn stem. "Oké, dan ga ja maar mee naar het bureau," zei hij, en smeet de deur dicht. Toen werd ik agressief en begon tegen het raampje van het politiebusje te slaan. Toen ze deur opendeden, ging ik naar buiten en raakte met mijn rechterhand, niet met opzet, zijn gezicht. Daardoor had hij een tand door zijn lip, een gekneusde kaak en suizende oren. Zei hij.'

Hoe kijkt Lloyd terug op de GMS? Lloyd legt de bal van zijn latere gedrag voor een deel op het bordje van de instelling. 'Glen Mills heeft me wel wat geholpen, maar confrontaties zijn niet altijd goed geweest. Ik denk dat ik daar daarom nu ook niet altijd goed mee om kan gaan.' Voor de zomer werkte hij via een uitzendbureau, als magazijnbediende. Hij wil een opleiding spw gaan volgen. 'Misschien doe ik daar wel mijn voordeel mee.' Of hij dan misschien als coach op Glen Mills aan de slag wil? 'Nee! Misschien zou ik daar medelijden met de jongens krijgen. En dat is niet goed, want dan gaan ze ruimte krijgen.'

14 This is how we do it

In de bossen van Pennsylvania ligt de bakermat van de Nederlandse Glen Mills School. Drieëndertig jaar geleden begon Cosimo (Sam) Ferrainola er zijn revolutionaire Glen Mills School, waar delinquente jongens elkaar moeten opvoeden. Daar, aan de Glen Mills Road in Glen Mills, is men niet bepaald op de hoogte van het reilen en zeilen van hun enige naamgenoot, de meest bediscussieerde opvoedkundige instelling van het afgelopen decennium in Nederland.

Sinds het vertrek van oprichter Cees van der Kolk is er 'geen officieel of officieus contact meer'. Jared 'Jay' Halverson, sinds 33 jaar werkzaam bij Glen Mills, zegt het zonder blikken of blozen: *Cees was running the show.* Het contact is beëindigd toen hij vertrok. 'Wij zijn nog wel bevriend,' voegt hij er meteen aan toe. Halverson, die in de oprichtingsfase de liaison tussen de Verenigde Staten en het Nederlandse experiment was, kan niet duidelijker de brugfunctie van hun contact en het belang van de persoon Van der Kolk voor de Amerikanen aangeven.

Nadat Van der Kolk het veld moest ruimen en de professionele band tussen de twee mannen ophield, hield de uitwisseling van informatie tussen de twee Glen Millsen ook op. In juli 2007 was er nog een bezoek van het Nederlandse managementteam. 'Dat kan, iedereen kan hier een rondleiding krijgen,' zegt Halverson. 'Maar weet je, ik heb eerlijk gezegd geen idee wat Ouwens en zijn team hier precies kwamen doen.'

(Volgens Ouwens 'ging het hele managementteam naar de Verenigde Staten om te benchmarken en te kijken of de methode legitiem is', zei hij in januari 2008. 'Ze (GMS in VS, red.) zijn hartstikke blij dat er nog een Glen Mills in Nederland bestaat. Ze kunnen moeilijk overweg met elementen uit onze cultuur. Wij praten bijvoorbeeld wel over het onderwerp masturberen, zij doen dat niet.')

Halverson gaat voor naar de werkkamer van zijn directe baas, *executive director* Ipock. Ook hij werkt al decennia bij de GMS. Beiden hebben lange coachervaring. Vraagt Halverson zich af wat het doel van het vijfdaagse bezoek van de Nederlandse delegatie was, Ipock was daar zelfs niet eens van op de hoogte. 'Waren ze hier? Dat wist ik niet.'

Maar Ipock en Halverson weten wel meer niet – althans niet officieel. Dat hun kleine broertje een gesloten instelling gaat worden, bijvoorbeeld. Een reactie komt, zonder overleg, direct uit twee monden. *They should take our name off* ('Ze zouden onze naam moeten weghalen'), klinkt het eensgezind vanuit de leren fauteuils. In Ipocks statige werkkamer, met veel gepolijste houten meubels, een zwaar tapijt op de grond en getuigschriften aan de muur, krijgen die woorden een extra dimensie.

Ondanks dat ze de naamgever zijn, kunnen de Amerikanen de vlag zelf niet strijken. De naam Glen Mills School is destijds zonder licentie, gratis en voor niets, aan de Nederlanders cadeau gedaan. Amerikanen staan bekend om het exporteren van sterke merken naar de rest van de wereld, maar Glen Mills is geen Starbucks of McDonald's. Halverson: 'De samenwerking deden we vanuit de goedheid van ons hart. We vonden Cees en Ina (zijn vrouw, red.) goede mensen. We hadden geen franchise-ideeën. Achteraf gezien hadden we dat wel moeten doen, zodat we betrokken hadden kunnen blijven bij de instelling.'

Met veel plezier blikt Halverson, weer in zijn eigen kantoor, terug op het volgen van de pioniersfase in Nederland: het vinden van een geschikt gebouw, het inrichten daarvan, de training van de Nederlandse coaches en studenten in Pennsylvania en de bezoeken aan Nederland, waar hij presentaties gaf voor beleidsmedewerkers en politici. 'Cees en ik hadden een productieve dialoog, een open en eerlijke feedback.' De allereerste lichting (de in Amerika getrainde) coaches noemt hij '*excellent staff*. Ik zou ze stuk voor stuk hier aangenomen hebben.'

Cees van der Kolk en Hans Nieukerke; Jay ziet ze nog steeds als het gouden team van programma & politiek. 'Cees had de methodiek goed door, en veel ervaring met kinderen. Hij had zijn ervaring uit de loopgraven. Hans wist politieke steun te werven en geld binnen te halen. Het was een leuke en spannende tijd,' zegt Halverson, een vriendelijke beer van een vent met een ringbaard en een doortastende blik achter getinte brillenglazen.

Dan is het tijd voor een rondleiding, ook in de Verenigde Staten een verplicht nummer. De twee hogestatusstudenten Brandon en Robert doen het een beetje op de automatische piloot. Misschien hebben ze het riedeltje al te vaak afgedraaid, of zitten ze met hun hoofd al bij Onafhankelijkheidsdag, Fourth of July, overmorgen. Of ligt het aan het warme zomerweer, of het feit dat het campusterrein zo immens is?

Brandon en Robert zijn het gewend, maar het uitzicht is overweldigend. Waar in Nederland de studenten over twee units verdeeld zijn, zijn dat in Amerika veertien units, elk gebouw met de afmeting van een klein kasteel, opgetrokken in gladde rode baksteen en leien daken, volgepropt met erkers en dakkapellen.

Een pronkstuk op het campusterrein is een voormalige kerk uit 1826, opgesplitst in twee lagen. Op de onderste laag zit een bioscoop, op de tweede verdieping een bibliotheek. En wat voor een, met een dak van 20 meter hoog en glas-in-loodramen en een collectie van ongeveer vijfduizend boeken. De campus telt een zwembad en twee sporthallen, en op de glooiende heuvels staan honderd huizen voor personeelsleden. Het terrein bevat in totaal ongeveer 800 Amerikaanse *acres*; 325 hectare, een kleine 500 voetbalvelden in het vierkant.

De Glen Mills School is als het ware een dorp in het dorp Glen Mills, en niet alleen qua afmeting of qua populatie (de school telt evenveel studenten als de rest van het dorp inwoners telt, ongeveer 1000). Het heeft ook zijn eigen economie. Er is onder meer een drukkerij, een lasserij, een garage, een kapsalon en een timmerwerkplaats.

Studenten werken er onder begeleiding en kunnen, als ze wat opsteken, certificaten verdienen die hen na Glen Mills verder in de maatschappij zouden moeten helpen. Een certificaat landschapsarchitectuur is er voor het onderhouden van het campusterrein en het certificaat *turf management* valt te verdienen voor het onderhouden van de schappelijk geprijsde en goed bekendstaande golfbaan. Een win-winsituatie.

Klanten zijn stafleden van Glen Mills, maar ook mensen uit de omgeving. Zo maakt de drukkerij visitekaartjes voor zakenlui uit Philadelphia. Bij de garage kunnen ze het plaatwerk van hun auto laten uitdeuken of laten spuiten. Achter een deur waar een gewoon klaslokaal achter lijkt schuil te gaan, zit een heuse opticien. Debby Hicks, een blanke vrouw van middelbare leeftijd uit het nabijgelegen Westchester, laat zich door twee studenten in witte jassen informeren over een bril en een zonnebril die gerepareerd moeten worden. 'Een montuur van Gucci van $300 kost hier maar de helft,' zegt ze samenzweerderig. 'Mijn vriendin komt hier ook, en het schijnt dat zo ongeveer alle agenten uit de regio hier hun adresje hebben.'

Het dorp in een dorp heeft dus een gezonde economie. En inderdaad, de studenten zijn goedkope arbeidskrachten. Maar alle winsten vloeien terug in de kas ten bate van de faciliteiten voor studenten, zegt Halverson. Ook studiebeurzen kunnen ervan worden bekostigd. De kosten per ingekochte student zijn overigens iets meer dan $100 per dag; dat komt neer op $37.000 à $38.000 per jaar, beduidend lager (de lage dollarkoers anno 2008 nog buiten beschouwing latend) dan de bijna 64.000 euro per jaar in Nederland.

Voor hij over verschillen wil beginnen, wil Halverson eerst het misverstand uit de weg ruimen dat in Amerika de nadruk op sport zou liggen, ten nadele van onderwijs. 'Jullie stoppen ook veel energie in sport, en wij stoppen ook veel energie in onderwijs en het trainen van vaardigheden.' GMS Nederland is bij Halverson inderdaad al een poos van de radar. Hij wijst op een thema dat tien jaar geleden gespreksonderwerp was in Nederland.

Nu spelen er heel andere zaken. Als Halverson hoort hoe vaak een holding in Nederland voorkomt (183 keer in 2007, een gemiddelde van 1,5 per student), hoelang die duren kan en hoe een holding wordt afgehandeld, schrikt hij. 'Level 7 kan nooit de laatste stap in het confrontatiemodel zijn bij een kleine overtreding. Het doel is juist om de-escalerend op te treden. Het toepassen van fysieke dwang is totaal verkeerd, en ook niet nodig als er groepsdruk is en een gezonde normatieve cultuur.'

Meteen laat Halverson uitzoeken hoeveel holdings er in zijn Glen Mills zijn geregistreerd. In 2007, met een gemiddelde bezetting van 917 studenten per dag, zijn dat er 266. Omgerekend zijn dat er dus 0,29 per student per jaar, tegenover circa 1,5 holdings per student per jaar in Nederland. Halverson kan zich maar één holding herinneren die uren duurde.

Halverson constateert een 'inflatie' van het gebruik van het zwaarst mogelijke confrontatielevel in Nederland: '*If you always use the hammer, than everything else will be a nail*' (Als je altijd de hamer gebruikt, wordt al het andere een nagel). Een holding is een *big deal*, zegt hij, die niet even onder het tafelkleed geveegd wordt.

Voorkomen is beter dan genezen. 'Wij hebben hier ook niet stil gestaan. Het doel van confronteren is om de situatie te de-escaleren. Dat gezegd hebbende, moet de confrontatie beginnen op het passende level, en als er is geen reactie is, dan naar het volgende level totdat de gewenste reactie is bereikt. Daarna de-escaleert de situatie naar lagere levels.' Hij geeft het voorbeeld van twee studenten die het op een vechten willen zetten. 'Beginnen met confronteren op level 4 (bezorgd verbaal), en daarna terug naar level 3 (vriendelijk verbaal), maar alleen als het gewenste resultaat bereikt is.'

'We bellen bij elk holding de ouders, de gezinsvoogd en we zorgen dat de jongen binnen 24 uur door een arts wordt onderzocht,' zegt Halverson. Als een moeder een klacht indient, worden alle betrokken studenten en coaches gehoord. 'Maar er is in dertig jaar nog nooit één doorgezet. Onderzoekers uit verschillende staten van doorverwijzende instanties interviewen wekelijks studenten. Graag: hoe meer transparantie en onderzoek, hoe beter.'

Als hij hoort dat een proces in Nederland geregeld dagen duurt, kijkt hij alsof hij het in Keulen heeft horen donderen. 'Een proces duurt minuten, of uren, maar dagen? Het lijkt erop dat een coach in zo'n geval het proces als een straf gebruikt. Hier gebeurt een proces van dagen misschien eens per jaar, als een signaal naar de groep.' Mistroostig schudt hij zijn hoofd als hij hoort van de aanschaf van schuimrubberen kussens door de directie van de Hoenderloo Groep om de pijn van het lange zitten te verzachten. Maar één woord wil hij daar aan kwijt: 'Symptoombestrijding.'

Naast Halversons verbazing over het confrontatiemodel en het proces in Nederland is er kritiek op de GGI, de Geleide Groeps Interactie tussen studenten. In Wezep wordt die door hogestatusstudenten geleid. 'We hadden ze in Nederland al vanaf het begin verteld dat niet te doen. Cees en ik verschilden daar van mening over. De GGI mag alleen worden geleid door een daarvoor getraind staflid.'

Het 'douche schrobben' had Cees van der Kolk van Amerika afgekeken. Halverson ziet daar dus geen kwaad in. Dat wil zeggen, als het als middel wordt gebruikt om studenten hun verantwoordelijkheid duidelijk te maken, en niet als doel, als een nutteloze straf. 'Ja, we laten studenten douches schrobben als een schoonmaakklusje. Maar wanneer een student de verantwoordelijkheid krijgt de douche schoon te maken, dan is dat een klus die sowieso moest gebeuren. Het kan ook huiswerk zijn, of extra plichten. Onze staf moet daarin creatief zijn. Studenten rekenschap laten afleggen doen we om ze te helpen, niet om te beschadigen.'

De contacten die Halverson nog heeft met oud-GMS'ers zijn louter vriendschappelijk, de ontwikkelingen in Nederland houdt hij niet bij. Maar eenmaal op de hoogte van de laatste stand van zaken (de interviewer krijgt vlak voor het gesprek een sms binnen over een proces in Wezep om het binnensmokkelen van drugs) heeft hij zijn diagnose klaar: er is in Nederland iets danig mis met de normatieve cultuur, de groepsdruk werkt niet naar behoren, en de coaches zijn niet goed getraind.

'Men had met ons contact moeten opnemen en moeten vragen om trainingen. Onze coaches worden elk jaar bijgeschoold en gecertificeerd.' Halverson merkt op dat het verloop van GM-personeel in Nederland (in zoverre is hij dan weer wel op de hoogte) hoog is, zeker in verhouding met zijn eigen instelling. 'Ik had vanochtend een overleg met twintig coaches. Die werken hier allen al tientallen jaren. *We have a very seasoned* (geroutineerde, red.) *staff*.' Het aantal Nederlandse coaches van het eerste uur is op één hand te tellen. Halverson wijst op de strenge procedure bij de selectie van nieuwe sollicitanten. Een eerste gesprek wordt afgenomen door 25 senior-coaches, een tweede door tien teamleiders. Dan komt er nog een derde gesprek. '*Sometimes bigger* is *better*,' zegt hij met een minzame glimlach.

Recidive is ook voor de Amerikanen een heikel punt. De beruchte successcore van 70 procent die Van der Kolk van hen overnam, herhalen Ipock en Halverson niet meer. Verschillende onderzoekers kwamen sindsdien met verschillende (uiteenlopende) scores. 'Het ene met 95 procent succès, het andere 25 procent.' Ipock en Halverson zeggen ze allemaal met een korreltje zout te nemen. 'De feedback die we van staten krijgen is dat we het beter doen dan andere instellingen.'

Ze weten dat die 70 procentscore extra belangrijk was voor Nederland vanwege het ontbreken van gedegen evaluatieonderzoeken. Concrete getallen worden dus niet genoemd, maar het recidivecijfer is in elk geval lager dan het percentage van 78 uit Nederland. 'Met zo'n cijfer zou niemand nog kinderen naar ons doorverwijzen,' zegt Halverson met een strak gezicht dat geen emotie verraadt: '*We'd be out of business*.'

Over het tot voor kort nog in Nederland gepredikte succespercentage van 70 zegt hij: 'Als je enige doel statistiek is, zul je een manier vinden om de cijfers te manipuleren.' Over de inmenging van de Nederlandse politiek met de Glen Mills School: 'De methode behandelt een sociaal probleem op een sociale manier. Hoe meer krachten je van buitenaf toelaat, zeker de politiek, hoe moeilijker het wordt om de filosofie trouw te blijven.'

Waar en wanneer het in Nederland fout is gegaan, weet Jay Halverson ook niet. Hij wil geen direct oordeel uitspreken, ook al wordt hij niet echt vrolijk van de verhalen die hij – voor het eerst – hoort, verhalen die zo contrasteren met die 'goeie ouwe tijd' van de opstartfase.

Hij gaat er eens goed voor zitten en zegt, over het overnemen van de methode door anderen: 'Op ónze campus zijn de normen het belangrijkste wat we hebben. Wie bewaakt de formule in Nederland? Als je vaak genoeg naar ziekenhuisseries kijkt, zou je kunnen gaan denken dat je met een doktersjas en een stethoscoop zelf ook dokter kunt gaan spelen. Maar om chirurg te zijn heb je meer nodig. En voor Glen Mills heb je meer dan een jasje en een petje nodig. Die zijn oppervlakkig zonder een goede basis.'

Wat jasjes en petjes betreft, is het opvallend hoe weinig studenten of coaches op de campus in de Verenigde Staten in GMS-kleding lopen. Het merendeel draagt vrijetijdskleren, en op de kleding van de school zijn de logo's bescheiden op de borst weggewerkt, als een soort merkteken. Bij de rondleiding buiten was van een aantal mannen rond een barbecue voor een unit moeilijk te onderscheiden wie coach en wie student was.

Jay Halverson, de Amerikaan met de verbale scherpte van een Engelsman, heeft wel een vermoeden waarom GMS-Nederland zichzelf School voor Winnaars heeft genoemd. 'Wij hebben hier een groot bord bij de toegangsweg naar de campus staan met de tekst "Home of champions". Die tekst moesten we wel aanbrengen, omdat onze studenten zo veel kampioenschappen met sport hadden behaald dat die bordjes niet meer op één groot bord pasten. Maar die bordjes hebben we wel eerst moeten verdienen.'

Sam Ferrainola woont op een steenworp afstand van Glen Mills, maar hij is niet meer aanspreekbaar. De hoogbejaarde oprichter heeft drie beroertes gehad en is dementerend. Ferrainola kan dus niet meer om commentaar gevraagd worden en misschien is dat maar goed ook. Nog een beroerte zou hij wellicht niet meer overleven. Jay

Halverson herinnert zich als de dag van gisteren nog Ferrainola's eerste en enige bezoek aan de campus in Wezep.

Halverson stond naast Ferrainola, en hoorde diens reactie op de suggestie van de Nederlandse directie om de naam Glen Mills over te nemen: *'If you ever put locks on our doors, take our name off'* (Als je ooit sloten op 'onze' deuren zet, haal dan onze naam weg). Halverson: 'Je werkt met groepsdruk; dat is de filosofie. De Glen Mills School is een school, en op een school horen geen sloten op de deuren.'

15 Baas van het hele spul

Een hoofdstuk over de (oud-)kopstukken van Glen Mills is relevant omdat ze eindverantwoordelijkheid dragen en omdat ze een duidelijk stempel op de instelling hebben gedrukt, ieder vanuit zijn eigen achtergrond. Sommigen, zoals Glen Mills-directeur Thieu van Hintum of operationeel divisiemanager Willem Brouwer bleven meer in de luwte. Anderen, zoals programmamanager Cees van der Kolk, Hoenderloo-patriarch Hans Nieukerke en ad-interimmanager Henk Ouwens traden meer op de voorgrond.

Van der Kolk (GMS) en Nieukerke (Hoenderloo) waren de eerste directeuren. De pioniersfase van Glen Mills was voor hen, net zoals voor de andere medewerkers van het eerste uur, een enerverende en leuke tijd, blijkt uit gesprekken. Het was de sfeer van een jongensboek. Een coach van het eerste uur blikt terug: 'We waren in die eerste jaren echt bezig vanuit idealisme. Dit was zo'n goed project, Nederland verdiende dat ook en vooral ook de jongeren; die verdienden zo'n kans. En kijk eens hoe geweldig dat allemaal was daar in Amerika. Dat moest hier toch ook kunnen! Ja, idealisme was er volop en dat was ook het leuke aan het pionieren. Zou het voor geen goud hebben willen missen.'

Er moest in het begin veel worden geïmproviseerd, bijna alles moest nog worden opgebouwd en ingericht. De kazerne, die stond er al. Maar de methode, de personele verhoudingen, praktische dingen als koken (op een campinggasbrander); veel zaken op Glen Mills waren nog niet uitgekristalliseerd. In die beginperiode werd een groot beroep gedaan op het personeel. De werkdruk was hoog en er werd een zware wissel op het privéleven getrokken. Maar 'vreselijk fijn' en 'verschrikkelijk leuk' zijn toch de overheersende indrukken die bij werknemers uit de beginjaren zijn blijven hangen.

Het eerste team medewerkers was hecht, maar door de aard van het werk konden spanningen oplopen. In de beginperiode hadden medewerkers hun eigen Geleide Groeps Interactie om gevoelens te uiten. Toen de organisatie groeide en er meer personeel kwam en er meer regels kwamen, werd gezocht naar een balans en naar een evenwicht in de werk- en machtsverhoudingen, zoals dat gebeurt in elke organisatie die wordt opgestart en doorgroeit. Van Hintum: 'Pioniers zijn ongeschikt om te bestendigen. De meeste mensen kunnen pionieren en overschakelen naar professionaliteit niet combineren. Dat geldt op alle niveaus, van directeur tot kantinemedewerker'.

Bij dat zoeken naar een balans en evenwicht in de machtsverhoudingen speelde het element macht, een uiterst corrumpeerbaar element van de methodiek, een grote rol. Uiteindelijk ging macht zijn eigen leven leiden en resulteerde relatief onschuldig haantjesgedrag in een machtscultus die, in ieder geval tot zeer recent, niet was uitgeroeid en altijd sluimerend aanwezig zal zijn. Waakzaamheid blijft geboden.

'Het concept is briljant in zijn eenvoud maar het is waanzinnig moeilijk om de methode in de praktijk uit te voeren, om contact te houden met de normale wereld. De methode heeft alle risico's om sekteachtige vormen aan te nemen en vraagt dus om een uiterst zorgvuldige toetsing,' stelt Van Hintum. Vanaf het ontstaan van Glen Mills lag in de snelkookpansetting machtsmisbruik tussen coaches en studenten, studenten onderling en coaches onderling op de loer.

Macht werd ook zichtbaar in de strijd om het leiderschap van Glen Mills. Er liepen nogal wat sterke mannen (en vrouwen) rond daar, op de campus in Wezep, maar de twee sterkste, dat waren onbetwist Cees van der Kolk en Hans Nieukerke. Een zichtbaar vertoon van macht en status waren de 'persoonlijke' parkeerplaatsen van Van der Kolk, Nieukerke en onderwijsdirecteur Thieu van Hintum. Uit welke hoek de opdracht daarvoor kwam, is niet helemaal duidelijk. Na de berichten over machtsmisbruik in 2003 verdwenen de naambordjes. Van Hintum claimt ze tijdens zijn directeurschap met plezier te hebben verwijderd. 'Ik vond ze belachelijk.'

Van der Kolk, die net als Sam Ferrainola in Amerika dicht bij het campusterrein woonde, kwam geregeld met zijn hond Bob een wandeling maken, en kwam soms op zondag fitnessen. En net zoals Ferrainola letterlijk dwars door het programma heen liep, links en rechts aanwijzingen gevend, bemoeide Van der Kolk zich op adhocbasis ook met veel zaken.

Van der Kolk kon bij processen in hoogsteigen persoon studenten promoveren tot campuspresident of degraderen tot eye-concern. Bij het 'skippen in de levels' werden (senior-)coaches ter plekke gepasseerd. De groepsdynamiek die de medewerkers bij de studenten moesten bewaken, ging bij de staf zelf ook een rol spelen. Coaches aannemen, degraderen en ontslaan ging gepaard met vriendjespolitiek en willekeur, zeggen oud-coaches, die stellen door Van der Kolk gevraagd te zijn daaraan mee te werken – en dat weigerden. Niet iedereen was zo sterk.

Ook waren er onder het personeel 'subgroepjes' (een term voor groepjes negatieve studenten) van bijvoorbeeld coaches met een militaire of een pedagogische achtergrond. Het hebben van een 'informele status' (hoger dan het reële statusniveau) wordt door coaches toegedicht aan studenten, maar ook aan collega's. De methodiek kan zo overweldigend zijn dat het sterker wordt dan de uitvoerder(s). Dat lijkt ironisch genoeg ook te zijn gebeurd met Van der Kolk, de man die de methodiek tot in de vingers beheerste.

Zonder de ijzersterke twee-eenheid Nieukerke-Van der Kolk was de Nederlandse Glen Mills School nooit van de grond gekomen. Nieukerke had de connecties, zorgde voor geld en politieke steun; Van der Kolk, de visionaire orthopedagoog, kende het programma van A tot Z, wist de studenten haarfijn te doorgronden en was de onmisbare schakel met Glen Mills in de Verenigde Staten.

Nieukerke noemt Van der Kolk een man met een 'fantastische drive, met een groot zicht op de jeugdzorg'. Toch ging hun relatie al snel barstjes vertonen. Achter de schermen lagen de 'ontdekker' van Glen Mills en zijn hoogste baas bij de Hoenderloo Groep overhoop over 'van wie' Glen Mills nu eigenlijk was. Wie viel de roem ten eer het ei van Columbus te beheren?

Van der Kolk, decennia geleden begonnen als groepsleider bij de Hoenderloo Groep, zag Glen Mills als zíjn kindje, maar Nieukerke wilde ermee scoren, hij wilde het helemáál hebben, als vlaggenschap van de Hoenderloo Groep. En de Hoenderloo Groep, dat was Nieukerke. De ego's van de twee heren waren te groot om door één deur te kunnen. Volgens Van Hintum, die ze jarenlang van dichtbij meemaakte, zijn Van der Kolk en Nieukerke beiden 'niet gespeend van enig narcisme'.

Van der Kolk schoffeert Nieukerke enkele malen, en die is er de man niet naar om dat te pikken. Twee kapiteins op één schip, dat gaat niet langer. Er kon er maar één de *Monarch of the Glen* zijn. De twee raken gebrouilleerd, het gedwongen huwelijk loopt stuk. De Glen Mills-oprichter is bovendien niet in de wieg gelegd om manager te spelen, en dat brak hem uiteindelijk op. Van der Kolk wordt ziek van de stress.

In het koningsdrama moet 'meneer Van der Kolk,' zoals hij door studenten en coaches werd genoemd, in 2004 het veld ruimen. Een oud-coach noemt het achteraf 'ontzettend dom van Van der Kolk om de strijd met Nieukerke aan te gaan. Hij wist dat hij het onderspit zou delven. In een machtsstrijd wint Nieukerke altijd. Het was ook ontzettend dom van Nieukerke dat hij zijn visionair heeft laten vertrekken.'

Terugblikkend in augustus 2008 ontkent Nieukerke dat er sprake was van een persoonlijk conflict of een machtsstrijd, maar dat het probleem lag bij hoe Van der Kolk met macht omging. 'Hij kreeg narcistische neigingen. Hij verzamelde medewerkers om zich heen met een grondhouding die gebaseerd was op macht. Er gingen steeds meer baasjes ontstaan.' Collega's met andere ideeën 'werden eruit geflikkerd door Van der Kolk. Cees werd voor hemzelf en zijn omgeving een gevaarlijke manager, iemand die dacht dat-ie God was. Maar het ging ondertussen wel om een politiek gevoelig product, hallo.' Na het rapport van de Consultance Groep Nederland moet Van der Kolk samen met Thieu van Hintum de directeursfunctie gaan invullen. Dat wordt geen succes.

Van Hintum doet het in 2005 en 2006 alleen. Van de kalme Brabander worden krachtige hervormingen verwacht, maar in die rol voelt hij zich niet prettig. 'Normaliseren' en rust brengen ziet hij juist als zijn sterke punten. Van Hintum moet het stokje doorgeven aan zakenman Henk Ouwens.

Voordat Ouwens in juli 2006 voor twee dagen per week ad-interimdivisiemanager (directeur) van Glen Mills wordt, loopt hij al een tijdje warm langs de zijlijn als 'externe procesbegeleider'. Dáárvoor is hij directeur van onderzoeksbureau Consultance Groep Nederland, dat in opdracht van Nieukerke – na publicaties over misstanden – onderzoek op de campus kwam doen (zie hoofdstuk 6 en 9).

Volgens Ouwens was het vertrek van zijn voorgangers grondlegger Cees van der Kolk en Thieu van Hintum noodzakelijk. 'Van der Kolk overzag het professionaleren van de organisatie niet. Hij wist intuïtief bij veel jongens de juiste snaar te raken, maar hij zat niet op het abstractieniveau daarboven,' zegt hij in mei 2008. Maar Van der Kolk liet wel een gat achter. De exclusieve kennis van de man die alles wist, werd aan niemand overgedragen. Ook Van Hintum wist volgens Ouwens niet de machtscultuur te doorbreken.

Na hun vertrek bij Glen Mills blijven Cees van der Kolk en Thieu van Hintum enkele jaren bij de Hoenderloo Groep betrokken voordat ze hun decennialange ervaring in de wereld van de jeugdzorg en het onderwijs als zelfstandig adviseurs gaan aanbieden. Van Hintum vertrekt medio 2008. Van der Kolk gaat zich na Glen Mills bezighouden met ontwikkeling van beleid, *research and development*. Hij introduceert bij de Hoenderloo Groep Peer Mediation, het inschakelen van leeftijdsgenoten bij conflicten.

De geschiedenis herhaalt zich. In 1993 hoorde Van der Kolk bij een congres in de Duitse universiteitsstad Lünenberg over Glen Mills; op een congres in Berlijn hoorde hij in 2004 over Peer Mediation, toegepast bij getraumatiseerde jongeren in het Duitse Erfurt. 'Die jongeren helpen elkaar heel goed bij trauma's nadat een medeleerling om zich heen had geschoten en scholieren had vermoord.' Peer

Mediation wint in 2005 de nationale Stimuleringsprijs Jeugdzorg (40.000 euro) om de methode in de praktijk te brengen.

Grondlegger Cees van der Kolk wilde voor dit boek niet uitgebreid ingaan op het verleden of op reacties van anderen. Hij zegt een punt te hebben gezet achter Glen Mills. 'Laat ze maar lekker hun gang gaan. Ik heb geen zin in een verdedigende houding.'

Van Hintums opvolger Henk Ouwens is van veel markten thuis. Geen uitdaging is hem te groot, maar een blijvertje is hij niet. Als hij manager bij Glen Mills wordt, heeft hij er al verschillende carrières opzitten, die hem in Wezep van pas komen. Eind jaren tachtig richt hij de Consultance Groep Nederland op, een adviesbureau voor trainingen en opleidingen, onderzoek, psychologische testen en assessments, en het begeleiden van veranderingsprocessen bij ondernemersorganisaties. In 2004 verkoopt hij de Consultance Groep, nadat het onderzoek naar Glen Mills is afgerond.

In 2004 wordt hij partner bij MPG, een designbureau voor concept-, merk- en formuleontwikkeling. Bij 'het kennis- en opleidingencentrum voor uniek vakmanschap' SVGB is hij kerndocent van de Masterclass Ondernemerschap. 'Henk Ouwens is een begenadigd ondernemer en al jaren zelfstandig actief in verschillende functies. Na diverse studies was het voor hem al snel duidelijk dat ondernemen zijn passie is,' aldus de SVGB-website.

'Henk Ouwens pakt alles aan waar ondernemen centraal staat: "Ik houd van een leven met onzekerheid en spanning. Ik heb daardoor het gevoel dat ik meer leef en wakker blijf. Voor mensen die nooit iets proberen is alles onmogelijk, zeg ik altijd. De liefde voor je vak en met mensen bezig zijn, vormen in mijn optiek de essentie van ondernemen. Ik probeer altijd het snijvlak tussen mensen en ondernemen te vinden."'

De humanresourcesspecialist is medeauteur van het boek *Leiderschap en energie* (ondertitel *Breng mensen in organisaties in beweging*), dat in 2003 wordt gepubliceerd. '*Leiderschap en energie* laat aan de hand van talrijke modellen en praktijkvoorbeelden zien hoe u als leider uw medewerkers zodanig kunt motiveren en stimuleren dat ze daadwerkelijk betrokken raken en blijven bij het succes van de onderneming', wordt het aangeprezen. Het eerste exemplaar wordt uitgereikt aan staatssecretaris Mark Rutte (VVD) van Sociale Zaken en Werkgelegenheid.

Ouwens betoogt: 'Ondernemen is veel meer dan geld verdienen, ondernemer ben je in houding en gedrag. Als ondernemer voel je een "hoger liggende opdracht". En "gelukkig" ondernemen kun je leren. De belangrijkste aspecten hiervan zijn omgevingsbewustzijn, doelgerichtheid, sturing geven en zelfkennis.' Bij Maxis, onderdeel van de C1000-winkelketen, wordt hij gevraagd een meer servicegerichte instelling te kweken. Directie, middenkader en klantenservicepersoneel neemt hij mee voor intensieve cursussen, in afzondering, 'op de hei'.

De ondernemer in hart en nieren heeft zakelijk gezien nog meer ijzers in het vuur. Een cursus 'passievol ondernemerschap in de zorg' doceert hij voor €3.995,- (inclusief klantenonderzoek, examen, studiemateriaal en accommodatiekosten). Hij renoveert het Vaassense Eethuisje in Vaassen en verkoopt het etablissement weer door, als restaurant Rossum – klassiek ingericht, trendy keuken.

Henk Ouwens, die onder meer de studie sociale academie (maatschappelijk werker) heeft gevolgd, leerde tijdens het onderzoek van de Consultance Groep Glen Mills van binnenuit kennen. Enkele oud-medewerkers noemden Ouwens in *De Telegraaf* vlak na zijn aanstelling smalend Nieukerke's kroonprins. Ouwens en Nieukerke hebben een aantal overeenkomsten.

Beiden zijn innemend, erg sociabel, kleurrijk en gedreven ondernemers. Het zijn doeners, op veel terreinen actief. 'Ik heb altijd haast in mijn leven, dus ik moet ook veel meemaken. Ik heb resultaat nodig, absoluut,' zegt Nieukerke in 2006. Ouwens, in 2008: 'Ik ben geen stayer. Ik loop van de ene klus naar de andere klus. Ik heb turbulentie nodig, anders word ik depressief.'

Toch is er is één groot verschil: Nieukerke is tig keer zo machtig als Ouwens. Van Hintum: 'Bij de uitstraling van Nieukerke en zijn verbaal geweld heb ik ministers zien verbleken.' De über-netwerker, rasbestuurder en een van de meest prominente VVD'ers achter de schermen grossiert in de voorzitterschappen in de politiek, het bedrijfsleven, de jeugdzorg en de sport. Ooit begonnen als topfunctionaris bij Zwitsal en Akzo (de laatste vijf jaar als chef marketing) rolt de zakenman via de Hoenderloo Groep de jeugdzorg in. Hij wil zijn werk inhoud geven en zich gaan toeleggen op het 'product mens'. Wat Nieukerke bij zijn aanstelling mist aan ervaring in de jeugdhulpverlening maakt hij goed met zijn ondernemersgeest.

Nieukerke's cv beslaat ettelijke A4'tjes. Hij wordt hét gezicht van de jeugdzorg in Nederland. De aartsliberaal vervulde verschillende functies bij de VVD. Nieukerke raakt bevriend met Rita Verdonk en haalt haar in 2002 over lid van de VVD te worden. Hij wordt hoofd fondsenwerving van Trots op Nederland (TON), Verdonks politieke beweging, maar trekt zich per ingang van februari 2008 uit de beweging terug omdat hij zich 'plotseling moest gaan bezighouden met het binnenhalen van groot geld. Daar heb ik geen verstand van'.

De geboren Maarssenaar zit het pionieren in het bloed. De kat uit de boom kijken is aan Nieukerke niet besteed, en na zijn vertrek bij Akzo en Zwitsal is zijn ondernemersmentaliteit alleen maar gegroeid. Vanuit die instelling probeert hij oplossingen aan te dragen voor maatschappelijke problemen, handig opererend op het snijvlak van politiek, jeugdzorg en bedrijfsleven. Nieukerke steekt zijn nek uit, en soms pakt dat niet uit zoals gewenst. Dat onder meer Glen Mills en de ama-campus bij de uitwerking niet geworden zijn wat gehoopt was, valt slechts voor een deel aan Nieukerke zelf toe te schrijven, en voor het resterende deel aan diegenen bij wie hij draagvlak vond voor zijn plannen.

Nieukerke zat van 1994 tot 2006 in het bestuur van het Centraal Orgaan opvang Asielzoekers (COA) in Rijswijk, waar hij verschillende functies bekleedt. Van 2004 tot 2006 is hij als vice-voorzitter belast met het beleid van de ama's, alleenstaande minderjarige asielzoekers.

(Trendwatcher Adjiedj Bakas neemt in 2004 plaats in het bestuur van het COA, en daarna in de Raad van Toezicht. Voordat Verdonk in mei 2003 minister van Vreemdelingenbeleid en Integratie wordt, is ze gedetacheerd bij het projectbureau Allochtone Minderjarige Asielzoekers op het ministerie van Justitie.)

Bij het COA introduceert Nieukerke de ama-campus, die bijna een-op-een is gebaseerd op Glen Mills, zoals blijkt uit de *Eindevaluatie ama campus* (oktober 2004) van de Departementale Projectenpool van het ministerie van Justitie. De opvang is op een terrein met 24 uursbegeleiding. Het dagprogramma wordt gekenmerkt door voldoende discipline, structuur en helderheid.

'Het bevat voldoende activiteiten om het risico te vermijden dat jongeren zich vervelen, ontspoord raken of vertier zoeken buiten de opvangsetting. Zogenaamde "dubbele boodschappen" moeten worden vermeden. Het dagprogramma zal de zelfstandigheid en zelfredzaamheid van de ama bevorderen. Ledigheid is des duivels oorkussen. Het onderwijs kent een specifieke invulling gericht op terugkeer. Primaire doelgroep is ama's van 15 tot 18 jaar.'

Het hiërarchische model van Glen Mills wordt overgenomen. 'De Rookie en Senior fase (ter stimulering van deelname aan programma) worden geïntroduceerd met bijbehorende kleding. Naarmate de pupillen verder komen krijgen ze meer privileges. Zo wordt er gedacht aan het sparen van geldelijke beloningen die ze mee terug naar huis kunnen nemen.' De ama's, die verplicht groene of rode (naargelang hun status) jacks moeten dragen, worden begeleid door coaches.

Net als in Wezep kunnen de coaches in Vught als laatste sluitstuk holding toepassen. 'De uiterste sanctie om gedrag te corrigeren is de pupil met meerdere medewerkers op de grond te werken en te fixeren tot hij/zij weer gekalmeerd is en kan luisteren.' Het is de vraag of de Chinezen, Afghanen, en Angolezen Engels kunnen verstaan, maar dat wordt in ieder geval de gemeenschappelijke taal.

De campus in Vught wordt geen succes. De 'jonge asielzoekers' (lang niet allemaal meerderjarig) uit diverse culturen, met uiteenlopende psychische problemen en vaak met een geschiedenis van mishandeling en seksueel misbruik, gaan met elkaar en met de begeleiders op de vuist, richten vernielingen aan, dreigen met zelfmoord en vertrekken en masse met onbekende bestemming: de illegaliteit in, niet naar het land van herkomst. Dat de ama's weten dat ze toch niet worden uitgezet en dat sommige wel een verblijfsstatus krijgen, is daar in grote mate mede debet aan.

In de *Eindevaluatie ama campus* wordt Glen Mills (dat voor de zoveelste keer fout wordt gespeld, het is om treurig van te worden) in één alinea expliciet genoemd. 'De visie achter dit beleid, geïnspireerd door de zogenaamde Glenn Mills opvang, is gebaseerd op de gedachte van een internaat: het is streng, niet leuk, maar als je er eenmaal vanaf komt, heb je er wel wat van opgestoken.' De groepsdruk werkte averechts. Terugkeren naar het land van herkomst wordt door de ama's juist als sociaal afwijkend gedrag gezien.

Verder was Nieukerke voorzitter van de Stichting Afasie Nederland, voorzitter van de afdeling jeugdzorg van de Maatschappelijk Ondernemers Groep (MOgroep) en voorzitter van de gehéle MOgroep; de werkgeversvereniging voor Welzijn & Maatschappelijke Dienstverlening, Jeugdzorg en Kinderopvang, waar onder meer de Bureaus Jeugdzorg en (particuliere) justitiële jeugdinrichtingen (JJI's) onder vallen.

Nieukerke is oprichter en bestuursvoorzitter van Collegio, een adviesorganisatie in de wereld van de jeugdzorg. Enkele (voormalige) klanten van Collegio: de Raad voor de Kinderbescherming, de ministeries van Justitie en VWS, de provincies Gelderland en Zuid-Holland (die Glen Mills in het kader van de centralisatie financiert), de MOgroep, Nieukerke's eigen Hoenderloo Groep en bijna alle Bureaus Jeugdzorg; allemaal organisaties met een link met Glen Mills.

In juli 2008 wordt bekend dat Collegio zal opgaan in Adviesbureau Van Montfoort, een holding, eigendom van Adri van Montfoort en zijn vrouw. De leiding van Collegio wordt overgedragen aan Van Montfoort. Volgens Els van Petegem-van Beek, senior adviseur en *business developer* bij Van Montfoort, zal dat in januari 2009 officieel gebeuren, maar zullen de onderzoekers al na de zomervakantie van 2008 samenwerken. Van Montfoort neemt de activa en passiva over, een deel van het Collegio-personeel vertrekt, wat rest is een lege stichting.

De reden van de fusie is bedrijfseconomisch. Volgens Van Petegem-van Beek had Nieukerke de beslissing genomen omdat Collegio een 'financieel niet helemaal florissant verhaal' had. Voor Collegio, dat een historie als stichting heeft, was 'het vrije ondernemerschap niet echt makkelijk gebleken. Wij menen dat we de kwaliteiten wel hebben om voor concurrerende prijzen een goed product te leveren.' Volgens Afra Groen, directeur bij Collegio, 'is het samen gaan toe te juichen.' Ze houdt het erop dat Collegio, dat een historie als stichting heeft, 'te klein was om zelfstandig te blijven bestaan'. Groen gaat als adviseur verder, Nieukerke zegt na het samengaan van de twee bureaus uit de Raad van Toezicht te stappen.

Als hij wegens het bereiken vanwege de pensioengerechtigde leeftijd op 1 juli 2007 na dertig jaar met pensioen gaat als directeur van de Hoenderloo Groep (hij werd er op zijn 35e al directeur), gaat hij meteen aan de slag als voorzitter van Phorza, de beroepsorganisatie voor sociale, (ortho)pedagogische en hulpverlenende functies.

Naast Nieukerke's werk op het terrein van de jeugdzorg was hij plaatsvervangend raadslid van de Sociaal-Economische Raad (SER) en zat hij in het hoofdbestuur van het MKB. De verwevenheid van de organisaties waar Nieukerke in het bestuur zat of heeft gezeten, blijkt ook hier. Zo is de Hoenderloo Groep lid van de MOgroep, die weer is aangesloten bij MKB-Nederland.

Nieukerke was voorzitter van de Nuso (Landelijke Organisatie voor Speeltuinwerk en Jeugdrecreatie), is voorzitter van de Nederlandse Volleybalbond, en naamgever van de Hans Nieukerke bokaal, voor het beste voetbalteam op Glen Mills. Per 1 juli 2008 ten slotte is Nieukerke benoemd tot *advisor* bij Trend Office Bakas, en hij zit/zat nog in verschillende andere commissies, besturen en Raden van Toezicht.

Herman Geerdink gaat per 1 juli 2007 de erfenis van Nieukerke beheren. De nieuwe directeur van de Hoenderloo Groep studeerde af aan de Nederlandse Politie Academie en startte zijn carrière bij de gemeentepolitie Rotterdam. Hij vervulde verschillende functies bij de politie; leidinggevende van verschillende districten, chef van het bureau Werving & Selectie, chef Recherche, hoofd Algemene Dienst en divisiechef Recherche. Van 2001 tot 2007 was hij werkzaam als gemeentesecretaris bij de gemeente Almelo. Via een headhuntersbureau wordt Geerdink, die op zoek is naar een baan in de gehandicapten- of jeugdzorg, bereid gevonden directeur te worden. Net als Nieukerke is Geerdink nieuw in de jeugdzorg. Hij wordt bestempeld als een innemende man. Sceptici zeggen dat hij in een wespennest is beland.

Per 1 september 2008 legt Ouwens zijn ad-interimfunctie neer en wordt Jacqueline Vonk de nieuwe directeur. Door de Hoenderloogroep is ze benaderd voor de functie expertisemanager bij Glen Mills. Vonk is 25 jaar werkzaam in het welzijnswerk en heeft een achtergrond van maatschappelijk werk. 'Als uitvoerend maatschappelijk werker heb ik me altijd gericht op de "zwaardere" doelgroepen die niet passen in het reguliere maatschappelijk werk. Denk daarbij aan randgroepjongerenwerk, slachtoffers van seksueel misbruik en uitbuiting, en ik heb jarenlang gewerkt met dak- en thuisloze jongeren.'

Sinds tien jaar werkt Vonk vanuit een leidinggevende functie, de laatste zes jaar als manager bij een overkoepelende welzijnsorganisatie in Utrecht. Daar geeft ze leiding aan verschillende projecten, waaronder het hulpverleningsproject *Profiel* voor hulpvermijdende *multi-problem* gezinnen en *Pretty woman* voor hulp aan slachtoffers van loverboys en misbruikrelaties.

'Mijn stijl van management kenmerkt zich door mijn ontwikkelingsgerichtheid. Mijn aanpak kenmerkt zich door een sectoroverstijgende aanpak, gericht op samenwerking met andere partijen. Ik denk in mogelijkheden en kansen en ben motiverend naar medewerkers waar ik leiding aan geef. De functie spreekt mij bijzonder aan. Met name het doorontwikkelen van de methodiek met een team betrokken en enthousiaste mensen maakt het tot een aantrekkelijke functie voor mij. Ik denk een positieve bijdrage te gaan leveren in de verdere professionalisering van Glen Mills en zal daar vanuit mijn functie als expertisemanager sturing aan geven. Al met al heb ik er veel zin in.'

16 Pascal Triep

Miljoenen Nederlanders zagen hem op een van de journaals of op internet sterven, al kennen ze zijn naam misschien niet. Pascal Triep (1981) zou een onbekend slachtoffer van een fatale steekpartij zijn geworden als er niet een filmpje, gemaakt met een mobieltje, van hem op internet was gezet. Daarop is te zien hoe de dodelijk verwonde Triep, die van het dakje van een aanbouw op een tuinhekje is gevallen, opstaat, verder strompelt en weer neervalt. De 25-jarige Triep kreeg ruzie met zijn bovenburen over rondslingerend afval en besloot hen daarop aan te spreken.

Het filmpje kwam terecht op de websites van het *Algemeen Dagblad* en *GeenStijl*, waar het een slordige twee miljoen keer werd bekeken. Zijn dood ging de boeken in als de Haagse dakmoord (hoewel Triep in een Scheveningse volksbuurt woonde) en veroorzaakte veel commotie. De bruutheid van het getoonde op het filmpje, en het feit dat het filmpje op internet (en televisie) terechtkwam, waren de kernelementen van het verhaal zoals het in de media kwam.

Later kreeg het slachtoffer ook een naam. Maar Pascal Triep heeft ook een voorgeschiedenis. Pas nadat de mediahype voorbij was, werd tijdens een rechtszitting tegen de verdachten duidelijk dat Triep in een psychose zat toen hij werd neergestoken. Triep was sinds een paar maanden van de medicijnen af die hij slikte tegen psychoses. Af en toe had hij een terugval. Zo ook op de ochtend van de moord.

Pascal Triep behoorde tot de allereerste lichting studenten op Glen Mills, een klein groepje van enkele tientallen pioniers. Op 19 januari 1999 werd hij binnengebracht. Eerst moest zijn recalcitrante gedrag gebroken worden. Dat gebeurde nog niet met het 'meditatieve' douche schrobben, maar simpelweg met zitten, een-op-een met een staflid. 'Na veertig uur is hij geschakeld. "Ik geloof dat dit niet werkt," zei hij toen,' herinnert de desbetreffende coach zich.

Twee keer probeert hij weg te lopen. De eerste keer bij een bezoek aan de huisarts. De coach ontdekt Pascal achter de schutting waar hij zit. De tweede keer, in de winter, zette hij het op een lopen zonder schoenen. 'Stond ik daar met mijn sokken in de sneeuw,' vertelt hij met een zuur lachje. 'Tja, het waren niet zulke succesvolle pogingen. Achteraf ben ik blij dat het niet gelukt is,' tekent een redacteur van het *Onderwijsblad* eind 2000 op.

Daarna werkt hij bijzonder hard. Hij maakte zich geliefd bij studenten en coaches. Hij mocht presentaties geven en in de actualiteitenrubriek *Netwerk* een keer over Glen Mills komen vertellen. Op 1 augustus 2000 ging hij naar huis, met de status exec en fl.2000,- op zak voor het inrichten van zijn appartement. Zijn vader had een huis voor hem gevonden, zelf regelde hij een baan als telemarketeer.

Zijn moeder, Marcella de Jager, kreeg een andere Pascal terug dan de Pascal die naar Glen Mills werd gestuurd. 'Het leek alsof hij gebrainwashed was. Het was een gevoelige jongen, maar na zijn tijd op Glen Mills eiste hij van iedereen respect. Ook van mij, en van zijn broertjes. Pascal ging er voor honderd procent voor, hij wilde in alles het beste zijn. Eenmaal thuis wilde hij geprezen worden om wat hij daar gepresteerd had, maar hij kon mensen niet duidelijk maken hoe hard hij het daar had gehad. Daardoor kreeg hij een enorme tik achteraf.'

'Vanuit zijn Glen Mills-visie gezien had hij gelijk,' zegt De Jager. 'Maar daardoor stootte hij wel steeds zijn neus. Je kunt mensen buiten Glen Mills niet confronteren zoals je dat daar doet. Eigenlijk hadden ze hem opnieuw moeten brainwashen zodat hij klaar was voor de maatschappij.' De Jager illustreert het met een anekdotisch voorbeeld.

Pascal wilde bij de mariniers. In het *Onderwijsblad* zei hij eind 2000: 'Zij stellen hoge eisen aan je en dat bevalt me. Ook wil ik me bewijzen naar mijn familie en vrienden, dat heb ik met het afronden van Glen Mills nog niet gedaan. Daar heb ik iets rechtgezet, het bewijzen begint nu pas. Bovendien was Glen Mills geen vrijwillige keuze en als ik bij de mariniers ga, zou het dat wel zijn.' Pascal en zijn jongere broer Dominique (beiden niet dienstplichtig) gingen dus naar een militaire keuring. De Jager: 'Tegen de dienstdoende officier zei hij: "Ik bied me maar één keer aan." Nou, toen kon hij weer naar huis.'

'Toen was alles op Glen Mills precies zoals ik het niet wilde,' beschrijft Pascal Triep zijn weerspannige periode op Glen Mills in het *Onderwijsblad*. 'Toch heb ik het geaccepteerd. Daar ben ik wel trots op, ja. In die begintijd wilde ik helemaal niets, maar na drie maanden kon ik het niet meer volhouden om tegendraads te zijn. Vanaf toen ging het beter.' Kritiek heeft hij ook. 'Sommige dingen zijn kinderachtig en onnodig. Nu mag ik boos zijn als ik boos ben en huppelen als ik vrolijk ben, dat mocht daar niet. Je kunt je niet uiten en daar heb ik veel last van gehad. Gelukkig kan dat nu wel weer.'

Een halfjaar nadat Triep terug is uit Wezep, in het begin van 2001, beginnen de psychoses. 'Hij begon ineens raar te praten, raar te kijken, bekken te trekken.' Volgens Marcella de Jager ligt de voedingsbodem voor de psychoses deels bij Glen Mills. 'Als ik op bezoek kwam, was hij altijd erg nerveus en gespannen. Dat hij daar zo onder hoogspanning stond, heeft hem later opgeblazen. Op Glen Mills stond hij onder extreme druk, en daarna ging die druk ineens van de ketel.'

Een coach nam uit eigen beweging af en toe telefonisch contact met Pascal op en bezocht hem nog een keer, maar de beloofde nabegeleiding van anderhalf jaar stokte na een halfjaar, aldus zijn moeder. 'Toen de psychoses begonnen, ging Pascal brieven schrijven, in totaal drie, of hij niet terug mocht komen, als student of om daar als coach te werken. Glen Mills heeft niet geantwoord. Ze hebben het laten afweten.'

Pascal Triep is niet vergeten. Er was een stille tocht, er kwam een herdenkingssite; pascaltriep.nl, en een hyves-account; rip-pascal.hyves.nl. Op het online condoleanceregister staan ruim 500 berichten. Triep wordt omschreven als een lieve, vriendelijke jongen. 'Pascal ken ik van zijn periode op Glen Mills. Hij was bijzonder gedreven en gemotiveerd. Zijn enthousiasme staat me nog steeds bij. Het was goed om je te leren kennen,' laat ene Hans op het condoleanceregister achter.

Mede-student Selcuk, met wie Pascal Triep in 1999 samen een rondleiding verzorgde voor personeel van de Algemene Onderwijsbond, schrijft: 'shit man!!!!!!! nee toch niet hij toch:(dat ik me zo kut zo voel op deze dag had ik niet verwacht dat ze uitgerekend jou moeten neersteken omdat je ergens iets van zegt jij die geen vlieg kwaad doet.' Niet alleen vrienden en naasten herinneren hem zo, dat geldt ook voor oud-coaches.

Een van hen, Trieps senior-coach, trekt zich de dood van Triep persoonlijk aan. 'Misschien is het ook onze schuld geweest. Wij hebben hem op Glen Mills leren confronteren. Toen ik hoorde van het steekincident moest ik meteen aan zijn "confrontatiehouding" denken. Pascal was op een gegeven moment erg gedreven in het confronteren. Hij was daar wel zuiver in, maar achteraf zou ik het geobsedeerd kunnen noemen. Ik sta ook niet te kijken van de opmerkingen dat hij het thuis niet kon laten. Meerdere studenten hadden daar wel eens last van, maar dat was maar even.'

17 De wijde wereld in

De nazorg die Glen Mills biedt, is voor veel oud-studenten een 'gratis' service van de zaak gebleken. Gratis, maar vaak ook gratuit. In de praktijk bleek nazorg zich te beperken tot enkele bezoeken en telefoontjes. Garantie tot de deur, daar komt het eigenlijk op neer. De belofte bij de start was dat de behandeling van een student op Glen Mills zou aansluiten op de maatschappij.

Jongens zouden in theorie werk of een opleiding en huisvesting moeten hebben. Glen Mills heeft aan die taak, aan die belofte, nooit goed kunnen voldoen. 'De nabegeleiding had belangrijker moeten worden dan Glen Mills zelf. Zonder nabegeleiding is de tijd op Glen Mills weggegooid geld,' stelt de oud-senior-coach die het nabegeleidingstraject moest opstarten. Wat er precies aan nazorg is verleend, is een grote grijze vlek.

Al voor de start van Glen Mills wijzen betrokkenen van buitenaf op het belang van een goede overgang naar de maatschappij. Minze Beuving, inmiddels oud-commandant Koninklijke Marechaussee maar tien jaar geleden nog regionaal korpschef bij de politie Noord- en Oost-Gelderland, waar Wezep onder valt: 'Wat mij betreft is de kritische factor hun terugkeer in de samenleving.'

'Hoe sterk zijn ze om weerstand te bieden aan hun oude leefomgeving? Ze moeten in staat zijn om zich overtuigend te manifesteren: hun oude vriendjes moeten ze afwijzen of voorgoed de rug toekeren. Ik verwacht dat ze daarbij coaching en ondersteuning nodig hebben. Zo'n jongere kan wel in de Glen Mills School een mooi perspectief opbouwen, maar zal hij dat ook terugvinden in de maatschappij?'

Margo Vliegenthart, staatssecretaris van VWS (1998-2002) hield ook een slag om de arm. 'De werkwijze lijkt succesvol. Zo is de slaagkans van de Glen Mills School in Amerika hoog: 75%, althans in de eerste twee jaar na doorlopen van de school. Het moet nog wel beproefd worden, het programma staat nog in de startblokken.'

'Wat ik van belang vind is dat een inhoudelijke vernieuwing, daar gaat het in dit project vooral om, goed in kaart wordt gebracht, dat er een procesbeschrijving en een effectenonderzoek plaatsvindt. Ga niet over één nacht ijs, zou ik zeggen.' De opvolger van Terpstra belooft dat halfjaarlijks ambtenaren van de ministeries van Volksgezondheid, Justitie, Onderwijs en Binnenlandse Zaken met de initiatiefnemers om de tafel zullen zitten om de voortgang en de resultaten van het project te kunnen volgen en bespreken.

Nog één opmerking van Vliegenthart, die een vooruitziende blik had: 'Wel wil ik een waarschuwing laten horen dat we niet in een cocon moeten blijven steken. Alles blijft naar mijn mening gericht op terugkeer in de samenleving, met al z'n kansen en bedreigingen. Aansluiting met de wereld buiten het project is daarom van groot belang. En uiteindelijk moet het collectief weer plaatsmaken voor het individu. Het gaat er uiteindelijk om dat de vlinder gaat vliegen.' En dat het geen nachtvlinders worden.

Om de overgang tussen Glen Mills en de maatschappij zo goed mogelijk te laten verlopen, worden overgangsfases ingebouwd. Dat gaat met vallen en opstaan. Een van de initiatieven, een vertrekunit op de campus – de laatste fase voor terugkeer naar de maatschappij – moet al in 2001 worden opgeheven, 'omdat er een eigen normatief klimaat ontstond', aldus Glen Mills-directeur Thieu van Hintum. In de afgescheiden vertrekunit, die El Mogadora (Arabisch voor 'Het Vertrek') werd gedoopt, werden praktische zaken aangeleerd.

Het soepelere regime in de vertrekunit botste met de strenge regels waar de andere jongens mee te maken hadden. 'De jongens raakten in verwarring door verschillende normen en gedrag,' aldus Van Hintum. Als compensatie voor het opheffen van de vertrekunit zou vooral de eerste maanden na het vertrek de nabegeleiding worden geïntensiveerd. De vaardigheden, van knopen aannaaien tot het openen van een bankrekening, worden vanaf dan in vertrekmodules aangeboden. Een specifiek deel van de vertrekunit, een flat in Zwolle voor vier jongens, moet in 2001 ook vanwege wangedrag worden opgeheven.

Eenmaal dat de 'Zwolse jeugd' er lucht van kreeg, werd 'het huis van buiten belaagd', volgens Van Hintum. De vier jongens konden de verleiding van hasj en xtc, waar de postende jeugd mee dealde, niet weerstaan. De jongens gingen terug naar de campus en de huur van het Zwollehuis werd opgezegd. Een oud-medewerker bestempelt het Zwollehuis als 'Van der Kolks mooie droom. Er was geen personeel om het te bemannen. Het moest maar.'

Een intern overzicht uit maart 2001 over de groep van 23 tot dan toe vertrokken studenten geeft een goed beeld van hoe ze vertrokken zijn, wat de invloed is van een 'stage' op de Glen Mills in Pennsylvania op hen is, en of er echt nazorg wordt verleend. (Hoe die nazorg inhoudelijk was, is een andere zaak. Volgens de destijds daarvoor verantwoordelijke senior-coach was de nazorg 'een wassen neus', die neerkwam op telefoontjes en bezoekjes.)

Slechts 12 van de 23 vertrokken studenten, de helft dus, krijgt nazorg. Niet geheel toevallig is dat ook ongeveer dezelfde groep waar Glen Mills nog contact mee heeft. Met de meesten van hen gaat het goed; ze hebben een baan, al dan niet in combinatie met een interne opleiding.

Minstens zo belangrijk als nazorg zijn twee andere indicatoren voor succes: de status waarmee studenten vertrokken zijn (positief of negatief), en misschien wel de belangrijkste: of de studenten het programma hebben afgemaakt. Interessant daarbij is de invloed van 'Pennsylvania' te bekijken: van de 23 studenten waren er 7 een periode van zes maanden naar Amerika geweest om daar in het programma mee te draaien.

Bij 10 van de 23 studenten staat een minnetje achter hun naam. Ze zijn met een negatieve status vertrokken; ze vertoonden in de laatste fase van hun verblijf negatief gedrag. Slechts 1 van hen had het programma in Pennsylvania gevolgd. Hij vertrok omdat hij 18 werd. Schokkender is dat slechts 7 studenten (nog geen 30 procent) het programma hebben afgemaakt. De anderen liepen weg (7 studenten), waren beter op hun plek in de gesloten jeugdzorg of een justitiële jeugdinrichting, of werden meerderjarig en besloten zelf te vertrekken. 4 van de 7 studenten die een halfjaar meedraaiden in Glen Mills, PA, maken het programma af.

Glen Mills heeft altijd gepretendeerd de nazorg letterlijk en figuurlijk voor zijn rekening te nemen, maar als de praktijk faalt en oudstudenten niet goed terechtkomen of ontsporen, wordt de rekening aan de gemeenten gepresenteerd. Als voorbeeld de hoofdstad Amsterdam, de grootste van de G4. In 2003 besluit men in te grijpen.

Op 18 september 2003 is er in de ambtswoning van burgemeester Job Cohen een zogenoemd ambtswoninggesprek tussen Ahmed Aboutaleb, wethouder Jeugd, en een aantal organisaties waaronder SaC-Amstelstad Jeugdzorg, een jeugdhulpverleningsorganisatie in de stadsregio Amsterdam. Ze constateren dat de nazorg van de ongeveer dertig Amsterdamse hardekernjongeren die terugkeren uit Glen Mills en Den Engh 'niet optimaal functioneert'. Speciaal voor deze 'voorgewassen' jongeren sluiten Aboutaleb (namens het College van Burgemeester en Wethouders) en SaC-Amstelstad Jeugdzorg een convenant voor een pilot van twee jaar, *nazorg harde kern jeugd Amsterdam.*

Doel is om de jongeren negen maanden intensief te begeleiden en te controleren op een nuttige dagbesteding (werk, school en hobby's) met als uiteindelijk doel het voorkomen van recidive. Die nabegeleiding begint al drie maanden voordat de jongens uit hun instelling vertrekken met een 'intakegesprek' aldaar, op basis van hun vrijwillige medewerking.

De kosten voor Amsterdam worden voor 2004 geraamd op 208.500 euro (voor acht maanden) en voor 2005 op 320.950 euro. 'De gemeentelijke nazorgfase moet een logisch sluitstuk zijn op de voorgaande resocialisatiefase,' stelt het convenant. Een werkgroep onder leiding van Hans Straver, regiomanager Nieuw-West van SaC-Amstelstad Jeugdzorg, gaat aan de slag met de praktische uitwerking.

SaC-Amstelstad Jeugdzorg heet anno 2008 Spirit, dat jaarlijks 6000 jeugdigen en gezinnen met problemen bij opgroeien en opvoeden begeleidt. Het pilotproject heet nu ook anders, *Nieuwe Perspectieven bij Terugkeer* (NPbT), en is uitgebreid naar alle jongeren die langer dan drie maanden in de open of gesloten jeugdzorg of jeugddetentie hebben gezeten. Jaarlijks keren zo'n 50 jongens terug naar Amsterdam, waarvan 34 voor begeleiding door NPbT.

Van die 34 jongeren komen er jaarlijks 7 tot 8 van Glen Mills, en die zijn voornamelijk van Marokkaanse en Surinaamse afkomst. 1 à 2 oud-studenten komen niet bij NPbT terecht omdat ze niet komen opdagen of omdat ze niet voor NPbT in aanmerking komen. 6 krijgen er daadwerkelijk begeleiding. Van die 6 recidiveren er gemiddeld 2 per jaar.

Voor die 34 jongeren staan een handvol hulpverleners (4,5 fte, gemiddeld acht cliënten per hulpverlener), ondersteund door een orthopedagoog en een teammanager klaar om de jongeren 24/7 te begeleiden en te controleren op een nuttige dagbesteding (werk, school en hobby's) en het voorkomen van recidive. De gemiddelde kosten per jongere zijn op jaarbasis 12.000 euro, de begeleiding duurt negen tot elf maanden.

Hans Straver, regiomanager Nieuw-West van Spirit, was destijds gevraagd het project op te zetten. De afgelopen jaren moest het programma op punten worden bijgeschaafd. In maart 2008 voldoet Nieuwe Perspectieven bij Terugkeer, dat in samenwerking met Bureau Van Montfoort is ontwikkeld, aan alle kwaliteitscriteria van de erkenningscommissie, en schaart het zich bij de selecte club interventies die een volledige erkenning hebben gekregen. (In oktober 2008 zijn dat er drie. Tien interventies hebben een voorlopige erkenning gekregen.)

Straver verwacht dat Spirit ondanks dat keurmerk in de nabije toekomst blijft schaven aan het programma, aangezien de maatschappij verandert, wetenschappelijke inzichten veranderen en politieke wensen kunnen veranderen. 'Ga vooraf niet zeggen dat een programma zo geweldig is. Dan geef je jezelf de ruimte om te blijven experimenteren. Ik denk dat je wel in tien jaar moet kunnen aantonen wat je waard bent. Dat is overigens geen pleidooi om Glen Mills op te heffen. Maar er moet een keten van gecombineerde zorg en aanpak zijn op alle gebieden zoals school, thuis en werk, tot minimaal een jaar na de uitstroom.'

Woordvoerders van Spirit, Bureau Jeugdzorg Amsterdam, het Openbaar Ministerie Amsterdam, de Raad voor de Kinderbescherming en de Hoenderloo Groep zelf zeggen niet bij te houden hoeveel Amsterdamse jongens in de loop der jaren naar Wezep zijn gestuurd. Uit de jaarverslagen van Bureau Jeugdzorg Agglomeratie Amsterdam (BJAA) blijken dat er in 2003 vijftien en in 2004 zeven te zijn geweest. In de jaarverslagen van 2005 en 2006 komt Glen Mills niet meer voor.

Het is Spirit niet duidelijk waar het verschil vandaan komt. Ook Bureau Jeugdzorg, de doorverwijzende instantie, kan naar de oorzaak alleen maar gissen. 'Er werken in de regio Amsterdam ongeveer 200 gezinsvoogden, en die nemen per zaak de beslissing om Glen Mills voor te stellen aan de kinderrechter,' zegt Henry Janssen, beleidsmedewerker voor de instroom van Amsterdamse kinderen uit strafrechtelijke instanties bij BJAA. 'De daling van het aantal doorverwijzingen kan met heel veel dingen te maken hebben.'

Toch kan Janssen wel een paar mogelijke redenen verzinnen. Veel voorlichting in de beginperiode van Glen Mills zou voor de eerste aanloop hebben gezorgd. Voor de dip daarna heeft hij een aantal suggesties. 'Er zijn heel weinig hulpverleners die veel ervaring met Glen Mills hebben. Ze gaan dus af op ervaringen van collega's, en als die slechte ervaringen hebben... dat zingt rond.'

Ook de berichtgeving in de pers over Glen Mills en Den Engh kan een rol spelen volgens Janssen. 'Elke negatieve publiciteit is te veel op dit gebied. Dan is het moeilijk ouders nog te motiveren.' Ten slotte wijst hij nog op de populariteit van nieuwe gezinsbehandelingen als Functional Family Therapy (FFT) en Multisysteem Therapie (MST) waar Glen Mills onder zou kunnen lijden.

Over het (ontbreken van) nazorg werd regelmatig geschreven en gerapporteerd. Het DSP-rapport uit 2004 noemt enkele zwakke plekken, zoals de terugkeer in het gezin, de uitwisseling van informatie met instanties en de werkdruk van de trajectbegeleiders. De praktijk is zo veel gecompliceerder. Jongens komen vaak weer in hun oude probleemwijk terecht, in een instabiel gezin, in hun oude vriendenkring.

De verleiding om makkelijk veel geld te verdienen, ligt op de loer. Een vmbo-opleiding biedt nu eenmaal niet zo snel uitzicht op een 'bling-bling salaris'. Nazorg komt sowieso neer op tweerichtingsverkeer. Jongens die Glen Mills hebben verlaten en 18 jaar zijn, hoeven zich niets meer van daar opgedane lessen of adviezen aan te trekken. Hun garantie van goed gedrag geldt tot aan de deur. Als ze geen contact meer willen hebben met hun trajectbegeleider, dan houdt de nabegeleiding op. Nazorg wordt overigens vanaf 1 april 2009 verplicht voor jongeren met een PIJ-maatregel.

Vlak nadat in 2008 de twee dramatische rapporten van Justitie en VWS het levenslicht zien, spreekt ad-interimdirecteur Henk Ouwens in maart 2008 over een eerste conceptversie van een totaal 'nieuw' plan om de nazorg te verbeteren. De theorie is als volgt: Gedurende fase 1 na het verlaten van de GMS, die twee à drie maanden duurt, is er wekelijks een bezoek van de trajectbegeleiding.

In fase 2, van twee maanden tot een halfjaar, is er tweewekelijks bezoek. In fase 3 is er gedurende zes tot negen maanden driewekelijks bezoek. In de voorlaatste fase is er vierwekelijks bezoek in een periode van negen tot vijftien maanden, gecombineerd met belcontacten. In de laatste fase ten slotte neemt de student zo veel mogelijk op eigen initiatief contact op bij hulpvragen, deze fase duurt vijftien tot achttien maanden.

Experimenteren kan alleen binnen de grenzen van de methodiek. Als er in december 2006 wordt gedebatteerd over een nieuwe wet voor jeugdstrafrecht (de Wet gedragsbeïnvloeding jeugdigen van 1 februari 2008) vragen de Kamerleden van VVD en D66 zich af of er geen verkorte vorm van Glen Mills en Den Engh mogelijk is.

Ook de regering had Glen Mills gevraagd om met een plan van

aanpak voor een Glen Mills 'korte duur' te komen. Het logische antwoord van Glen Mills: dat kan niet. Uitgangspunt van de methodiek om heropvoeding en gedragsverandering tot stand te brengen (vooropgesteld dat die werkt), is een minimale duur van 18 tot 24 maanden. Een verkorte aanpak zou tot minder effectiviteit leiden.

Amper twee jaar later echter, als Glen Mills door de rapporten van het WODC en de IJZ in het nauw gedwongen wordt en de trukendoos aan experimenten bijna leeg is, wil Glen Mills het roer toch omgooien. De nieuwe koers krijgt vorm in mei 2008. Interim-directeur Henk Ouwens wil de aanpak drastisch wijzigen.

Studenten moeten in zijn plan al na een jaar op eigen benen leren staan. Ze krijgen wel een dagelijkse meldplicht, meldt *Sp!ts* op de voorpagina. In de klassieke opzet verblijven de studenten gemiddeld achttien maanden in Wezep. Ouwens hoopt in het najaar van 2008 of in 2009 met de pilot te beginnen. Daarvoor heeft hij een fiat van de Kamer nodig.

In Ouwens' plan controleren begeleiders dagelijks of de student niet afglijdt. Zijn gangen worden overdag nagegaan door intensief contact met ouders, docenten, werkgevers en vrienden. Ook hebben de studenten een dagelijkse meldingsplicht in een zogenoemd doorstroomhuis, waar ze onder begeleiding groepsgesprekken voeren, zoals dat ook op Glen Mills gebeurt.

'We constateren dat de landing in de maatschappij nu te hard is,' zegt Ouwens. Hij onderscheidt in de pilot drie fases: de 24 uursfase (op het internaat); de '8 tot 8-fase', waarbij de jongen thuis overnacht; en de ambulante fase, waarin de jongen compleet op eigen benen staat maar wel om hulp kan vragen. Net zoals op de campus werkt de trajectbenadering met een promotie- en degradatiesysteem. Goed gedrag betekent sneller definitieve zelfstandigheid. Bij negatief gedrag worden gele kaarten uitgedeeld. Drie gele kaarten is één rode kaart. Dat betekent terugkeer naar Glen Mills.

De '8 tot 8-fase', die op jaarbasis 35.000 euro per student gaat bedragen, zal standaard acht tot tien maanden duren, maar Ouwens houdt rekening met termijnen tussen de drie maanden en drie jaar. Van het gegeven dat eerdere pilots waarbij Glen Mills-studenten zelfstandigheid werd verleend flopten omdat de studenten de overgangsfase naar de vrijheid niet aankonden, gaat hij voorbij. Voor dit experiment in een experiment is extra geld nodig, het kan niet 'binnen de bestaande budgetten' (zie hoofdstuk 12).

Ondanks dat Ouwens kritiek heeft op de concurrerende Multi Systeem Therapie (MST), waarbij criminele jongeren niet behandeld worden in een inrichting maar in de natuurlijke omgeving, zoals familie en vriendengroep, wil hij er toch elementen van overnemen. 'Begeleiders moeten overal hun tentakels hebben waar de jongen zit. Ze moeten spreken met vrienden, docenten of werkgever, een big brother op afstand worden.'

Tussen de oude methodiek en Ouwens' nieuwe plannen staat nog steeds de praktijk van de achterbuurt in. Hij verwoordt dat treffend: 'Je moet niet denken dat in een wijk waar niemand voor half tien zijn bed uitkomt een oud-student om zeven uur met zijn broodtrommeltje naar zijn werk gaat.' Ouwens windt er geen doekjes om: in het slagingspercentage van 70 heeft *hij* nooit geloofd.

'Mijn eerste woorden bij Glen Mills waren: "Ik ga Glen Mills ontmythologiseren." Die zeventig procent gaat niet gehaald worden. Deze jongens zijn verslaafd geraakt aan de spanning en de status, en we verwachten dat ze na Glen Mills heilig blijven? Jongens zullen hoe dan ook nog een paar keer onderuitglijden. Het grootste deel van de jongens stopt daarmee als ze 28, 29 zijn. Dan hebben ze een partner en kinderen, en werkervaring en een diploma, met dank aan Glen Mills.'

Dat in de tussenliggende jaren geen specifieke instantie de harde plicht heeft om naar de jongens om te kijken, blijkt uit het Algemeen Overleg over Glen Mills in juni 2008. De verantwoordelijkheden van de betrokken partners die vastliggen in het Verantwoordelijkheidskader Nazorg Jeugd komen neer op vrijblijvendheid. 'De filosofie die ten grondslag ligt aan het verantwoordelijkheidskader is gebaseerd op een ketenbenadering tussen de betrokken partijen. Die moeten samenwerken, informatie aan elkaar overdragen en zorg dragen voor een warme overdracht van iedere casus aan de volgende partij in de keten.'

Met een opleiding is de halve basis voor een goede landing in de maatschappij al daar. Veel studenten verlaten Glen Mills met een diploma op zak, bijna zonder uitzondering vmbo. Als er iets is waar de GMS door de jaren heen trots op kon blijven, is het wel het vlak van onderwijs, zeker in vergelijking met jeugdgevangenissen. Studenten doen vaak meerdere jaren in één jaar. In 2003 bijvoorbeeld haalt meer dan de helft een diploma (vooral vmbo), een zesde deel haalt deelcertificaten, een derde haalt geen diploma. Honderd procent van de studenten die het programma afmaken, heeft een vervolgopleiding of een baan, verzekert Geerdink in augustus 2008.

De Onderwijsinspectie bezoekt in november 2004 voor het eerst Glen Mills. Rapporteren is volgens de Wet op de Expertisecentra sinds augustus 2003 verplicht, omdat het onderwijsgedeelte van Glen Mills dan fuseert met het onderwijsgedeelte van de Hoenderloo Groep. De resultaten zijn gelijk de nulmeting. Ze worden gebaseerd op informatie die de inspecteurs is verstrekt, zoals vragenlijsten en informatiemateriaal, op gesprekken met directie en studenten, en op lesbezoeken. Het totaalbeeld is positief. Het onderwijsleerproces is in hoge mate effectief en efficiënt, oordeelt de Onderwijsinspectie.

Scores kunnen slecht, onvoldoende, voldoende of goed zijn. Alle acht kwaliteitsaspecten zijn voldoende of goed. Het is vier om vier. Voldoende zijn de aspecten kwaliteitszorg, tijd, schoolklimaat, zorg en begeleiding. Goed zijn de onderdelen toetsing, leerstofaanbod, onderwijsleerproces en het domein opbrengsten. Waar het aan ontbreekt, is een schoolplan.

Personeelsleden opereren wel te geïsoleerd van elkaar. 'Het management is zich hiervan bewust en heeft een structurele wijziging aangebracht in verdeling van managementtaken,' voegt de directie daaraan toe. In 2008 worden de slagingspercentages bekend over de schooljaren 2004-2005, 2005-2006 en 2006-2007. Die zijn goed te noemen (78, 88 en 84).

De negende en laatste basisnorm van Glen Mills is: 'Het klaslokaal is heilig.' Als daarmee bewust wordt gerommeld, dan is dat heiligschennis. Dat is precies wat gebeurt volgens (oud-)personeel en (oud-) studenten, die zich in april bij de SP melden. Er zou met onderwijsresultaten worden gesjoemeld tijdens toetsen en eindexamens.

De studenten zeggen in *Netwerk* dat toetsen met het boek open gemaakt mogen worden. 'Glen Mills is op zich een hele makkelijke school,' zegt oud-student Patrick Wiendels. 'De boeken worden erbij gegeven en de antwoorden worden wel eens voorgezegd.' Oudstudent Roberto van Loo komt in het programma met dergelijke beweringen. 'We mochten examens verbeteren met de boeken erbij. Kreeg ik twee negens.'

Toevallig of niet verklaart de Onderwijsinspectie een maand later, in mei 2008, een vmbo-examen Duits ongeldig omdat een leerkracht de studenten heeft geholpen. Alle jongens moeten het examen opnieuw doen. De fraude kwam aan het licht doordat een surveillant, ook een Glen Mills-medewerker, die doorgaf aan de voorzitter van de examencommissie. Die schakelde de Onderwijsinspectie in, zo melden beide instanties. De betreffende docent Duits, die tegen zijn pensioen aan zat, hoeft niet meer terug te komen.

De SP stelt Kamervragen. Veel media berichten over de fraude, ondanks dat dit niet alleen bij Glen Mills gebeurt. NOS Teletekst meldt het zelfs prominent op pagina 101. De Onderwijsinspectie noch de examencommissie zegt te kunnen uitsluiten dat docenten eerder studenten hebben geholpen. Bij examens is namelijk geen externe controle. Surveillanten (medewerkers) van Glen Mills moeten zelf onregelmatigheden aankaarten.

Onderwijsinspectie noch examencommissie wil zeggen wat de onregelmatigheid bij het examen Duits precies was. De examencommissievoorzitter geeft Glen Mills een pluim voor het 'uiterst zorgvuldig' handelen door de fraude te melden. Volgens de provincie Zuid-Holland was er eerder in 2006 een docent op Glen Mills ontslagen wegens het laten maken van toetsen met de boeken open.

Uit het grote Glen Mills-debat van juni 2008 blijkt dat maar liefst zes docenten, ongeveer de helft, niet bevoegd is les te geven. 'Een docent rondt deze zomer zijn pabo-studie af; twee docenten volgen een passend studietraject, voor twee docenten is nog geen sprake van een passend traject (wordt wel aan gewerkt via bijvoorbeeld gesprekken over een persoonlijk ontwikkelingsplan) en een docent gaat vertrekken. Jaarlijks wordt dispensatie verleend door de Onderwijsinspectie, op voorwaarde dat gewerkt wordt aan het behalen van de bevoegdheid. Dit is een continu proces van scholing en bijscholing,' wordt gemeld.

Naast het zicht op een vmbo-diploma is het bieden van een baan een ander sterk punt waar Glen Mills trots op is. Daarin komt het grote bedrijfseconomische netwerk van Hoenderloo Groep-directeur Hans Nieukerke duidelijk naar voren. In 2002 begint de samenwerking tussen Glen Mills en MKB, de brancheorganisatie voor het midden- en kleinbedrijf, waarvan Nieukerke hoofdbestuurslid is. Nieuwsbrief op nieuwsbrief stuurt de Hoenderloo Groep uit over het gestegen aantal geplaatste jongens bij een bij het MKB aangesloten bedrijf. De jongens gaan aan de slag bij bijvoorbeeld de detailhandel of in de sector metaal, hout of bouw.

In de laatste week van januari 2005 zijn partners en journalisten uitgenodigd om in de Erica Terpstra-hal op de campus de plaatsing van de vijftigste student die week te vieren. Reden voor een feestje, vinden Hoenderloo Groep-leiding en MKB-bestuur. Op de campus in Wezep wordt stilgestaan bij het volgens MKB-voorzitter Loek Hermans 'heuglijke feit' van het *Glen Mills Project*, zoals de samenwerking tussen MKB en Glen Mills wordt genoemd. Bij de bekendmaking van het project in het voorjaar van 2002 ging men ervan uit dat binnen drie jaar 125 studenten geplaatst zouden zijn.

Alle ongeveer honderd studenten, enkele coaches en het MKB-bestuur zijn in de sporthal uitgenodigd. Er is een slagroomtaart van een vierkante meter groot en de studenten rappen en trommelen erop los in een speciale aan het MKB opgedragen drumcompositie. Er zijn speeches en er worden honderd ballonnen opgelaten met een kaartje eraan vast voor een gratis cd van de film *Cool!*

Achter het katheder verklapt MKB-voorzitter Hermans dat eigenlijk al de 56ste student die week via het MKB een baan heeft gekregen. 'Het MKB heeft zijn verantwoordelijkheid genomen,' stelt Hermans vast. Makkelijk ging die samenwerking aanvankelijk niet. Het plaatsen van de 56 jongemannen kostte twee jaar. Na een jaar moet hoofdfinancier Stichting Instituut Gak met een financiële injectie bijspringen om de pr-machine van het project een tandje harder te laten lopen.

'Vreselijk veel vooroordelen' noemt Hermans de grootste hindernis in het bijeenbrengen van een van de bij het MKB aangesloten bedrijven en een Glen Mills-pupil. 'Eens gestolen, altijd een dief', is volgens Hans Nieukerke het patroon waarin veel bedrijven denken. Het aantal uitvallers van het project is volgens Nieukerke 'te verwaarlozen'.

Dat bedrijven schromen om Glen Mills-studenten in dienst te nemen of daarvoor uit te komen, wordt pijnlijk duidelijk door hun bedroevend lage opkomst. Slechts twee directeuren geven acte de présence. Tjerk Hilarius, directeur van Bouche bv, is een van hen, en is ook de eerste directeur die de stap waagde om oud-studenten aan een baan te helpen. Bouche bv – perfectionisten in facilitaire dienstverlening, meldt Hilarius' visitekaartje – is toeleverancier van inboedel en huisraad aan inrichtingen zoals Den Engh, het Detentiecentrum Zeist (illegale asielzoekers) en levert sleutelklaar op (en ontruimt) honderden asielzoekerswoningen voor het Centraal Orgaan opvang Asielzoekers (COA).

Bouche levert ook aan de Hoenderloo Groep-instellingen de Beetsschool, de Gangelschool en de GMS, al vanaf de oprichting. 'Van de koffiekopjes tot de planten. Ik heb aan de wieg gestaan van de Glen Mills School. Ik was zo getriggerd door de aanpak. De rillingen liepen koud over m'n rug toen ik hoorde van het concept,' zegt Hilarius. De samenwerking met Glen Mills verloopt voorspoedig. Op de site van Bouche bv staat nog een referentie van oud-Hoenderloo Groep-directeur Nieukerke.

'Geachte heer Hilarius, In de afgelopen periode heeft uw bedrijf de uitvoering verzorgd van de herinrichting van ons centraal kantoor Kampheuvel en de totale inrichting van het kazernecomplex Willem de Zwijger ten behoeve van de Glen Mills School. Gaarne willen wij middels dit schrijven onze waardering uitspreken voor de voortreffelijke wijze waarop dit heeft plaatsgevonden. Zoals mondeling reeds toegezegd bevestigen wij hierbij gebruik te zullen blijven maken van uw diensten en zal een belangrijk deel van onze inkoop aan Bouche worden toevertrouwd.'

Bouche bv bestaat naast Bouche Projectinrichting ook uit Bouche Advies en uit Bouche Detachering/Werving & Selectie/Payrolling. Al die drie werkmaatschappijen zijn Glen Mills' toeleverancier. Glen Mills krijgt advies over het inkoopbeleid en de personele bezetting en Bouche zet er een 'facilitaire servicedesk' op. Via de laatste tak staan drie jongeren bij Bouche op de loonlijst.

Eén is er als gastheer gedetacheerd bij warenhuis V&D en twee als kaartjesverkoper en serviceverlener bij HTM, de vervoersmaatschappij uit Den Haag. Als de studenten hun jaarcontract uitdienen, krijgen ze daarvoor elk een premie van 4000 euro, zegt Hilarius. 'Ik neem de bedrijven een stuk risico uit handen. Zo kunnen ze snel van iemand af wanneer de samenwerking stukloopt.'

Anno 2008 kan Hilarius melden dat alle drie studenten bij hun werkgevers in vaste dienst zijn getreden. Het laatste project dat Bouche Projectinrichting voor Glen Mills deed, was de inrichting van de Erica Terpstra-hal. Met het vertrek van Nieukerke zijn de opdrachten opgedroogd. Waarom is Hilarius niet helemaal duidelijk. Hij wijt het aan bepaalde 'krachten' bij de wisseling van de wacht van directeuren in een organisatie die elk hun favoriete toeleveranciers hebben. 'We hanteren een professioneel inkoopbeleid en kijken daarom regelmatig of de leveranciers waarmee we zaken doen volstaan. Door aanbestedingsrondes gaan we in sommige gevallen nieuwe inkooprelaties aan,' stelt echter Tineke Hoogeveen van PR & Communicatie in augustus 2008.

'Discretie' en 'breken met het verleden' zijn de begrippen die Glen Mills-voorlichter Sandra Groot Rouwen aanhaalt, wanneer blijkt dat geen enkele GM-student bij het *Glen Mills Project*-feestje aanwezig is die over zijn werkervaringen kan vertellen. Drie studenten zitten nog in de sollicitatieprocedure; de door GMS uitgenodigde twee mét werkervaring zijn er niet. Eén jongen is volgens haar verhinderd, de andere zou volgens zijn werkgever zijn vrije dag al hebben opgesoupeerd met het Slachtfeest. Volgens Nieukerke 'moeten ze vandaag gewoon werken'.

Op 28 september 2005 meldt Glen Mills in een update dat 83 studenten bij een bedrijf zijn geplaatst. In maart 2006 moeten er '100 tot 105 jongeren' aan het werk zijn. In september 2006, een halfjaar achter op schema, wordt de honderdste student geplaatst. 'Glen Mills en MKB-Nederland gaan door met succesvolle samenwerking!' kopt het persbericht.

In februari 2007 wordt dan de 125ste student geplaatst, twee jaar na gepland. De partners in het *Glen Mills Project* zeggen ruim 250 jongeren aan een baan te willen helpen. In juni 2007 zijn het er ruim 140, en in juli 2008 ruim 200, meldt de MKB-voorlichtster. In 2008 is de samenwerking uitgebreid met een aantal projecten, zoals ondersteuning bij taalachterstand, remedial teaching (hulp aan leerlingen met leerproblemen of gedragsstoornissen) en beroepskeuzetesten.

Glen Mills en MKB besluiten in 2006 nog drie jaar verder te gaan, tot juli 2009. Tot 2009 blijft de Stichting Instituut Gak het project financieren. In totaal betaalde het Gak tot augustus 2008 aan MKB-Nederland 2.388.900 euro voor het plaatsen van 251 oud-studenten, meldt Gak-directeur Geert Veentjer desgevraagd. Het is de bedoeling dat Glen Mills in 2009 op eigen kracht studenten naar de arbeidsmarkt kan begeleiden.

Een steuntje in de rug komt in december 2006 van werkgeversorganisatie VNO-NCW, die Glen Mills 43.500 euro schenkt voor het ontwikkelen van werkervaringsplaatsen. Het bedrag komt uit het Fonds 100 jaar VNO-NCW. Het fonds doet de schenking twee keer per jaar. Afwisselend gaat het bedrag naar een organisatie die ondernemerschap bevordert en een organisatie die een sociaal-maatschappelijk doel nastreeft. (Glen Mills valt in de laatste categorie.)

Het fonds koos Glen Mills 'omdat die organisatie delinquente jongens perspectief biedt op een goede plek binnen de samenleving. De school geeft deze jongeren een tweede kans. Dat is niet alleen voor de jongeren belangrijk, maar ook voor onze samenleving als geheel. De aanpak is streng, maar de jongens verlaten de Glen Mills School over het algemeen met een positieve levenshouding en een flinke dosis doorzettingsvermogen. Een kans op een baan hoort daarbij,' aldus voorzitter Bernard Wientjes bij de overhandiging van het bedrag.

Glen Mills start met het geld een project om de leerlingen voor te bereiden op de arbeidsmarkt. Vanwege 'het besloten karakter' van de GMS gebeurt dat door binnen de school werkervaringsplaatsen te creëren, bijvoorbeeld in de mensa en de kledingwinkel van de GMS. Het begint zowaar een beetje op het Amerikaanse model (zie hoofdstuk 14) te lijken.

Oud-studenten hebben gemiddeld 2,8 banen nodig om hun plek te vinden, stelt Ouwens in 2008. Bij de MKB-adviseur arbeidsbemiddeling van het Glen Mills Project is die informatie 'niet bekend. Overigens past het wel bij het beeld van job-hoppen van deze leeftijdscategorie. De studenten van de Glen Mills School vertonen qua arbeidsduur eenzelfde beeld als het landelijk gemiddelde dat leeftijdsgenoten met vergelijkbare opleiding en achtergrond tonen.'

18 Damian Hall

Nog een moeder die naar de pers stapte: 'Ik was blij dat er eindelijk eens een ogenopener was over het (straf)internaat Glen Mills (verslaggeving over het WODC-rapport in *Sp!ts* op 21 januari, red.). Al maanden krijg ik verontrustende berichten van mijn zoon die ook in het internaat zit. Het is voor mij moeilijk om met deze verontrustende berichten om te gaan: door de zwijgplicht die mijn zoon heeft, kan ik niet aan de bel trekken uit angst dat hij gestraft wordt.'

'Ik ben inmiddels met mijn verhaal naar zijn voogd gegaan. Zij verwees me naar de inspectiedienst en naar de kinderbescherming die een keer bij een rechtszitting aanwezig was, maar beide instanties deden of er niets aan de hand was. Mijn zoon belt me één keer per week vijf minuten, als hij tenminste niet in "proces" zit.'

'"Proces" is wanneer de hele groep straf krijgt voor wat één iemand gedaan heeft. Zo hebben ze een keer op de vloer in een kring moeten wachten totdat een weggelopen jongen teruggevonden was. Dit duurde zeven dagen! Vaak merkte ik dat mijn zoon zijn stem kwijt was. Ook dit heeft met het "proces" te maken, wat vaak met veel geschreeuw gepaard gaat. Waarom is mij niet duidelijk. Mijn zoon wil graag met verlof en is dus verplicht om alle opdrachten koste wat kost volledig uit te voeren.'

'Daarnaast wordt lichamelijk geweld niet geschuwd op Glen Mills: mijn zoon wordt zowel door personeel als door medestudenten vaak met brute kracht tegen de muur gekwakt. Wanneer ik hem bezoek, zit er altijd iemand bij je aan tafel en ook de telefoongesprekken worden constant gecontroleerd. Mocht er iets negatiefs gezegd worden, dan wordt dit direct gerapporteerd aan een staflid.'

'Er gebeuren binnen de muren van Glen Mills dingen die echt niet door de beugel kunnen, de zwijgplicht van de jongens maakt echter dat de buitenwereld hier niet of nauwelijks iets over hoort.'

De ingezonden brief van Natasja van de Wijgerd (37) verscheen op 23 januari 2008 onder haar initialen in *Sp!ts.*

Het onderwerp van de brief was haar zoon. Hij heeft een naam als die van een Amerikaanse sporter: Damian Hall. Een halfjaar na de brief is Damian (1990) weer vrij. Daar ging een lange eenmanslobby van zijn moeder aan vooraf. Samen met Damian deed Van de Wijgerd haar verhaal in het SP-zwartboek, tijdens een van zijn verloven. Gevoelens van onmacht waren voor haar een grote drijfveer om de publiciteit te zoeken. 'Je ziet dat er dingen niet kloppen. Ik ging meestal met grote zenuwen naar Glen Mills toe. "Waar zul je nu weer achter komen?" Ook al deed Damian zijn best om positief te acteren. Letterlijk huilend ging ik weer weg.'

De relatie tussen de moeder van twee zonen en een dochter (haar jongste kind) en haar Surinaamse man verliep niet over rozen. Na dertien jaar 'ups en downs' hakt ze uiteindelijk de knoop door en vlucht ze naar een blijf-van-mijn-lijfhuis. Damian gaat niet mee en blijft bij zijn vader. Thuis en op school is hij niet meer te houden. Hij heeft moeite zijn agressie onder controle te houden.

Tijdens een vechtpartij in het uitgaansleven gebruikt hij zijn vuisten, en dat gaat de boeken in als mishandeling. (Zijn vrienden zouden de jongen beroven, maar dat mislukte.) Bij een burenruzie slaat de buurvrouw zijn broertje – Damian gooit bij haar een baksteen door het raam. Ook steelt hij een schoudertasje in een winkel, waarvoor hij een taakstraf krijgt.

Via een jeugdgevangenis, in afwachting op een plek in een behandelinrichting, en diverse instellingen wordt hij in april 2007 bij Glen Mills afgeleverd. De onnatuurlijke setting die Van de Wijgerd op haar bezoeken ziet, bevalt haar niets. De blauwe plekken en lesonderbrekingen door de collectieve processen, samen met de rapporten van het WODC en de Inspectie jeugdzorg sterken haar in de overtuiging dat Damian daar weg moet. Ze bespreekt het met Bureau Jeugdzorg, en ze pleit voor de rechter vol overgave voor zijn vrijlating.

Damian is nu weer thuis, in Zaandam. Het gaat goed met hem, al is de plotselinge vrijheid nog even wennen. 'Op Glen Mills leef je continu op een heel klein vierkantje. Nu woon ik in één groot vierkant zonder grenzen.' Zelfstandig activiteiten plannen en verantwoordelijkheid nemen is iets waar zijn moeder hem nog bij moet helpen. Het aarden in de maatschappij heeft zijn tijd nodig.

'Daar zat ik zó in een ritme door het drukke dagprogramma. Aan het eind van de dag was ik kapot, nu heb ik zo veel energie over. Vannacht viel ik pas om 03.30 in slaap.' Damian moet weer wennen aan het besef van tijd, maar één ding weet hij wel. 'Ik heb daar zestien maanden gezeten, en dat is lang. Alleen omdat ik zo nodig die jongen moest slaan,' blikt hij begin september terug.

Damian is meteen na zijn vrijlating (in overleg met de rechter) begonnen met de mbo-opleiding ondernemer detailhandel (niveau 4). Als hij die af heeft, kan hij als manager in een winkel aan de slag. Op Glen Mills haalde hij zijn vmbo-diploma theoretische leerweg. Ondanks de vele, tijdrovende processen propte hij het derde en vierde jaar in één jaar, en studeerde hij af in acht vakken. Hij haalde onder meer de certificaten sociale hygiëne, keukenhygiëne en 'building care'; het schoonmaken van gebouwen. Als bull met een positieve status zwaaide hij op 20 augustus 2008 af.

Aan de kapstok in de vestibule van de Zaanse eengezinswoning hangt, over alle jassen heen, het kenmerkende bulls-jack. Niet uit sentimentele waarde, of misschien toch wel een beetje. 'Voor die jas heb ik wc's schoongemaakt. Daar heb ik negen maanden keihard voor gewerkt.' Leiderschapsvaardigheden, communicatieve vaardigheden en beter leren observeren, daar heeft Damian zich in Wezep naar eigen zeggen in kunnen bekwamen.

'Ik had daarvoor al best een sterk observeringsvermogen. Ik zag al vanaf de eerste dag dat faken en meewerken het beste is. Ik ben nooit in de levels gekomen, en heb nooit een holding meegemaakt.' (Dat Damian door 'zowel personeel als door medestudenten vaak met brute kracht tegen de muur werd gekwakt', zoals zijn moeder in de ingezonden brief aan *Sp!ts* schreef, klopt volgens hem dan ook niet).

De lange processen namen vanaf juni, toen het fenomeen 'proces' in het SP-zwartboek en binnen de Tweede Kamer besproken werd, drastisch af in duur en lengte. Vier telde hij er nog maar, en ze duurden maximaal twee dagen. Dat kon niet verhinderen dat een van de eerdere langere processen volgens Damian zijn diploma voor magazijnmedewerker om zeep hielp, omdat de examendag van de cursus door zo'n proces in het water viel.

Twee keer tijdens zijn zestien maanden in Wezep viel hij in status. Een keer werd zijn mobiele telefoon in beslag genomen, waarmee hij de heftigheid van feedback tijdens een proces had willen filmen om het te tonen aan de buitenwereld. Aan het vastleggen daarvan kwam hij niet toe. Het binnensmokkelen van het mobieltje viel bij de staf niet in goede aarde, maar die statusdaling was door Damian wel te accepteren.

De eerste statusdaling echter niet. Damian weigerde bij de Geleide Groeps Interactie zijn gevoelens te uiten. Hij zag er het nut niet van in dat te doen, zeker niet in groepsverband. 'Je vertrouwt de andere jongens niet, omdat je weet dat ze waren zoals jij. Als je gevoelens uit, gaat dat tegen je gebruikt worden door hen of door coaches. En ik ga zeker niet lopen schreeuwen.' (Al deed hij dat wel tijdens het feedback geven in een proces).

Stilstand is achteruitgang. Omdat Damian in de GGI niet meedeed, scoorde hij neutraal. Omdat hij dat weken achtereen bleef doen, werd zijn status na drie weken negatief. Damian klaagde bij de staf, en Damian, die ook een beetje water bij de wijn deed door – op normale toon – te pretenderen in de GGI te participeren, zag zijn scores weer in stijgende lijn verlopen.

Damian komt nogmaals terug op de processen die er waren, en die de bijna 1.90 meter lange jongen blauwe plekken en rugklachten bezorgden. Dat studenten op Glen Mills alsmaar 'lichter' worden, kwam juist daar duidelijk naar voren. 'Het zijn kleine jongens die aandacht zoeken. Een potloodstreep op de muur of de wc niet doortrekken, kan alles platleggen. Om aandacht te krijgen, verzon een jongen zelfs overtredingen die zouden zijn gebeurd in een-op-eensituaties. Zoiets kun je nooit uitprocessen.'

Binnen de studenten zou als tegenreactie vanuit een groepje leiders, studenten met informele status, een systeem zijn ontstaan om dat gedrag zo veel mogelijk te neutraliseren. Damian begint aan het eind van het gesprek over 'A1'. De term A1 slaat niet alleen op de voetbalploeg van Glen Mills die in de KNVB-competitie speelt. Vanuit dit team, waar Damian zelf ook in speelde, zou volgens hem de grootste subgroep ooit zijn ontstaan, die zichzelf ook A1 noemt, en in ieder geval bij zijn vertrek eind augustus nog steeds bestond. 'A1 is ontstaan uit haat tegen het systeem. Het is een soort Glen Mills binnen de Glen Mills. Campusbestuur, unitbesturen, bijna iedereen zit erin, zelfs sommige stafleden.'

Hoe het ook zij, zegt Damian: 'Glen Mills is Glen Mills niet meer. Toen ik er binnenkwam was het erg strak. Toen ik wegging was het net één grote vriendengroep. Studenten spraken over alles en nog wat, gaven sigaretten aan elkaar, luisterden naar gangsterrap, raakten elkaar aan, internetten zonder toezicht. Af en toe werd geprobeerd dat strak te trekken. Maar dat lukt niet, want die jongens blijven kleine OTS'ers. Jong, irritant en kinderachtig. Jongens die niet naar hun moeder willen luisteren en daarom uit huis geplaatst worden.'

Slot

De geschiedenis van Glen Mills in Nederland laat zich lezen als een spannend jongensboek, misschien wel als een misdaadroman. Toch ligt dit boek in de boekhandel op de tafel met non-fictie. Maar niets van de inhoud is verzonnen. De gebeurtenissen in dit boek hebben plaatsgevonden. Binnen de muren van Glen Mills zijn studenten en coaches gebruikt, door het stressvolle werk zijn relaties gesneuveld, dankzij het falen van de methode zijn nieuwe misdaden gepleegd. Met dank aan een experiment. Wie daarvoor verantwoordelijk is? Dit boek mag op een misdaadroman lijken, het is geen *whodunnit*, en geen *j'accuse*.

Op Glen Mills kunnen methodiek, macht en misbruik makkelijk in elkaar overlopen. Een kleine verschuiving in de verhoudingen tussen medewerkers kan een uitstraling naar de hele campus hebben. Een methodiek die zo veel van studenten en medewerkers vraagt, creëert een continu spanningsveld. Spanningen en frustraties bestaan op elke werkplek, maar in een snelkookpan als Glen Mills zijn die niet zonder consequenties. 'Erica Terpstra is een fantastisch mens, maar ze weet niet wat ze heeft aangericht,' zegt een oud-medewerker. 'Er komen binnen Glen Mills krachten vrij, en die zijn niet te temmen.'

De oud-GMS'ers die ik heb gesproken, zie ik niet als nestbevuilers. Of ze er nu gedwongen of vrijwillig zaten (studenten) of gedwongen of vrijwillig vertrokken (medewerkers), ze spraken zonder wrok. Hun periode in Wezep was niet alleen maar kommer en kwel. Die nuancering werd in lange gesprekken (gemiddeld drie uur) benadrukt. Daarom zijn hun verhalen ook geen jammerlijke klaagzang, maar een serieuze aanklacht.

Uit getuigenissen rijst een beeld op van mismanagement en vriendjespolitiek, van manipulatie en machtsmisbruik. Machtsverhoudingen en belangen speelden een belangrijke rol dwars door vrijwel de hele organisatie Glen Mills heen: tussen coaches en studenten, tussen coaches en management, tussen studenten en management, en tussen studenten onderling, coaches onderling en management onderling.

Dit boek geeft een beeld van tien jaar Glen Mills, maar alomvattend is het niet. In de collectieve geheugens van betrokkenen ligt genoeg stof voor nog een boek, of misschien wel vijf, of tien. Oud-werknemers die gekscherend zeiden zelf aan een boek te willen beginnen, zijn niet op een hand te tellen. Sommigen gaan dat misschien ook doen.

Er zijn nog veel meer interessante getuigenissen op te tekenen. Nog lang niet alles is gezegd, maar veel mensen zullen blijven zwijgen. Veel (oud-)werknemers laten het verleden liever rusten. Omdat het oprakelen van verhalen voor hen te pijnlijk is, of omdat ze (nog steeds) in Glen Mills geloven, of omdat ze niet over collega's willen praten, of omdat ze er simpelweg helemaal klaar mee zijn.

'GMS is voor mij een gesloten hoofdstuk', 'Sta 110% achter de Mills', 'Ik werk nergens aan mee', 'Heb het nu afgesloten en vind het mooi geweest zo', waren reacties die ik kreeg op het verzoek voor een interview, onder meer via het profiel 'Glen Mills' op het online vriendennetwerk Hyves, dat ik voor de gelegenheid van dit boek had gecreëerd.

Bij het gebruik van Hyves kwam, opmerkelijk genoeg, ook een stukje groepsdynamiek om de hoek kijken. Nadat een (oud-)GMS'er aan het netwerk was toegevoegd, kon een andere (oud-)GMS'er om onverklaarbare redenen daar ineens uit stappen. Andersom is de verwevenheid tussen (oud-)studenten en (oud-)medewerkers groot. Er bestaan tussen hen honderden dwarsverbanden, gevisualiseerd op Hyves.

Mijn inschatting is dat een deel van de (oud-)GMS'ers zwijgt omdat ze gecompromitteerd zijn of omdat ze zich gecompromitteerd voelen. Hun eigen rol is zo met gebeurtenissen verweven dat ze niet geneigd zijn daarover te praten. Zoals een oud-coach zegt: 'Iedereen houdt elkaar in de tang. Oud-medewerkers willen niets zeggen over het verleden omdat ze daar zelf deel van uitmaken. De huidige medewerkers hebben een economisch belang, ze willen hun baan niet verliezen.

Niemand zal in zo'n situatie nog gaan praten over misstanden.'

Een zo uitgesproken methodiek als Glen Mills wordt door sommigen te allen tijde verdedigd, en roept bij anderen aversie op. Iedereen heeft er wel een mening over. Zomaar een greep uit de eerste van de in totaal 266 reacties op het Jeugdzorgrapport van 2008 over holding, op de website van *De Telegraaf*: 'Zachte heelmeesters maken stinkende wonden (...) maar ja; we zijn in het softe Nederland, waar alles wat crimineel is beschermd moet worden.'

'Nee, die begeleiders moeten zich op de bek laten slaan door die opgefokte pubers. Er werkt maar 1 ding en dat is zware discipline opleggen!' 'Dat een normaal mens 's avonds de straat niet meer op kan uit angst voor dit criminele gespuis is niet illegaal? Zeer zwaar straffen!!' 'Is alle problematiek niet ontstaan door de pappen en nathouden cultuur?' Achter slot en grendel ermee en de sleutel weggooien, is een heersende tendens.

Onder (oud-)studenten en (oud-)medewerkers lopen de meningen ver uiteen, en ook de leek zal bewust of onbewust snel zijn mening over Glen Mills klaar hebben. Het prijzen van de 'strenge maar rechtvaardige' methode is misschien wel de meest logische en begrijpelijke houding. Toch moge uit dit boek blijken dat een kritische houding meer op zijn plek is.

De Glen Mills-methodiek is ontworpen voor de Amerikaanse maatschappij. Daar is het verschil tussen arm en rijk veel groter, daar zijn échte gangs waar je niet zomaar uit kunt stappen. Daar betekent Glen Mills voor criminele jongeren pas echt een laatste kans, die tussen hen en de gevangenis in staat, een gevangenis waar je bedje niet zo gespreid is als in Nederland. In Amerika worden minderjarige met meerderjarige gevangenen heel makkelijk in één detentiefaciliteit opgesloten. Nederlanders, autochtoon of allochtoon, zijn geen Amerikanen. 'Je kunt geen Amerikaans systeem in een Nederlandse mentaliteit zetten. Dat zal nooit werken. Jongens in de Amerikaanse Glen Mills komen uit de echte getto's. Zij willen daar echt zijn,' zegt een Amerikaans-Nederlandse oud-coach.

Glen Mills valt op het snijvlak van jeugdzorg en jeugddetentie, maar helpen of straffen komt niet in het woordenboek van een coach voor. Dat maakt de baan bijzonder moeilijk: wanneer medewerkers de benadering van de jongens een persoonlijke invulling gaan geven, komt 'helpen' maar ook 'straffen' dichterbij, en daarmee ook manipulatie en machtsmisbruik door verschillende partijen. Juist dat is gebeurd. Misstanden werden vanaf het begin onder het vloerkleed geveegd.

Onder meer de Inspectie jeugdzorg (en de Onderwijsinspectie) is veel informatie onthouden, maar deze instanties hadden met een proactieve opstelling sneller kunnen ingrijpen. Maar de politieke druk en bescherming van het heilige huisje was en is groot. Veel politici zagen (of zien) Glen Mills door een roze bril. Een rondleiding op de campus (door een heuse Glen Mills-student!) met een mooi verhaal van de directeur en een koekje erbij verankerde de partijpolitieke steun. Zeker in de beginfase leek het een taboe om kritiek op Glen Mills te hebben.

Op het gevaar af verweten te worden psychologie van de koude grond te bedrijven, durf ik te stellen dat de lofzang op Glen Mills te maken had met het fenomeen 'Birging' (*Basking in Reflected Glory*), dat letterlijk Baden in Gereflecteerde Glorie betekent. Het is prettig de roem van anderen op je af te laten stralen, om jezelf te identificeren met de winnaars, met de School voor Winnaars. 'Als je wint / heb je vrienden, Rijen dik / echte vrienden,' zong Doe Maar.

De wens was de vader van de gedachte. Natuurlijk zou het werken, natuurlijk was Glen Mills de oplossing om criminele Marokkaantjes van de straat te halen. De DSP-onderzoekers in hun onderbelichte rapport: 'Als wij vragen naar recidive leggen alle jongens nadruk op: het ligt aan jezelf, de GMS is geen wondermiddeltje om jongens uit de criminaliteit te halen. "Jongens uit de criminaliteit houden dat kan de GMS helemaal niet doen. Dat kan niemand doen, dat kunnen alleen de mensen van wie je houdt, als die met je praten."

Glen Mills School Nederland is een kind van de politiek, maar het was nooit ieders *lovebaby*. Het kindje dat Van der Kolk uit de

Verenigde Staten adopteerde, dat de VVD als moeder kreeg, de PvdA als stiefvader, D66 als petemoe, dat kindje bleek heel wat ziektes onder de leden te hebben. Nu is het ondergeschoven kindje bijna tien jaar, bijna een tiener. Een tiener waar Nederland geen raad mee weet. Je kunt veelplegers wel naar Glen Mills sturen, maar waar laat je Glen Mills?

Glen Mills moet, als Glen Mills tenminste blijft bestaan, nauwlettend bewaakt worden. De vraag is alleen: wie heeft de eindcontrole? Kunnen politiek en controlerende instanties die taak (samen) aan? Hoe kan het dat zo veel vooraanstaande wetenschappers in Nederland de methodiek liever opgedoekt zien en de politiek (en dan uiteraard met name de Tweede Kamer) daar doof voor is? Is het onwetendheid, vrees voor gezichtsverlies, of de stem van het volk die de politici dwingt tot een 'daadkrachtige' pose? Als parlementariërs van zichzelf zeggen dat ze geen deskundigen op het gebied van de jeugdzorg zijn, waarom luisteren ze dan niet naar die deskundigen?

De Inspectie jeugdzorg constateerde begin 2008 letterlijk dat er geen zicht is op wat zich binnen de muren van Glen Mills afspeelt. Wie bewaakt de formule, wat is de formule, en wie heeft de juridische, de wetenschappelijke en de morele autoriteit om aan die formule te sleutelen? De Amerikaanse grondlegger is dementerend, de Nederlandse expert moest vijf jaar geleden het veld ruimen.

Glen Mills slokte vanaf de start veel energie en aandacht op, als een zwart gat. De vijfde divisie van de Hoenderloo Groep werd in korte tijd het vlaggenschip van de instelling, en bekender bij het grote publiek dan de Hoenderloo Groep zelf. Zolang het in Wezep goed ging, straalde dat op de Hoenderloo Groep af, maar ging het in Wezep fout, dan kwam het ook als een boemerang naar Hoenderloo terug. De onevenredig grote focus op Glen Mills was nu eenmaal de keerzijde van de medaille.

Televisie, radio, kranten, opiniebladen; niemand wilde die unieke, mysterieuze, on-Nederlandse instelling links laten liggen. Glen Mills kreeg daarom vanaf het begin veel pr. Het was voor journalisten een dankbaar onderwerp voor verslaggeving: een helder concept met veel spannende elementen, een hapklaar ingebouwd setje normen en waarden, én maatschappelijke relevantie. De directie gaf graag een voorzetje of stapte zelf op de media af. Veel aandacht voor Glen Mills stond nog niet gelijk met 'goede pers'. De kritische rapporten en misstanden werden even gretig opgepikt.

Het vlaggenschip van de Hoenderloo Groep vaart nog, maar het heeft flinke averij opgelopen. De Hoenderloo Groep, een van de grootste instellingen voor jeugdzorg in Nederland, vecht al vanaf de oprichting van Glen Mills voor een plek van de GMS binnen de jeugdzorg. Eerst voor politieke steun en subsidies, toen voor meer subsidies, nu voor het voortbestaan. Komt het vlaggenschip van de Hoenderloo Groep nog in rustig vaarwater?

Dank

Mijn zeer grote dank voor de totstandkoming van *Glen Mills. Het verhaal van een omstreden experiment* gaat uit naar de tientallen bronnen die me te woord wilden staan, voor hun openheid en hun tijd, naar Nynke van Lingen en Floris Akkerman, die het hele manuscript met een kritische pedagogische en journalistieke blik hebben doorgeploegd en naar Tobias Havelaar voor de blik van een psycholoog op de hoofdstukken 'Waar gehakt wordt' en 'Het zijn geen lieverdjes'. Mogelijke missers zijn uiteraard voor mijn rekening. Dankjewel ook Jamila Saoud, mijn voormalige *chief whip*, voor het helpen focussen op Glen Mills.

Annerys, jij zag de woonkamer in een kantoor getransformeerd worden. Zonder je geduld, je steun en je adviezen was het nooit gelukt. Bedankt mams en paps, die mij een tijdje hebben moeten missen, en bedankt *Sp!ts*, voor het kunnen opnemen van de korte sabbatical, en dat ik dit fascinerende onderwerp door de jaren heen mocht volgen.

Verantwoording

Het idee voor dit boek is mij indirect door de Hoenderloo Groep aangereikt. In februari van dit jaar interviewde ik voor *Sp!ts* Maria Mosterd, schrijfster van *Echte mannen eten geen kaas*, een boeiend relaas van een jonge vrouw van 18 jaar die van haar twaalfde tot haar achttiende in de greep was van een loverboy. Na afloop sprak ik met haar uitgever, Chris ten Kate. Hij vertelde mij dat Mosterd had deelgenomen aan Valor, een project van de Hoenderloo Groep. Dat bracht ons op het idee een boek over Glen Mills te schrijven, met als actuele aanleiding het tienjarig bestaan van de instelling.

Toen ik hoorde van het concept Glen Mills stond ik er intuïtief meteen positief tegenover, net zoals zo veel leken. In 2001 bezocht ik de campus voor het eerst. Ik ging Glen Mills volgen en publiceerde er regelmatig over in *Sp!ts*, de krant waar ik sinds 2000 voor schrijf. Ondanks mijn sympathie voor Glen Mills moest ik kritisch berichten. Terwijl het mystieke karakter van Glen Mills langzaam afbrokkelde, groeide mijn archief. Zonder dat had ik dit boek niet kunnen schrijven.

Dit boek is geen wetenschappelijke publicatie. Rapporten over Glen Mills zijn er in het afgelopen decennium al genoeg verschenen. *Glen Mills. Het verhaal van een omstreden experiment* is een journalistieke productie. Kritisch dus. Ik heb me onder meer gebaseerd op wetenschappelijke rapporten, externe en interne publicaties van de Glen Mills School, publicaties in kranten en (vak-)tijdschriften, gesprekken met (oud-)medewerkers en (oud-)studenten, verslagen, persberichten, bronnen op internet, Kamerstukken en mijn Glen Mills-dossier.

Ik heb er bewust voor gekozen de namen van coaches en docenten niet te noemen. Noch van hen die daar geen bezwaar tegen hadden, noch van diegenen die door anderen (medewerkers of studenten) werden genoemd. Alleen voor ingewijden is duidelijk wie bij incidenten betrokken was.

Een uitzondering heb ik gemaakt voor het management, omdat dat eindverantwoordelijkheid draagt of droeg, en omdat duidelijk is om welke personen het gaat. De individuele oud-studenten aan wie een hoofdstuk is gewijd, willen onder hun echte naam worden opgevoerd. De interviewverhalen over hen zijn momentopnamen.

De namen Glen Mills en Glen Mills School heb ik door elkaar heen gebruikt. Voor zover niet expliciet vermeld in de tekst, gaat het om de instelling in het Gelderse Wezep, niet om de Amerikaanse moedervestiging. Citaten zijn overgenomen met de originele spelling, cursivering, onderstreping en vetgedrukte woorden. Aanvullingen en verduidelijkingen in citaten zijn weergegeven tussen haakjes en met de aanduiding 'red.' van redactie.